VERDWAALD

Van Sue Miller verschenen eerder bij Contact

De goede moeder
Familiefoto's
Uit liefde
Een goede gast
Het betoverde kind
Toen ik even weg was
Voorbij de tijd

Sue Miller

Verdwaald

Roman

vertaald door Karina van Santen

2005
Uitgeverij Contact
Amsterdam/Antwerpen

Oorspronkelijke titel *Lost in the Forest*
Omslagontwerp Via Vermeulen/Natascha Frensch
Foto omslag © Jim Erickson/Corbis
Typografie Arjen Oosterbaan
ISBN 90 254 2572 0
D/2005/0108/957
NUR 302

www.boekenwereld.com

WOORD VAN DANK

Graag wil ik Dori en Doug Towne van Calistoga bedanken voor hun hartelijkheid en onze lange vriendschap. Ook gaat mijn dank uit naar Kathleen Cornelia en Philipa Jones van Diageo Company voor hun vriendelijkheid. Sterling Vineyards en Beaulieu Vineyards waren buitengewoon gastvrij en hoffelijk tijdens mijn verkenningsreisjes. Bedankt! John en Sloan Upton van Three Palms Vineyards vertelden me fascinerende en grappige verhalen over het begin van hun bedrijf, en vertrouwden mij hun fotoalbum toe, dat mijn verbeelding voedde over de lichamelijke inspanning en het plezier dat het helemaal vanuit het niets opbouwen van een wijngaard met zich meebrengt.

Nigel Newton, mijn Britse uitgever bij Bloomsbury steunde me en stelde me voor aan Jon Kongsgaard, die een fles van zijn eigen buitengewone wijn met me deelde en tijdens een lange lunch met streekgerechten vertelde over zijn leven in de wijnbouw en de wijnmakerij. Tony Mitchell beantwoordde vriendelijk mijn haast eindeloze vragenlijst over bedrijfsvoering in de wijnbouw. Andy en Lilla Weinberger waren vriendelijk en geduldig met me tijdens de dagen dat ik ‘hielp’ bij Readers Books in Sanoma, en hen achtervolgde met irritante vragen over hun geweldige winkel en over hoe die in elkaar zit.

Joan Wheelis redde me en hielp me op nieuwe manieren over dit boek na te denken.

Maxine Groffsky, mijn literair agent, en Jordan Pavlin, mijn redacteur bij Knopf, zijn onmisbaar voor me vanwege hun inzicht in mijn werk en hun hartelijke steun. Doug Bauer is mijn sine qua non.

HOOFDSTUK EEN

Emily belde, zijn oudste dochter. 'Kun je ons komen halen?' vroeg ze. 'Het is een noodgeval.'

Net als anders begroette ze hem niet, zei ze geen 'hallo' aan het begin van het gesprek. En net als altijd stoorde hem dat, hij voelde de bekende wrevel bij het horen van haar stem, haar toon. Maar terwijl hij luisterde, zorgde hij dat hij de pick-up door de scherpe bochten in de smalle weg stuurde om diverse hoopjes steen die van de steile helling af waren gerold te omzeilen: hij genoot zoals altijd van het spel van het late middagzonlicht op het vergeelde gras en de verkleurde bladeren in de wijngaarden, de geur van de lucht; hij zorgde dat zijn stem neutraal klonk toen hij antwoordde. 'Wanneer? Nu?'

Op de achtergrond hoorde Mark iemand opeens 'oeps' zeggen. Feestelijkheden, dacht hij. Zoals altijd. Voor zijn ogen doemde het gezicht van Eva op – zijn ex-vrouw. Bij de minste of geringste gelegenheid was er een bijeenkomst in haar huis: om een verjaardag te vieren – dat was niet onredelijk –, maar ook vanwege een project dat af was, een teamoverwinning, een verworven vaardigheid. Als je leerde fietsen werd er een feestje voor je georganiseerd.

'Duh. Ja, pap, nu,' zei Emily. 'Dat is precies wat ik bedoel.'

Hij reed in noordelijke richting over de 128 naar een kleine wijngaard die zijn werkploeg morgen waarschijnlijk moest oogsten. Hij moest de druiven bekijken. Maar als het nodig was, kon hij het Angel ook wel laten doen. Zijn raampjes stonden open. Door het lawaai van de langszoevende lucht klonk de stem van zijn dochter door de autotelefoon ver weg.

'En?' vroeg ze. 'Kan het?'

Als zijn jongste dochter, Daisy, hem ooit had gebeld voor een noodgeval, dan was het een kindercrisis geweest – niet geselecteerd voor het basketbalteam of een lift ergens heen waar haar moeder of stiefvader niet voor konden zorgen. Maar bij Emily bestond de kans dat dit noodgeval op z'n minst enigszins serieus was, een noodgeval in bijna volwassen termen. Termen waar hij misschien zelfs in mee kon voelen.

Maar ze zou weer de leiding nemen, en dat was iets waarvan hij en zijn ex-vrouw hadden afgesproken dat ze haar deze gewoonte moesten afleren, nee, haar ervan moesten bevrijden. Hij schraapte zijn keel. 'Misschien moet ik even met je moeder praten,' zei hij. Ja. Dat was de goede houding.

'Pap!' protesteerde ze. Hij gaf een hele tijd geen antwoord, en als reactie hierop klonk haar stem anders toen ze verder praatte. Ze klonk jonger: 'Mama kan nu niet aan de telefoon komen. Daarom hebben we je nodig.'

En met die woorden, 'we hebben je nodig', was de zaak beklonken. Nodig zijn. Kijk. Mark dacht aan Emily's fijne, ovale gezichtje, haar regelmatige, mooie trekken, haar krullende donkere haar, dat zo op dat van Eva leek – alle dingen die prachtig waren aan haar. Alle dingen waar hij zich niet aan ergerde. 'Oké,' zei hij. 'Oké, toevallig kan ik komen. Toevallig doe ik het.'

Ze liet zich niet tot een reactie uitlokken. 'Nu?' vroeg ze ongeduldig.

'Nu. Of, nou ja, geef me een minuut of tien.' Hij nam gas terug en toen hij een parkeerhaven langs de weg opreed, hotste de pick-up en de banden kraakten over het stoffige grind.

'Oké.' Zo te horen zuchtte ze opgelucht. 'Toeter maar gewoon,' zei ze, 'dan komen we naar buiten. O, en pap?'

'Ja?'

'We blijven ook slapen.'

Ze konden niet blijven slapen. Hij had plannen. Hij had een afspraakje. Hij zou met iemand het bed in duiken. 'Oké, schoonheid,' zei hij, 'dat bespreken we nog wel allemaal.'

Ze zuchtte nog eens en hing op.

Een minuut of twintig later, toen hij aankwam bij het grote negentiende-eeuwse huis van zijn ex-vrouw, ging de deur open voordat hij getoeterd had en kwam zijn jongste dochter de brede veranda op strompelen met haar slaapzak in haar armen en haar rugzak als buitenmodel bochel op haar rug. Daisy had geen schoenen aan. Haar lange, bruine benen waren bijna tot aan haar kruis zichtbaar in een afgeknipte spijkerbroek – benen die er al minder uit begonnen te zien als stokjes en meer als die van een vrouw, zag hij. Emily kwam achter haar de deur uit, alsof ze nog bezig was met iets achter zich.

Twee knappe, donkere jonge vrouwen, de een lang, de ander klein: zijn dochters. Hij stapte uit de pick-up om hen te helpen. Toen hij de oprit op liep, zag hij Theo te voorschijn komen uit het huis achter Emily. Het jongetje, nog geen drie, droeg een bruinpapieren boodschappentas aan de handvatten. Er stak iets uit – een kussen? Een deken? Hij zag Mark staan en lachte naar hem. Nu pakte Emily Theo's hand om hem de brede verandatrap af te helpen. Hij pauzeerde op elke tree, en de tas bonkte langzaam van tree naar tree achter hem aan.

Mark kwam hen tegemoet op de oprit. 'Hoi,' zei hij. Hij kuste elk meisje op haar hoofd. Ze roken hetzelfde, een damesachtige, kruidige geur: de gemeenschappelijke shampoo. Hij nam Daisy's slaapzak van haar over. 'Theo!' zei hij, en stak zijn hand naar hem uit. 'Waaraan danken we dit genoegen?'

'Ik zal het je allemaal uitleggen,' riep Emily achterom. Ze was voor hen uit de oprit af gelopen tussen de ordelijke, grijsgroene stoet rozemarijnstruiken door. Ze gooide haar spullen in de open laadbak van de pick-up.

'Dus hij moet ook blijven slapen?' vroeg Mark aan Daisy. Theo was niet zijn zoon. Theo was het zoontje van zijn ex-vrouw, uit haar tweede huwelijk. Hij mocht Theo graag. Hij vond hem zelfs aanbiddelijk – hij kende hem goed van verschillende familie-evenementen – maar er was hem nog nooit gevraagd op hem te passen. En eigenlijk had ook nu niemand het gevraagd.

Daisy haalde haar schouders op. Ze keek stuurs, zoals zo vaak. Of ontwijkend. Haar gezicht was smaller dan dat van Emily, haar neus nog een beetje te groot – ze was veertien – haar wenkbrauwen donkerder en dik. Ze was de laatste twee jaar omhooggeschoten, en nu was ze nog maar een paar centimeter kleiner dan Mark. Ze wist niet wat ze met haar lengte aan moest en probeerde die te verbergen. Toen ze nog klein was, was Mark bang geweest dat ze gewoontjes zou worden, wat hem iets bijna onverdraaglijk treurigs leek – een vrouw die gewoontjes was. Maar het laatste halfjaar was haar gezicht veranderd, sterker geworden, en hij zag dat dat niet zou gebeuren. Dat zij uiteindelijk zelfs knapper zou kunnen worden dan Emily, opvallender. Hij realiseerde zich dat hij zich daardoor meer op zijn gemak voelde bij haar.

Ze hadden Emily ingehaald, die weer zei: 'Ik zal het stráks uitleggen.' Ze klonk geïrriteerd, alsof zij de volwassene was en hij een zeurend kind. Ze pakte Theo's hand en trok hem naar het portier van de cabine.

Mark liep naar de bestuurderskant. Hij deed zijn portier open en bleef over de brede bank van de cabine heen staan kijken tot Emily naar hem zou kijken. Dat wilde ze niet. Of ze deed het gewoon niet. Eerst hielp ze het kleine jongetje in de auto, daarna klom ze zelf omhoog en was bezig hem de gordel om te doen. Toen ze eindelijk opkeek en haar vaders blik ontmoette, was hij er klaar voor. Hij hief zijn handen. 'Hé, Em,' zei hij. 'Je moet toch toegeven...'

'Papa, het is een noodgeval. Een echt noodgeval.' Hij zag nu dat haar ogen roodomrand waren, en de oogleden dik.

Theo keek hem aan en knikte. 'Noodgeval,' zei hij, en stak zijn duim vastbesloten in zijn mond.

Daisy perste zich naast Emily, en Mark stapte in en startte de auto. Hij reed de straat op. Toen er bijna een volle minuut voorbij was gegaan vroeg hij: 'Nou, de aard van dit noodgeval is...?'

Hij voelde Emily's blik strak op zich gericht, en hij keek naar haar. Ze fronste – haar donkere wenkbrauwen vormden felle strepen. Ze schudde haar hoofd. 'We kunnen er... we moeten er nu niet over praten.' Ze maakte een gebaar naar Theo, die tussen hen in zat en ernstig naar hen keek.

Mark knikte. Na weer een lange pauze zei hij: 'Maar op een gegeven moment zal het onthuld worden.'

'Ja,' zei ze. Ze keerde zich af en toen hij weer hun kant op keek, zag hij dat zij en Daisy elkaars hand vasthielden. Wat was er in godsnaam aan de hand? Daisy's mond hing dom open, alsof ze met stomheid geslagen was.

Ze legden in vrijwel volkomen stilzwijgen de hele weg naar zijn huis af. Alle ogen waren devoot op de weg gericht, alsof de bekende landschappen die langstrokken – de vallei die zich verbreedde en de herfstkleuren van de wijngaarden voor hen uitspreidde, het diepe groen van de heuvels dat meereed boven dat alles – een nieuwe en fascinerende natuurfilm waren. Een keer zei Daisy bijna fluisterend: 'Is het de bedoeling dat ze door die pillen bewusteloos raakt of zo?' en Emily haalde haar schouders op. Dat was alles.

Dat *wíe* bewusteloos raakt? Toch niet Eva, dacht hij. Hij zag haar voor zich, zijn ex-vrouw – klein, donker, met vlugge bewegingen, elegant. Haar plotselinge sexy glimlach. Niet Eva.

Boven Calistoga sloeg hij de niet aangegeven onverharde weg naar zijn huis in. Aan weerskanten van de weg stonden ver uit elkaar geplante nieuwe wijnstruiken. Hij moest de auto laten dansen en zigzaggen om de voren te vermijden. Hij voelde Theo's gewicht tegen zijn heup aan drukken. Na ongeveer vierhonderd meter reed hij zijn oprit op en vervolgens over het cementen pad waar hij van plan was ooit een garage te bouwen.

Zodra hij de motor afzette, hoorden ze de honden blaffen in het huis. De kinderen begonnen hun gordels los te maken, en hij sprong uit de cabine. Hij haalde hun bagage uit de achterbak. Ze kwamen naast hem staan – stil en merkwaardig passief stonden ze te wachten tot ze hun spullen in handen kregen.

Hij liep vooruit. Toen hij de achterdeur opendeed, schoten de honden naar buiten en begonnen rond te springen, onmiddellijk gesust door hun vreugde vrijgelaten te worden. Ze sloegen iedereen met hun zware staarten.

Theo maakte een geluidje van angst en verrukking, kwam tussen Marks benen staan en greep zijn dijen vast. Mark legde zijn handen op de smalle schoudertjes van de jongen, en was onmiddellijk gealarmeerd.

Waarom? Waarom voelde het zo vreemd om het jongetje aan te raken?

Misschien omdat hij had gerekend op de manier waarop de meisjes aanvoelden toen ze zo groot waren als Theo, toen hij het heerlijk had gevonden hen aan te raken, hen vast te houden. Theo's lichaam was pezig en gespannen, zo heel anders dan dat van hen op dezelfde leeftijd. Het voelde warm van de energie.

'Rustig maar, grote jongen,' zei Mark vriendelijk. 'Ze houden van je. Ze houden van kinderen zoals jij.'

Theo keek met grote, verschrikte ogen op naar Mark. 'Willen ze me niet opeten?' vroeg hij. Hij had lichter haar en een lichtere huid dan de meisjes, en om de een of andere reden vond Mark dat verschil treurig.

'Nee, nee, nee,' zei Mark. 'Ze willen je graag likken, en met je spelen. Kijk maar. Ze zijn lief.'

Hij hurkte bij Theo en stak zijn hand uit naar Fanny om hem te laten likken. Toen Theo hem even later nadeed, kwam Fanny's lange, ruwe tong naar buiten en streek ook over de hand van de jongen. Hij rukte zijn arm terug en wapperde even van angst en plezier, een dansje op de plaats. Hij droeg rode miniatuur-basketbalschoenen. Zijn gestreepte sokken waren er bijna helemaal in gezakt. Op een van zijn knieën zat een grote schaafwond.

Emily en Daisy waren onmiddellijk in het huis verdwenen, om hun spullen op te bergen, veronderstelde Mark. Hij kwam overeind. Theo greep zijn hand en liep vlak naast Mark mee de keuken in, vrijwel aan zijn linkerbeen geplakt. Hij praatte de hele tijd tegen de honden: 'Mag niet bijten! Stoute hond! Stoute, stoute hond! Mag niet bijten!'

Mark begon geïrriteerd en gefrustreerd te raken, maar dat wilde hij niet richten op het kleine jongetje. Hij wees naar de andere kant van de woonkamer in de richting van het achterhuis. 'Zullen we eens gaan kijken wat ze allemaal aan het doen zijn?'

Theo keek op naar Mark. 'Ja,' antwoordde hij.

Theo liep als een schaduw achter hem aan naar de deur van de achterkamer. De smalle ruimte was bijna helemaal gevuld door de bedden van de meisjes. Het was er donker en onderwaterachtig – het raam keek uit op een uitgegroeide conifeer, die Mark had willen snoeien. Het licht dat erdoorheen filterde was zwak en groenig. Daisy spreidde zorgvuldig haar niet opengeritste slaapzak uit op haar bed, zoals ze altijd deed. Dit was haar strategie om te zorgen dat ze het niet op hoefde te maken, want daar had ze een hekel aan. Emily lag al met een arm onder haar hoofd door het raam in het niets te staren. Mark had het gevoel dat ze hem negeerde.

'Kan ik even met je praten, Em?' vroeg hij met zorgvuldig neutrale stem.

De meisjes keken allebei naar hem. Ze leken verbijsterd, alsof hij ze net wakker had gemaakt uit een diepe slaap. Hij zei tegen zijn jongste dochter: 'Dees, wil jij even op Theo letten? Hij is bang voor de honden.'

Ze knikte.

'Ikke niet bang,' krijste Theo. 'Ikke grote jongen. Ikke niet bang.'

Toen Mark en Emily naar de deur liepen, begon Daisy, die op haar bed was neergeploft, een spelletje: 'Hoe groot ben je, Theo? Zo groot als een... leeuw?'

'Ja!' riep het jongetje.

Zodra Mark de deur van zijn kamer dicht had gedaan liet Emily zich zwaar op het voeteneind van zijn onopgemaakte bed vallen en zei: 'O, papa, het is John. John is dood.' Haar gezicht vertrok en de tranen begonnen meteen te stromen, alsof ze op dit moment had gewacht om zichzelf het volle pond van haar verdriet te gunnen.

'Hoe bedoel je?' John was Eva's man, de stiefvader van de meisjes. Theo's vader.

'Hij is dood, papa.' Haar handen gingen nu naar haar gezicht en bedekten haar open mond. Ze ademde diep in door haar vingers en deed toen haar ogen dicht. 'Hij is aangereden... door een auto. Door een auto.'

Mark vormde zich een beeld. Een verkeerd beeld bleek later, maar toen zag hij John – zijn grote lichaam vol bloed, in elkaar gezakt achter het stuur van zijn kapotte auto. Hij zag hem dood, al geloofde hij het niet.

Mark ging naast zijn dochter zitten en sloeg zijn armen om haar heen, en zij huilde stil en hartgrondig, hij kon zich niet herinneren dat ze ooit nog zo gehuild had sinds hij haar had verteld dat hij wegging – lange, sidderende ademteugen, en dan een zacht, hoog gejammer als haar ingehouden adem naar buiten kwam. Vanuit de andere slaapkamer hoorde hij Theo gillen: 'Stout! Stout!' en Daisy's stem, die probeerde hem af te leiden.

'Lieverd, toe maar. Huil maar,' zei hij. En toen zei hij: 'Sst.'

Hoewel hij nog steeds aan John dacht, nog steeds probeerde het te bevatten, merkte hij ook dat hij bedacht dat het prettig voelde om Emily vast te houden. En dat hij zich afvroeg wanneer hij haar voor het laatst had vastgehouden, haar of Daisy. Hij wist het niet meer.

Toen ze een beetje gekalmeerd was, reikte hij opzij naar de doos tissues op het nachtkastje. Ze snoot luidruchtig in diverse tissues en droogde haar gezicht. Zijn overhemd was nat waar ze ertegenaan had geleund.

'Hoe is het gebeurd?' vroeg hij uiteindelijk, met zachte stem. 'Wanneer?'

Ze leek weer in te storten bij de vraag, haar ogen liepen weer vol en sperden zich wijder open, maar ze hield zich in en fluisterde terug: 'Vanmiddag. Hij is gewoon aangereden... door een auto.'

Mark schraapte zijn keel. 'Zat hij achter het stuur?'

'Nee.' Haar haar danste toen ze haar hoofd schudde. 'Hij liep. Met Eva en Theo.'

'Jezus. Waren ze erbíj?'

'Ja. In St. Helena, op die drukke hoek als je de stad in komt. Ik denk dat die vent gewoon... te hard reed en hen niet zag.'

Ze zaten naast elkaar. Er hing een spiegel boven de brede ladekast tegenover hen, en Mark keek naar Emily in de spiegel, haar weerspiegelde gezicht op de een of andere manier ouder dan haar zeventien jaar, een gezicht dat hem vreemd was.

'Maar met mama is alles goed?' vroeg hij na een poosje.

Ze knikte. En stopte toen. 'Nou, eigenlijk zit ze onder de medicijnen. Daarom moesten we hierheen komen.' Haar stem was weer praktisch geworden. 'Ze is er slecht aan toe.'

'Maar... niet gewond.'

'Niet gewond.' Ze haalde vochtig haar neus op. 'Nee,' zei ze, en jammerde weer.

'Liefje, liefje,' zei hij en wiegde haar tegen zich aan.

'Hoe kunnen dit soort dingen gebeuren, pap?' fluisterde ze tegen zijn borst. 'John... John was zo goed. Hij was zo aardig.'

John was goed. Hij was aardig. Dat was wat Mark had gedacht vanaf het moment dat hij hem had ontmoet – dat Eva een aardige man had gevonden. Dat had hem een gevoel van pijn gegeven, van verlies, maar ook van opluchting. Als Eva zich aan hem vasthield, als ze met hem trouwde, zou alles beter gaan. John zou voor haar zorgen, hij zou alles wat moeilijk was in haar leven makkelijker maken. Ze zou minder boos zijn, minder afgesloten. De verhouding tussen hen zou misschien zelfs beter worden.

En dat was ook gebeurd. Eva was met John getrouwd, vijf jaar geleden. En een paar jaar later was ze zwanger geworden van Theo.

Mark herinnerde zich het moment dat hij dat had ontdekt. Hij was op een dag in de zomer langsgekomen om de meisjes op te halen. Toen hij aan kwam rijden zat Eva op haar knieën in de tuin te wieden – de mand naast haar uitpuilend van heldergroene polletjes van het een of ander. Ze ging op haar hielen zitten toen ze hem zag, en stond toen moeizaam, langzaam op. Ze had een versleten, verschoten denim tuinbroek aan met een T-shirt eronder, en een grote strohoed met een golvende rand met een gebloemde band om de bol. Haar donkere haar was in de hoed gepropt, maar krullende slierten hingen in haar nek en langs haar oren. Haar voeten waren bloot, klein, gebruind en slank. Dat zag hij allemaal. Toen legde ze haar handen op haar heupen en boog even achterover. Hij herkende het gebaar onmiddellijk van haar zwangerschappen van de meisjes; en dat maakte hem plotseling bewust van wat hij eerder niet had gezien: de zwaarte van haar buik die in de tuinbroek hing.

Zijn wereld stortte even in. Hij wist dat hij haar kwijt was. Dat begreep hij, en hij begreep ook toen pas dat hij tot dan toe niet echt geweten had dat dat zou gebeuren. En terwijl hij dit registreerde en de verwarring van deze gedachten voelde, was hij zich bewust van het scherpe, nieuwe verlangen naar haar.

Hij zorgde ervoor dat hij hier allemaal niets van liet merken. Na een paar seconden liep hij verder de oprit op, en toen ze glimlachte, die bedwelmende, slaperige glimlach – ook een teken van zwangerschap, had hij zich moeten herinneren – en vroeg hoe het met hem ging, loog hij. Hij zei met zijn rustigste stem: 'Prima, prima.'

'Arme kleine Theo,' zei hij nu tegen Emily. 'Beseft hij het, denk je?'

'Ik denk het niet.' Ze bleef even stil zitten, haar lippen van elkaar, ademend door haar mond. 'Hoewel.' Ze keek naar hem. 'Jawel. Ergens wel. Hij zei tegen me dat John weg was, dat zijn papa weg was, dat er een auto tegen hem aan was gereden.' Haar mond trok strak. 'Maar dat betekent niet dat hij er iets van begrijpt.'

'Nee,' zei hij.

Ze snoot haar neus weer. Ze zaten somber naast elkaar naar zichzelf te kijken in de spiegel en naar de dichte slaapkamerdeur ernaast. De honden blaften weer.

'En hoe zit het met Decs?' vroeg hij. 'Ze lijkt me nogal levenloos.'

Emily zuchtte. 'Ze praat gewoon niet.'

'Dat bedoel ik.'

'Ach, dat is gewoon zoals Daisy is, papa.'

En opeens realiseerde hij zich dat hij dit kende van zijn jongste dochter. Hij wist dat Daisy in lethargie, in zwijgzaamheid verzonk als ze overweldigd werd. Zelfs na de scheiding, toen ze zo klein was – nog maar vijf – was ze zo geweest: te stil, afwezig, stug. Hij had wel eens geprobeerd er een grapje van te maken door zachtjes met zijn knokkels op haar hoofd te kloppen. 'Hallo, hallo. Iemand thuis bij Daisy? Is daar iemand?'

'Hoe lang denk je dat jullie blijven?' vroeg hij.

'Ik weet het niet. Gracie was er en die stelde het voor, want mama is een beetje door het dolle. Ze zei dat ze je zou bellen.'

Gracie was Eva's beste vriendin, die gevraagd werd om getuige te zijn van elke viering, te helpen bij elke tragedie. Toen hij en Eva uit elkaar gingen, wist hij door Gracies aanwezigheid in hun huis dat het definitief was. Zij was aan de deur gekomen toen hij langskwam in de hoop dat hij met Eva kon praten, maar toen ze hem zag zei ze: 'Jij! Achterlijke klootzak!' en had de deur weer dichtgeslagen voor hij iets kon zeggen.

Nu waren ze weer vrienden. Ze hadden het er zelfs wel eens voor de grap, voordat Gracie trouwde, over gehad zelf iets met elkaar te beginnen – dat konden ze veilig doen, dacht hij, want ze voelden zich geen van beiden tot elkaar aangetrokken.

'Laten we even orde op zaken stellen,' zei hij tegen Emily, in de hoop dat haar organisatorische kracht hierdoor geprikkeld zou worden. 'Waar denk je dat Theo zou moeten slapen?'

'Ik weet het niet. Thuis heeft hij nog een ledikantje.'

'Aha!'

'Maar hij kan er toch uit klimmen, dus slaapt hij meestal bij iemand anders.'

'Bij wie? Bij Eva?'

'Soms. Soms bij John en Eva, soms bij mij of Dees.' Ze haalde haar schouders op. 'Hij kiest eigenlijk verschillende mensen om verschillende redenen op verschillende momenten.' Ze trok een grimas. 'Soms slaapt hij in de gang. Op de grond. Je moet oppassen dat je niet over hem struikelt als je 's nachts opstaat.'

Hij zag het opeens voor zich, het kleine jongetje slapend in een deken gerold op de grond. Emily die in haar nachtpon over hem heen stapte. Het geroutineerde ervan, de grapjes die 's ochtends gemaakt zouden worden. Alles wat vast en vanzelfsprekend was in het leven van zijn kinderen, alles waar hij niet aan vast had kunnen houden voor hen. Hij zei: 'Misschien moet hij maar bij mij komen. Ik heb het grootste bed.'

Er werd op de deur geklopt. Daisy riep: 'Pap, de honden worden hier gek.'

Mark stond op. Bij de deur keerde hij zich om naar Emily. 'Gaat het voorlopig?'

Ze zag er beter uit. Minder uitdrukkingsloos, minder in zichzelf gekeerd. Ze keek weg van haar eigen spiegelbeeld naar hem. Ze knikte.

'Nou, kom me dan maar helpen met dit hele circus.'

Ze stond op en zuchtte gekweld terwijl ze achter hem aan liep.

'Een sterfgeval in de familie.' Dat is wat hij zei toen hij Marianne belde om hun afspraak af te zeggen, maar hij had het gevoel dat hij het op de een of andere manier gebruikte, vervalste, ook al was er niets aan dat niet waar was.

Haar stem veranderde onmiddellijk – ook vals, voelde hij – in medeleven en bezorgdheid. 'O, Mark. Wat erg. Wie?'

Er viel een korte stilte nadat hij had gezegd: 'De stiefvader van de kinderen', en hij voelde dat hij dat uit moest leggen. Hij zei: 'Ze hielden erg veel van hem', hoewel hij zich realiseerde dat hij eigenlijk niet wist of dat zo was.

Ze spraken af dat ze elkaar over een paar dagen zouden spreken, als alles weer een beetje gewoner was. 'Ik kan haast niet wachten tot ik je zie, babe,' zei hij voordat hij het knopje indrukte om de verbinding te verbreken.

Mark had de telefoon meegenomen naar de achtergang, naast de keuken, om het telefoontje te plegen. Tijdens het praten had hij naar buiten gekeken, naar zijn pick-up, kleurloos in de zich verdiepende schemering, naar de donkere vormen van de honden die rondscharrelden over de oprit, naar de zwarte vijgenboom en de dreigende, donkere schuur met de tractoren ervoor: de vertrouwde elementen van de wereld die hij voor zichzelf had geschapen toen hij Eva en de meisjes kwijtraakte.

Toen hij de keuken weer in kwam, schrok hij van Daisy, die in het felle licht tussen het aanrecht en het keukeneiland stond, alles aan haar verstijfd, oplettend, alsof ze er al lang stond. Hij lachte naar haar, maar haar gezicht veranderde niet. 'Wat is er, Dees?' vroeg hij terwijl hij de hoorn op de haak hing.

'Ik wilde je iets vragen,' zei ze.

'Ja?'

Ze keek hem strak aan. 'Maar ik weet niet meer wat.'

'Misschien komt het wel weer,' zei hij.

'Hm-hm,' zei ze.

Na het eten belde Gracie. De kinderen zaten voor de televisie en keken naar een oude video van *Time Bandits,* terwijl ze wachtten tot de taart die ze samen hadden gemaakt gaar zou zijn, een project dat Emily had bedacht toen alles een beetje doelloos begon te worden na het eten en Theo steeds wilder werd. Deze keer was Mark haar dankbaar dat ze dingen regelde, dat ze de volwassene was, dat ze Theo en zelfs de sombere Daisy zover kreeg om haar te helpen beslissen wat voor smaken de taart en het glazuur moesten hebben, en om de ingrediënten af te wegen.

'Mark!' riep Gracie. 'Ik wilde naar buiten komen toen je de kinderen kwam halen maar ik kon niet weg vanwege Eva, en toen was je weg. Hoe gaat het?'

'Het lukt wel,' zei hij. Hij stapte weer het gangetje naast de keuken in en liet zijn stem dalen. 'Hoe gaat het met Eva?'

Haar stem daalde ook als reactie op de zijne. 'O, god, wat een puinhoop!' zei ze. 'Ze slaapt eindelijk, geloof ik, maar ze heeft genoeg rotzooi in haar lichaam om een trekpaard knock-out te krijgen.'

'Ze heeft het zien gebeuren, vertelde Emily.'

'Mijn god, ja. Kun je het je voorstellen? Het is toch ongelooflijk. Die rotzak kwam de hoek om en wam! John zeilde gewoon door de lucht, geloof ik. Terwijl Eva en Theo vlakbij stonden te kijken.' Haar stem veranderde. 'Hij is tegen de lantaarnpaal aangekomen, wist je dat.'

'Nee. Dat heeft Emily niet verteld.'

'Ze weet het ook niet. Ik vond dat de meisjes niet elk gruwelijk detail hoefden te horen.'

'Nee,' zei hij. En toen hij erover nadacht: 'Jezus, nee.'

'Precies,' zei ze. 'Hij was waarschijnlijk op slag dood.' Haar stem was bij die laatste paar woorden weggezakt en ze zweeg abrupt. Toen fluisterde ze: 'Wacht even.' De telefoon werd met een bonk neergelegd. Ze liep weg, een stilte in. Na een paar minuten hoorde hij haar terug komen lopen, hoorde haar haar neus snuiten. Ze kwam weer aan de telefoon. 'Hoe dan ook,' zei ze hees. 'Daarna moesten ze nog die treurige scène spelen waarbij ze hem vasthouden en de ambulance komt en zo.' Haar keel maakte een vreemd, klikkend geluid. 'O, het is toch te erg? Je weet gewoon niet wat je moet zeggen of doen.'

'Gracie,' zei hij.

'Wacht even,' zei ze. Hij hoorde haar weer snuiten.

Toen ze de telefoon weer oppakte, zei hij: 'Voor mij is het makkelijker dan voor jou. Ik heb de kinderen hier. Ik voel me eigenlijk wel nuttig, hamburgers bakken voor het avondeten, dat soort stomme dingen.'

'Ik benijd je.'

'Dat weet ik. Ik benijd jou niet.'

'Ik klaag niet, Mark,' zei ze snel. 'Ze heeft me nodig. Eva.'

'Dat weet ik.'

Ze lieten een lange stilte vallen. Ten slotte zei hij: 'Dus je blijft vannacht slapen?'

'O, dat in elk geval. Je kunt je niet voorstellen... Ik bedoel, ik dacht altijd, Eva, met de kinderen... je weet wel. Nou, dat zij altijd degene was die de boel bij elkaar hield voor de kinderen.' Ze zuchtte.'Jezus! Deze keer niet.'

Ze spraken af dat ze de volgende ochtend weer zouden bellen. Hij zou de kinderen naar de crèche en naar school brengen. Of misschien zou hij de meisjes thuis houden. Hij zou nog wel zien wat het beste was. Hij gaf haar het nummer van zijn autotelefoon. Ze beloofde te bellen als er iets veranderde.

Toen Mark had opgehangen en de taart uit de oven haalde, dacht hij aan Eva, huilend, hysterisch. Hij had haar regelmatig zo gezien in de begintijd van hun huwelijk, toen ze heftig ruzie maakten over van alles – over principes, leek het hem nu hij erop terugkeek. Ze was ook een poosje zo geweest rond de tijd van hun scheiding. Een keer toen hij de kinderen voor het weekend kwam halen, was hij teruggelopen naar het huis toen hij ze in de auto had gezet. Hij wilde nog even zeggen hoe laat hij ze terug zou brengen. Maar hij bleef in de deuropening staan, niet in staat om verder te gaan. Ergens binnen, weggesloten achter muren en deuren in naar zij dacht privacy, jammerde Eva de doodsbange, verlaten kreten van een kind, de ene kreet van pijn na de andere, zo luid en wanhopig dat je je niet kon voorstellen dat ze genoeg adem had om verder te gaan.

En nu jammerde ze om John. Even liet hij het verdriet over zich heen spoelen – een zacht, deugdzaam verdriet waarvan hij zich al na een paar seconden realiseerde dat het evenzeer om hemzelf was als om Eva of John. Dat leek zo krankzinnig, zo'n foute gedachte – zo'n fout gevoel – dat hij de ovendeur dichtsloeg om zichzelf te stoppen, en een seconde later riep Daisy's geschrokken stem vanuit de woonkamer: 'Wat gebeurde er? Wat was dat?'

's Nachts werd Mark wakker. Waar werd hij wakker van? Niet van Theo, die rustig lag te slapen waar hij uiteindelijk terecht was gekomen – opgepropt tegen Marks hoofdeinde, snotterig ademhalend met zijn mond open. Om het jongetje heen lagen de knuffels die hij uit zijn papieren tas had gehaald, en waarvan Mark er een, juffrouw Uil, herkende omdat hij jaren geleden van Daisy was geweest.

'Dat was heel erg lief van je,' had hij tegen haar gezegd nadat hij Theo in bed had gelegd en ze hem allemaal welterusten hadden gezegd.

Ze had haar schouders opgehaald. 'Niet echt,' zei ze. 'Ik vind het wel leuk om haar te zien. Eerst woonde ze in een doos.'

Hij had naar haar gekeken, lang, houterig, en gedacht hoe vreemd het was dat ze het ene moment zo kon praten, alsof ze nog verbonden was met het kind dat had geloofd dat haar speelgoed leefde, en het volgende moment een gebaar maken waardoor ze een volwassen en zelfs seksueel wezen leek.

Voordat ze naar bed was gegaan was ze de keuken weer in gekomen en zei dat ze weer wist wat ze vergeten was. 'Weet je wel, wat ik je daarnet wilde vragen.'

'O ja. Kom maar op.'

'Waar is John? Waar is hij nu?'

En Mark had het verkeerde antwoord gegeven, hij had het kind in haar antwoord gegeven. 'Ik weet het echt niet, Dees. Hangt ervan af, denk ik, van wat je gelooft. Als je gelooft in een leven na de dood...'

'Nee!' zei ze ongeduldig en schudde haar hoofd. 'Ik bedoel waar is hij? Waar is zijn lichaam?' En haar hand was langs haar eigen lichaam gegaan met het gebaar van een danseres.

Hij was even naar haar blijven kijken, zoals ze daar stond, fel en uiterst geconcentreerd, zoals hij haar nog maar zelden had gezien. 'Dat weet ik ook niet, Dees,' zei hij treurig.

Hij draaide zich om en ging op zijn rug liggen. Hij had een lamp in de woonkamer aangelaten omdat Theo bang was in het donker. Zijn slaapkamer zag er op een bepaalde manier rommelig en onaangenaam uit in dit halfdonker.

Na een paar minuten merkte hij dat hij zijn ademhaling regelde naar die van Theo. Dat verklaarde misschien het beklemde gevoel in zijn borst. Maar toen hij zijn ademhaling bewust regelde, toen hij zichzelf dwong weer in zijn eigen tempo te ademen, realiseerde hij zich dat de beklemming in hemzelf zat – dat hij dacht aan John, die omhoog geslingerd werd, steeds hoger, en tegen de paal sloeg. Aan Eva, die toekeek, en het uitschreeuwde. Hij rolde zijn hoofd van de ene naar de andere kant op zijn kussen.

De laatste keer dat hij John had gesproken was misschien tien dagen geleden geweest, een doodgewoon gesprekje: Hoe gaat het? Wat heb je zoal gedaan? John was een grote man, breedgebouwd en niet mooi, met zandkleurig haar en wittige wimpers. Hij zag er altijd uit of hij een beetje te lang in de zon had gelegen, een beetje weerloos. Ook als hij Mark de meest banale vragen stelde, leek hij oprecht geïnteresseerd; hij leunde met een ernstige blik voorover om het antwoord te horen. Mark ontdekte dat hij te breedvoerig antwoord gaf – hij verveelde zichzelf tegen de tijd dat hij klaar was. Ook die laatste keer had hij zich verveeld toen hij John antwoord gaf en had gepraat over zijn werk, over de oogst – het persen – over hoe lang zijn dagen nu waren, over het oogsten van de druiven op het juiste moment, over het overbelasten van de werkploegen.

Maar John had even geïnteresseerd geleken als altijd. Hij stelde Mark nog meer vragen, schonk hem nog een glas wijn in.

Dat was op een zondag eind september. Mark was de meisjes komen halen en er bleek een feestje te zijn, een lunch die zo te zien van geen ophouden wist. Maar nu was hij in de laatste fase gekomen – de tafel lag vol kruimels en zat vol vlekken van de wijn eerder tijdens de maaltijd: de zachtroze kringen hadden zich zachtjes uitgespreid op het witte tafelkleed, de druppels waren uitgevloeid. De zon glinsterde laag door de open deur en de lucht rook droog en zoet.

Mark werd hartelijk verwelkomd. Er werd nog een stuk abrikozentaart voor hem afgesneden, John vulde zijn glas, hij werd aan iedereen aan tafel voorgesteld. De meisjes, die de eerste minuten na zijn aankomst in de buurt waren gebleven, verdwenen weer toen ze merkten dat hij een poos zou blijven. Na een paar minuten kon je de bas van hun muziek horen bonken ergens boven.

Het gesprek ging verder. Het onderwerp was boeken, literatuur, zoals gewoonlijk in het huis van Eva en John. Een van de gasten was een schrijver, iemand die kennelijk ook les gaf. Ze probeerden vast te stellen hoeveel van hen Proust hadden gelezen. Er gingen maar twee handen omhoog, zag Mark tot zijn opluchting, want hij had hem niet gelezen. De ene was van John en de andere van de vrouw die Cynthia heette, de vrouw van de schrijver. Maar toen keek ze om zich heen en zei: 'Nou ja, gedééltelijk, moet ik bekennen.'

Haar man vroeg of ze dat bekend zou hebben als alle anderen hem wel hadden gelezen.

Ze lachte. Ze was aantrekkelijk, dacht Mark, op een nerveus uitziende, te sterk opgemaakte manier. 'Dat is voor jou een vraag en voor mij een weet,' zei ze.

Ze vroegen zich af hoe het kwam dat zo weinig van hen Proust hadden gelezen. Ze vormden een tamelijk geletterde groep. Hoeveel zouden het er zijn in de wijde wereld van lezers, als in deze samenstelling zo weinig mensen het hadden gedaan. Zeven misschien? 'Misschien liegt iedereen,' zei Eva.

En zo was Mark, zoals zo vaak, uiteindelijk in gesprek geraakt met John. John, die volop geïnteresseerd leek in Marks beschrijving van de onbestendigheid van het rijpingsproces van de druiven, van de kans dat je het er te veel op aan liet komen. Van het probleem dat er het ene moment te veel arbeiders waren en op andere momenten te weinig. Hoe kon je erachter komen of het John iets kon schelen? Dat kon je niet. Hij was te aardig.

Een aardige man. Wat had Eva gezegd toen Mark dat woord over hem had gebruikt? Toen hij na de eerste keer dat hij John had ontmoet had gezegd: 'Hij lijkt me echt aardig'?

Ze had hem niet aangekeken, ze zat op haar knieën op de grond voor Daisy en hielp haar voeten in rode overlaarzen te wringen die bijna te klein waren om over haar schoenen te passen. 'Ja, ik vond dat ik deze keer eens voor aardig moest gaan,' zei ze. 'Ik vond dat ik dat misschien verdiend had.'

Mark stond boven haar. Het enige wat hij van haar kon zien was haar achterhoofd en de knobbelige, kwetsbare curve van haar nek waar haar haar naar voren viel. Maar hij hoorde aan haar stem, die zwaar was van de scherpe beschuldiging tegen hem, hoe haar gezicht eruit moest hebben gezien, en hij had geen antwoord gegeven.

Hij probeerde zich nu John voor te stellen na het ongeluk. Was zijn gezicht beschadigd? Zijn hoofd? Dat moest wel. Dat kon toch niet anders? Hij stelde zich voor hoe Eva naast hem knielde, hem vasthield. Eva, besmeurd met bloed. Hij stelde zich zichzelf voor, hoe hij eruit zou hebben gezien als hij daar lag; en dat Eva zich dan jammerend over hem heen boog.

Hij moest met een steek van schaamte erkennen dat hij merkwaardig veel belangstelling had voor dit tafereel, zelfs een hunkering ernaar, naar het dramatische, naar Eva's paniekerige liefde. Hij bleef lang zo liggen luisteren naar zijn eigen ongelijkmatige ademhaling, en daaronder die van Theo – gestaag, schijnbaar droomloos, zwaar.

HOOFDSTUK TWEE

Pas maanden later kon Eva het over haar hart verkrijgen haar verdriet te beschouwen als een proces. Als mensen dat suggereerden in de dagen en weken na Johns dood – slonzige new age-mensen. Hatelijke mensen, dacht ze – was ze soms sprakeloos van verontwaardiging om dat idee, alsof ze haar onverwacht hadden geslagen. Ze wilde en kon deze golf van pijn die haar leven in en uit rolde niet beschouwen als iets met een voorspelbare vorm of een eindpunt. Zij zag het als een monster waaraan ze onderdak had geboden, waarvan ze in zekere zin was gaan houden. Toen het weg was, toen het besloot op sommige dagen – volkomen willekeurig, leek het haar – weg te zijn, haar niet te kwellen, werd ze juist daardoor gekweld, door de afwezigheid ervan.

In die eerste tijd, in oktober en november, verbaasde het haar soms dat het leven zich eromheen kon afspelen: de dingen van het leven, de dingen die altijd het leven hadden gevormd. De kinderen werden wakker, en daardoor werd zij wakker – hun stemmen beneden in huis, het gebonk van hun blote voeten op de oude houten vloeren. Ze stond op, ze deed een plas en voelde de vertrouwde lichamelijke opluchting, het functioneren van haar lichaam. Dat het nog werkte, dat ze daardoor nog steeds iets voelde, leek haar belachelijk. Ze poetste haar tanden, ze maakte ontbijt voor de kinderen en zorgde dat hun dag kon beginnen. Ze ging naar de boekwinkel die haar eigendom was, hoewel de twee vrouwen die voor haar werkten haar die eerste weken na Johns dood vaak naar huis stuurden als het niet druk was op kantoor. Ze kwam thuis. Ze ging kijken als Daisy basketbalde, als Emily als cheerleader optrad bij een footballwedstrijd. Ze deed boodschappen, haalde Theo van de crèche, maakte avondeten.

Maar op elk moment tijdens dit alles kon het monster komen en haar letterlijk de adem benemen. Soms voelde ze zich zo overweldigd als dat gebeurde dat ze ter plekke op haar hurken of knieën moest gaan zitten. Een keer had Daisy haar in de keuken gevonden, in elkaar gedoken op de grond, met een half geraspte wortel in haar hand.

'Wat is er, mam?' riep ze. Ze was verward en angstig in de deuropening blijven staan. 'Wat is er gebeurd?'

En daarmee was het over, alsof Daisy een vloek had verbroken. Eva schaamde zich alleen maar. Ze stond op en pakte de rasp die ze zo gehaast had neergezet. 'Er is niets,' zei ze met haar rug naar Daisy. En omdat dat zo'n flagrante leugen was, voegde ze eraan toe: 'Ik was alleen een beetje duizelig.'

Een andere keer bracht ze een hele ouderavond op de crèche van Theo huilend door. De vrouw die met haar praatte was zo jong, zo onbekend met verdriet op deze schaal, dat ze Eva op haar woord geloofde toen die zei dat er niets aan de hand was, echt niet, het gebeurde soms gewoon, let er maar niet op alstublieft; ze werkte zorgvuldig en grondig haar aantekeningen door – keurig handschrift in zwarte inkt op correspondentiekaarten – terwijl tranen en helder snot gestaag over Eva's gezicht stroomden. Toen ze klaar was, keek de juf snel en een beetje gegeneerd naar Eva en vroeg of ze nog vragen had. 'Nee,' fluisterde Eva. 'Geen vragen.'

Soms in de eerste maanden na Johns dood werd ze 's nachts wakker, strompelde naar de badkamer en gaf over, ook als er niets meer over te geven was. Ze beschouwde het als de rouw van haar hele lichaam, als een vorm van verkrampt en nutteloos treuren.

De doodgewoonste herinneringen konden het ontketenen. Een keer, toen ze net in bed lag, dacht ze aan een nacht dat ze wakker was geworden van de aanraking van Johns voet op haar kuit – zijn voetzool, een zacht kussentje. Ze herinnerde zich dat ze het, nog voordat ze zelfs maar had geregistreerd wat het was, had gevoeld als iets zo ontzettend dierbaars, zo geladen met liefde voor haar – dat lichte, voortdurende contact, die aanraking van hem – dat ze zich in het donker naar hem toe had gedraaid en zijn schouders langzaam en teder was gaan strelen om hem uit de slaap terug te brengen bij haar. Bij die gedachte, terwijl ze daar alleen lag – zijn dierbare voet, zijn lichaam dat wakker werd en zich naar haar keerde, zijn grote gestalte die in het donker boven haar heen en weer gewoog – was ze gaan huilen, eerst zacht en daarna zo hard dat, tot haar schaamte, Emily binnen moest komen om haar te kalmeren zodat ze Theo niet bang zou maken.

En dan waren er alle kleine dingen, de tekenen van hoezeer ze in een andere wereld leefde. Die keer dat ze moesten stoppen voor een stoplicht op weg naar Gracies huis, en toen het groen werd aan de kinderen moest vragen waar ze naartoe op weg waren – ze had gewoon geen idee, geen herinnering. ('Jezus, mam,' zei Daisy, 'ben je gek aan het worden of zo?') De twee keer aan het ontbijt dat ze sinaasappelsap in plaats van melk in haar koffie had geschonken, tot Theo's luidruchtige verrukking.

Het leek op verliefd zijn, dacht ze – rouw. Het leek op hoe je verbijsterd was door liefde als je jong was. Ze herinnerde zich dat ze de sinaasappelsapstunt ook had uitgehaald toen ze zo smoorverliefd was op Mark dat ze niet normaal kon denken. Het gaf hetzelfde gevoel van jezelf kwijt te zijn, overgenomen te zijn door een gevoel dat je niet onder controle had. Maar natuurlijk wilde je in geen van beide gevallen echt verlossing.

Maar de verlossing kwam in dit geval, gewild of niet. Naarmate het proces voortschreed, naarmate Eva meer stappen deed in de richting van het achterlaten van het gevoel dat ze alles kwijt was, naarmate ze beter in staat was soms een hele dag door te brengen zonder overweldigd te worden door verdriet, begon ze te rouwen om haar eigen rouw, om het feit dat ze John losliet. Ze wilde hem niet loslaten! Ze wilde niet liefhebbend en in de verleden tijd over hem praten. Ze wilde niet níet woedend zijn om zijn dood, om hoe hij was gestorven, bij de herinnering aan hoe ze zijn verminkte gezicht in haar armen hield zodat Theo het niet zou zien. Zodat niemand het zou zien, niet eens de ambulancemensen, die hem uit haar greep moesten wringen toen ze hem kwamen halen.

Een normale dag, een dag dat ze niet huilde, dat ze niet werd geveld door woede of verdriet, was als verraad aan wat hem was overkomen.

Maar ze kwamen, de normale dagen, ze kwamen steeds vaker, en beetje bij beetje stalen ze haar verdriet van haar – haar laatste verbinding met John, zoals ze het toen voelde.

En daar is ze, een half jaar na Johns dood, ze heeft net weer zo'n dag doorleefd en dekt nu de tafel voor wat tenslotte toch een familiediner is. Mark brengt de meisjes terug om een uur of vijf – ze zijn het weekend bij hem geweest – en hij blijft bij hen eten zoals soms gebeurt, en zoals hij ook af en toe deed toen John nog leefde.

Ze zal blij zijn met wat volwassen gezelschap. Ze heeft de dag doorgebracht met Theo, die zoals tegenwoordig altijd als hij bij haar is, afwisselend woest en actief is geweest, waarbij hij wil dat ze met hem meedoet; en dan weer stil – teruggetrokken lijkt het haar.

Ze maakt zich zorgen om hem. Maar eigenlijk maakt ze zich zorgen om alle kinderen.

Ach, niet om Emily. Hoewel het nu beter gaat, leek Emily in eerste instantie het verdrietigst van de drie, en verdrietig is wat je zou verwachten. Wat je zou willen, denkt Eva.

Verdrietig is wat Daisy en Theo niet hebben geleken. Hoewel Eva weet dat Daisy's teruggetrokkenheid, haar stille buien deel uitmaken van haar verdriet; zoals ze weet dat Daisy van alle kinderen in bepaalde opzichten het meest aan John gehecht was. Het meest van hem had gehouden. Emily en Theo vertrouwden op John, vonden hem vanzelfsprekend – zoals zijzelf ook had gedaan, erkende Eva. Maar wat betekende dat? Dat ze wist dat hij er altijd zou zijn? Misschien was het zoiets eenvoudigs. Maar dat iets betekende wel bijna alles voor Eva.

Maar Daisy, de houterige, onaantrekkelijke Daisy, met haar verschrikkelijke houding, haar warrige haar, haar sloomheid – Daisy die waarschijnlijk voornamelijk niet geloofde dat iemand er altijd zou zijn – Daisy leek het kleine beetje hoop dat ze op dat gebied had op John gevestigd te hebben. Ze dweepte met hem! Hij en Eva hadden er wel eens samen om gelachen 's avonds in hun slaapkamer. Een jaar geleden nog had hij haar een fraaie kaart laten zien die Daisy had gemaakt en op zijn bureau gelegd met een uitnodiging voor haar pianorecital. En op een avond toen ze een jaar of tien was, vonden ze een gedicht van haar op zijn kussen gespeld, een gedicht dat voort hotsebotste naar de slotregel: 'O stiefvader, man der mannen!' (Eva had dat een keer als seksueel grapje gebruikt. Ze had de regel tegen John gefluisterd op het moment dat hij in haar kwam, en toen hadden ze gelachen; maar later voelde ze zich op een treurige manier een beetje schuldig tegenover Daisy en ze deed het niet nog een keer.)

Daisy was degene die altijd met John meeging als hij zijn hoofd door de deuropening stak en zijn open, achteloze uitnodigingen deed: 'Ik ga even naar de bakker' – naar de kruidenier, naar de stomerij, naar de slijter. 'Gaat er iemand mee?' Daisy legde altijd weg wat ze aan het doen was en verklaarde zich bereid, alsof ze de gedachte dat hij alleen zou gaan niet kon verdragen.

Het is moeilijk na te gaan hoe zwaar het nu voor haar is, ze is zo gesloten, maar ook als Eva het meest verzonken is in haar eigen pijn, probeert ze zichzelf eraan te herinneren dat Daisy ook lijdt. Hoe meer je niet merkt dat ze lijdt hoe meer ze lijdt. Eva weet niet wat ze eraan moet doen behalve proberen naar zo veel mogelijk van haar recitals en wedstrijden gaan. Behalve Daisy haar eigen verdriet laten zien, haar tranen. Behalve haar zo vaak aanraken als ze maar wil toestaan, en dat is niet vaak – ze is een expert in het afschudden van Eva's hand op haar schouder, het zich afkeren van een poging tot omhelzing van haar moeder.

Maar Theo is nog moeilijker, want Eva heeft gewoon geen idee wat hij voelt. Hij heeft niet één keer echt gehuild. Of zelfs op een duidelijke manier erkend dat John dood is, hoewel Eva vaak heeft geprobeerd er met hem over te praten. Niet zozeer over het moment van Johns dood – dat zou te gruwelijk, te wreed zijn om over te praten. Maar gewoon over het feit dat hij dood is, weg. En soms lijkt het of Theo dat begrijpt, zonder dat hij erover kan praten. Er zijn zelfs momenten waarop Eva denkt dat hij het accepteert, als een gegeven, een onderliggend feit van zijn leven.

Maar dan weer niet. Vandaag bijvoorbeeld zei hij plompverloren in de auto op weg naar huis nadat ze gezwommen hadden in Gracies zwembad: 'Als ik groot ben, laat ik papa zien hoe goed ik kan zwemmen.'

Eva, die het avondeten aan het plannen was en in gedachten de openstaande koelkast bekeek in de hoop dat ze het boodschappen doen kon overslaan, luisterde opeens aandachtig. Ze keek naar hem. Hij was in een gestreepte handdoek gewikkeld, zijn dikke, bruine haar was nog donker van het vocht, zijn ogen en neusgaten roze door het chloor en het water.

Na een minuut zei ze: 'Ik wilde dat je het aan papa kón laten zien.' Ze overwoog elk woord zorgvuldig. 'Hij zou zo trots op je zijn.'

'Ik gá het doen,' zei het jongetje fel.

Eva kreeg een zwaar gevoel rond haar middenrif. Ze probeerde haar stem mild te houden. 'Maar je weet toch dat papa dood is, Theo.' Hij keek opzij uit het raampje – hoewel hij zo laag in de auto zat en zo klein was, dat hij waarschijnlijk alleen de overhangende bomen langs de weg en de wolkenloze hemel erachter kon zien. 'Ja?' vroeg ze.

Nu keerde hij zich naar haar toe. 'Ja. Maar ik bedoel, ik ga het hem laten zien in de hemel.'

Eva was verbijsterd. Ze had nooit tegen Theo gezegd dat John in de hemel was. Ze wist dat Mark of Gracie of Gracies man Duncan ook nooit zoiets zou zeggen. Iemand op de crèche dan, om aardig te zijn? Zou een van de meisjes hebben gedacht dat dat het beste was om te zeggen, het meest troostende?

Ze wist dat ze hierover door moest vragen. Ze wist dat ze iets tegen hem zou moeten zeggen. Maar wat? Dat hij ook dood zou zijn als hij in de hemel was bij John?

Nee, dat natuurlijk niet.

Dat ze niet in de hemel geloofde? Dat zíj niet in de hemel geloofden? – want hij maakte deel uit van wat zij dacht en geloofde.

Maar wat dan?

Ze reden.

Ze reden! Hoe kon ze hem leren wat de dood betekende, in de gruwelijke enormiteit van zijn verlies, terwijl ze over deze zonnige snelweg reden met het scherpe geel van de mosterdplanten fel achter de rijen bleke, groen wordende wijnstruiken? Terwijl ze een paar seconden geleden nog zat te bedenken of ze even langs de supermarkt zou gaan voor sla of een citroen?

Wat ze uiteindelijk tegen hem zei was: 'Ik denk dat papa het fijn zou vinden dat je zo goed kunt zwemmen.'

'Ja,' zei hij en keerde zijn hoofd weer af om op te kijken naar wat boven hem langsging.

Eva geeft zichzelf gedeeltelijk de schuld. Ze denkt dat het een grote vergissing was om Theo naar Mark te sturen die eerste dagen vlak na het ongeluk en hem niet haar felste verdriet te laten zien. Ze denkt dat dat het allemaal onwerkelijk heeft gemaakt voor Theo – Johns dood. Dat hij het in bepaalde opzichten niet accepteert, zich verzet tegen de wetenschap. Geen wonder dat hij in zichzelf keert, denkt Eva. Geen wonder dat hij zwijgzaam is. Stel je voor wat een werk dat is!

Maar toen had ze gezegd: 'Je bent mijn grote held, Theo.' Ze greep de koele magere knobbel van zijn blote knie. Die verstijfde en versprong onder haar hand. 'Mijn superheld, om precies te zijn.'

Hij keek haar aan en glimlachte vaag. 'Dat weet ik,' zei hij.

Als Mark aankomt met Daisy en Emily, roept hij vanuit de hal en Eva komt de keuken uit terwijl ze haar handen droogt. De meisjes begroeten Eva onverschillig en verdwijnen naar boven om hun telefoonberichten af te luisteren. Theo gaat achter hen aan. Hij mist hen als ze weg zijn. En zij missen hem. Vanavond mag hij om hen heen hangen. Morgen zal alles weer normaal zijn. In de keuken zet Eva water op in een grote pan. Dan gaat ze naar de dienkeuken naast de hal en schenkt een glas wijn voor zichzelf en Mark in uit de fles die hij heeft meegebracht; dan lopen ze door de hal naar de woonkamer waar hij op haar verzoek de open haard heeft aangestoken – de buitenlucht begint koel te worden. Het vuur knapt luid van tijd tot tijd en sproeit hete oranje vonken over de stenen haardplaat, vonken die langzaam doven en zwart worden. Mark zit in een stoel ernaast, de pook in zijn hand, en Eva trekt haar benen onder zich op de bank.

Raar, denkt ze, om hier te zitten met Mark in dit grote negentiende-eeuwse huis, het zware houtwerk elegant roomwit geschilderd, het meubilair zo degelijk en comfortabel. Hun leven samen was financieel zo'n worsteling geweest, en de huizen waar ze samen hadden gewoond hadden altijd iets geïmproviseerds gehad: geleend en tweedehands meubilair, versleten banken bedekt met Indiase lappen, tafels van massief houten deuren, boekenkasten van gasbetonblokken en planken.

En de boekenkasten zelf stonden vol pockets: harde kaften waren een luxe voor verjaardagen of Kerstmis. Het geld kwam later voor hen allebei. Voor haar door haar huwelijk met John; voor Mark omdat zijn werk hoger aangeslagen werd. En hoewel ze er nu allebei wel aan gewend zijn, voelt het nog steeds een beetje of ze een rol speelt tegenover hem, omringd door al deze welvaart.

Hij heeft de tand des tijds goed doorstaan, denkt ze. Die magere lengte is gevuld geraakt, uitgevuld, maar hij heeft nog steeds iets vaag dierlijks: zijn lichte ogen in zijn lange, donkere gezicht, zijn katachtige manier van lopen – soepel, bijna stiekem. Ook zoals hij nu voorover zit om op het vuur te letten en opstaat om er nog een blok op te gooien, wekt hij bij alles wat hij doet een indruk van ingehouden kracht die hem mooi maakt.

Misschien heeft ze het hem vergeven, denkt ze.

Ze zijn wat zachter gaan praten om het over de kinderen te kunnen hebben. Ze praten over Emily, over hoe blij ze zijn dat ze aangenomen is op Wesleyan University, hoe goed het voor haar zal zijn om het huis uit te zijn. Ze zijn het er ook weer over eens dat ze moet leren zich te ontspannen, zichzelf toe te staan grappig te zijn zoals van tijd tot tijd gebeurt. Ze proberen zich allebei grappige Emily-verhalen te herinneren, maar zonder succes, waardoor ze moeten lachen. 'Zie je wel,' zegt ze.

En nu gaan ze over op andere onderwerpen, voelen zich grootmoedig ten opzichte van de ander, openhartig. Hij vertelt haar over zijn werk, over zijn werkploegleden, over hun aparte gewoonten, hun grappen. Zij vertelt hem over een lezingencyclus die ze organiseert. Ze praten over de kleur blauw in de eetkamer die ze wil veranderen. 'Het probleem is dat ik de namen niet kan verdragen.'

'De namen?'

'De verfnamen. Wie bedenkt die?'

'Negeer ze. Het zijn maar woorden.'

'Dat kan ik niet. Ik kan ze niet negeren. Woorden zijn belangrijk. Als ik een eetkamer had die "zeeschuim" heette zou ik daar elke keer dat ik er binnenstapte aan denken.'

Hij grijnst. 'En hoe zou je je dan voelen?'

Ze haalt haar schouders op en lacht. 'Nat, denk ik.'

Dit is allemaal gemakkelijk en comfortabel, zoals het niet was geweest in de jaren voor ze met John trouwde, toen ze nog zo boos op Mark was dat ze niet in dezelfde kamer als hij wilde zijn als de kinderen er niet waren. Hier denkt ze aan, aan deze nieuwe, gezellige verhouding met haar ex, als nóg een geschenk van John aan haar.

Mark praat nu over het overwoekerde land achter zijn huis dat ontgonnen is voor een wijngaard door zijn buurman, waardoor hij een verbluffend nieuw uitzicht heeft op de berg. Ze praten samen over de torenhoge huizenprijzen in het dal, en over hoe dankbaar ze zijn dat ze al zo vroeg hebben gekocht.

En nu praat ze opeens over Theo, het kind dat niet eens van Mark is. Ze heeft de neiging in zichzelf voelen groeien, en doordat ze zich vanavond zo op haar gemak voelt met hem geeft ze eraan toe. Ze vertelt van Theo's problemen op de crèche, dat hij zich niet lang schijnt te kunnen concentreren op een bepaalde activiteit. Soms wordt hij boos, krijgt hij een driftbui – zijn leidster moet hem een time-out geven, een uitdrukking waar Eva een hekel aan heeft en die ze niet kan gebruiken zonder spottende nadruk. Ze vertelt Mark dat ze denkt dat het te maken heeft met Johns dood, met het feit dat Theo Johns dood niet aanvaardt. 'Hij praat er nooit over,' zegt ze.

'Nou, het was ook tamelijk verschrikkelijk. Hij denkt er waarschijnlijk niet graag aan.'

'Maar denk je niet dat hij het op de een of andere manier – ik weet niet – onder ogen moet zien? Ik weet dat dat klinkt als psychobabbel, maar ik denk… ik kom maar niet los van het gevoel dat hij niet echt gelooft dat John dood is. En het kan niet goed voor hem zijn aan die fantasie vast te houden.'

Het duurt een minuut voordat Mark antwoord geeft. Ze heeft geen idee wat hij denkt. Hij heeft zijn hoofd afgewend en staart in het vuur. Maar nu kijkt hij haar aan en glimlacht. 'Ik weet zeker dat het wel goed komt met hem, Eva. Ik weet het zeker.' Op de een of andere manier, zonder duidelijke reden, stelt dat haar gerust, voelt ze zich lichter.

Als ze naar de keuken gaan zodat Eva het eten klaar kan maken, horen de kinderen hen en komen naar beneden, en is er het prettige gevoel van roezigheid dat maar een enkele keer is voorgekomen sinds Johns dood. Mark leert Theo een kunstje waarbij ze elkaars handen vasthouden en het jongetje tegen Marks lichaam op loopt tot Mark hem om laat kiepen. Emily praat met Eva over de studiegids die ze toegestuurd heeft gekregen van Wesleyan, en over een van de vakken die ze volgend jaar waarschijnlijk wil volgen – en Daisy zit op het aanrecht te luisteren. Emily staat naast Eva terwijl ze praat, leunt bijna tegen haar aan. Eva vindt dat vreemd, die neiging tot lichamelijke nabijheid. Ze kan zich niet voorstellen dat ze ooit zoiets wilde van haar eigen moeder. Maar als Emily tegen Eva praat, raakt ze haar vaak aan, schikt nodeloos haar moeders haar, strijkt haar kraag recht. En nu allebei de meisjes langer zijn dan zij, voelt Eva zich soms overweldigd door hen – door Emily's neiging haar alles te vertellen, door Daisy's aanwezigheid en de noodzakelijkheid die ze erin voelt, door aangeraakt te worden op deze nodeloze manier, waarvan ze de betekenis niet echt begrijpt.

Nu duwt ze Daisy van het aanrecht en geeft haar een schaal sla om mee te nemen naar de tafel. Dan lopen ze allemaal achter elkaar aan met de borden en glazen die ze hun vraagt mee te nemen.

Als Mark de eetkamer binnenkomt met hun wijnglazen en de fles vraagt hij Eva waar ze hem wil hebben. Ze zet Theo in zijn kinderstoel, duwt hem erin. 'Daar,' zeg ze, wijzend. 'Aan het hoofd van de tafel alsjeblieft.'

Theo fronst zijn wenkbrauwen, hij kijkt naar Mark. Even later zegt hij: 'Waarom heet Mark z'n plaats het hoofd van de tafel, mammie?'

Eva loopt naar haar plaats en gaat zitten. 'Hm,' zegt ze. 'Ik denk dat het de bedoeling is dat je de tafel bekijkt als een mens. Stel je voor dat hij rechtop staat, stel je voor dat we hem gewoon overeind kiepten. Dan is het een groot, rechthoekig lichaam.' Haar handen gaven de vorm aan. 'Daar, bovenop,' haar vinger maakt een cirkel in de lucht, 'is het hoofd. Dus zit Mark aan het hoofd.'

Na een lange rust klaart Theo's fronsende gezicht op en hij roept: 'En ik en Dees zijn de armen!'

'Precies,' zegt Mark.

Eva neemt een slokje wijn, de wijn die Mark mee heeft genomen.

'En ik ben het been,' zegt Emily plechtig, met haar hand voor haar kleine boezem. 'Het enige been. Dit is toevallig een eenbenige tafel.'

Theo pakt zijn glas melk en neemt net een slok als Mark zegt: 'Een hinkepink.'

Theo's melk sproeit uit zijn mond en spat over de tafel en zijn bord. 'Een hinkepink?' roept hij verrukt.

'O, Theo!' Eva springt overeind, is in twee stappen bij Theo's bord en veegt de tafel voor hem schoon met haar servet.

'Nou, hij zei hinkepink, mammie. Dat was grappig!' Hij keert zich om. 'Dat was toch grappig, Mark?'

'Veeg je gezicht schoon, schatje. Met je servet.' Ze pakt zijn bord op om bij de melk eronder te komen. 'Het was grappig.'

'Je kent me toch,' zegt Mark. 'Altijd een dijenkletser.'

Theo veegt zijn gezicht grondig en overdreven schoon, en als hij klaar is, begint hij te roepen: 'Hinkepink! Hinkepink! Hinkiepinkie! Hinkiepinke! Pinkiehinkie!'

Eva gaat zitten terwijl het gejoel verder gaat. 'Genoeg!' zegt ze. 'Genoeg, Theo. We hebben het gehoord.'

Hij valt stil en iedereen begint te eten en de schalen rond te geven. Theo kijkt nu naar Eva. Ze ziet dat er een idee in hem opkomt. Met de verrukte nadruk die hij reserveert voor billen, voor seksuele lichaamsdelen, voor lichamelijke functies, verkondigt hij: 'Mama is de kont van de tafel!'

Eva trekt een gezicht naar Mark.

'Ja hoor, Theo,' zegt Daisy op vermoeide toon, een toon die bedoelt te zeggen: doe niet zo onvolwassen.

Theo kijkt naar Mark en zegt het nog een keer. 'Mijn mama is de kont van de tafel!'

Eva ziet dat Mark niet weet wat hij moet zeggen. Hij is niet gewend aan dit soort jongensachtigheid. Ze buigt zich over naar Theo. 'Hé meneertje,' zegt ze. 'Luister goed. Ik zal je een verhaal vertellen.'

Theo kijkt haar aan met zijn stoute grijns. 'Een verhaal over een kont!' zegt hij.

'Nee, want we zijn allemaal doodziek van al die konten. Dit is een verhaal over een klein jongetje.' Ze neemt een slokje wijn. 'Een grote jongen, bedoel ik. Een grote jongen die… even denken. Op een dag verdwaald raakte. Verdwaald in het bos.'

Hij is opeens geïnteresseerd, de lach verdwijnt. 'Was er ook een wolf?'

'Er was geen wolf,' zegt Eva ferm. 'Zo'n soort bos was het niet. Maar de nacht begon te vallen en het werd donker in het bos en de grote jongen was ver, heel ver van huis.' Ze tikt tegen haar wijnglas. 'Dit is erg lekker, Mark,' zegt ze. 'Van je eigen druiven gemaakt?'

'Vertellen!' zegt Theo. 'Vertel nou!'

Eva glimlacht sluw. 'O, Emily weet wat er daarna gebeurt. Ja toch, Emily?'

'Ik?' zegt Emily. 'Dank je wel hoor, mam.' Maar ze is gewend aan dit spelletje, ze speelden het vaak toen John nog leefde. Hij had het bedacht om Theo rustig aan tafel te laten zitten tijdens een lange maaltijd. Emily denkt even na en gaat dan verder. 'Oké, nou. De jongen was erg bang, maar hij huilde niet. Hij wist dat hij dapper moest zijn, want… hij was helemaal alleen en niemand anders kon hem redden. Het was bovendien zijn eigen schuld dat hij verdwaald was, want iedereen had tegen hem gezegd dat hij niet dat bos in moest gaan, ze hadden keer op keer gezegd dat het daar gevaarlijk was, maar hij was toch gegaan, want hij deed het liefst dingen die mensen hem hadden verboden.'

'Hij was stout!'

'Hij was niet echt stout, maar wel echt ondeugend. Maar opeens hoorde de jongen…' Emily trekt haar wenkbrauwen omhoog, doet haar mond zogenaamd verbaasd open. 'Raad maar! Raad maar wat hij hoorde.'

'Wat dan?'

Haar glimlach is open en plagerig. Ze geeft geen antwoord.

'Wat? Wat? Wat? Wat?' Theo wiegt zijn lichaam bij elke uitroep.

'Daisy weet het,' zegt ze. 'Vraag het maar aan Daisy.'

Daisy schudt haar hoofd en bijt op haar lip.

'Wat?' vraagt Theo aan Daisy. 'Wat hoorde hij?'

'Kom op, Dees,' zegt Eva.

Daisy kijkt haar aan met zo'n gepijnigde blik dat Eva verbijsterd is.

Maar dan kijkt ze weg van haar moeder en over de tafel naar Theo. Even later begint ze aarzelend: 'Hij hoorde... hoefgetrappel.' Ze kijkt heel serieus. 'En toen zag hij het: een prachtig wit paard dat op hem af kwam galopperen. Zelfs in het pikkedonker kon hij het zien, zo wit was het. En het zei...'

Ze maakt een snel gebaar alsof ze iets uit wil wissen. 'Nou, het zei niet iets, want paarden kunnen niet praten, maar het draafde in cirkels om hem heen in het bos, en de jongen begreep dat hij het paard moest volgen, dat bijzondere witte paard.'

Daisy's stem is zacht en ritmisch en betoverend, en Theo klapt gretig in zijn handen.

'Dus dat deed hij, hij volgde het. Hij zag het paard voor zich, hij zag de witte benen verdwijnen en verschijnen tussen de donkere bomen, en hij zag hoe het paard zijn manen schudde. En soms hinnikte het, en hij wist dat het hem riep, en soms, als hij het bijna niet meer kon zien, zag hij het toch, stond het te wachten tot hij het weer ingehaald had en hij wist waar hij heen moest. En toen...'

'Wat?'

'En toehoen...' Ze zwijgt. Het is tijd om het verhaal over te dragen, zo doen ze dat. Ze kijkt naar haar vader. Ze zit met haar achterhoofd naar Eva, de lange, zorgeloos bijeengebonden waterval van dik, donker haar. 'Toen, Mark weet hoe het afloopt,' zegt ze.

Eva ziet hoe verrast Mark is. En Daisy moet het ook zien, want haar stem is onzeker als ze zegt: 'Toch, pap?'

Ze herinnert zich weer, net als Eva – misschien herinneren ze het zich allemaal – hoezeer dit Johns spel was. Hoezeer het niet dat van Mark is. Daisy heeft de verkeerde vader gekozen.

'Eh...' Mark kijkt Eva aan en fronst zijn wenkbrauwen. 'Jazeker.'

Eva kijkt hoe hij probeert zich te herinneren hoe ze gingen, de verhalen die zij de meisjes vertelde, voorlas. Ze voelt haar lichaam verstrakken.

'Jazeker,' zegt hij weer.

'Nou?' zegt Emily, nu openlijk plagend. 'Kom op, pap.'

'Nou.' Er volgt een lange stilte. 'Hij volgde dat paard.' Hij neemt een slok wijn. 'Over heuvels en door dalen.'

'Briljant, Mark!' zegt Eva.

Hij glimlacht naar haar en gaat verder: 'Tot hij voor zich een open plek zag.' Hij kijkt naar Theo en als hij verder gaat, voelt hij zich hoorbaar meer op zijn gemak in het verhaal. 'En toen hij daar kwam, zag hij dat het bos daar ophield. Onder hem waren de lichten van zijn dorp. En hij keek om om het paard te bedanken, maar het was er niet meer, het was weg. "Heb ik het me verbeeld?" dacht hij. "Wie wás dat witte paard eigenlijk?"'

Eva lacht.

'Maar hij had geen tijd om erover na te denken. Hij rende zo hard als hij kon het pad naar zijn dorp af, door de straten naar zijn eigen voordeur, en daar zat zijn hele familie op hem te wachten, en hij omhelsde hen en ze leefden nog lang en gelukkig.'

Bij deze woorden, hoewel ze had geweten dat ze moesten komen, voelt Eva een vreemde steek, in haar hart lijkt het. Of misschien is het alleen opluchting – zou het geen opluchting kunnen zijn? – dat iedereen dit gered heeft zonder John. Dat de ongemakkelijke seconden toen zij en Daisy in elk geval zijn afwezigheid voelden, en Marks niet-John-zijn, nu voorbij zijn.

Dat ze erdoorheen zijn.

Nu roept Theo triomfantelijk: 'Uit!' En iedereen lacht. Eva denkt dat niemand haar moment van pijn heeft opgemerkt.

Als ze Mark welterusten wenst, kust hij haar op haar wang en houdt haar naar haar gevoel net iets te lang vast. Heel even vervult haar dat van verlangen, in weerwil van zichzelf. Maar verlangen naar het vastgehouden worden zelf, denkt ze. Naar John. Niet naar Mark, dat weet ze zeker.

Maar op weg naar bed denkt ze aan Mark en hoe het was in de wittebroodsweken toen ze elkaar net kenden, toen ze geen genoeg van elkaar konden krijgen. Zelfs als ze woedend op elkaar waren – en ze hadden vaak en veel ruzie: tranen, gillen, met deuren slaan, met dingen gooien – zelfs dan konden ze elkaar weer terugvinden door seks, door de manier waarop hun lichamen samenwerkten.

Toen ze op een avond op weg waren naar huis kregen ze ruzie ergens over. Eva werd zo boos dat ze het autoportier open wilde doen, een wanhopige impuls om ervandoor te gaan. Mark greep haar vast en de auto schoot van de weg en hotste een diepe greppel in. Toen ze tot stilstand waren gekomen zaten ze een poosje doodstil te hijgen. Toen keerden ze zich naar elkaar. Ze raakten elkaar aan om vast te stellen dat de ander gaaf en in orde was. Ze huilden samen van angst en opluchting. Ze lachten en vergeleken de blauwe plekken die al opkwamen. En voordat ze uitstapten om de schade te bekijken, om te zien of ze de auto eruit konden duwen, vreeën ze op de voorbank, door de steile helling van de berm verborgen voor de koplampen die van tijd tot tijd voorbijschoven over de weg. Eva herinnert zich het geluid van een stromende rivier ergens in het donker onder hen, en hoe het voelde om Mark te berijden als een jockey, en hoe haar knie tegen het stuur bonkte bij elke stoot.

Ze herinnert zich dit. Dit en andere keren. Een keer toen ze zwaar ongesteld was en hij haar nam op het aanrecht, zodat zijn gezicht toen hij opstond om in haar te komen vol bloed zat. De eerste keer dat ze het konden doen na de lange wachttijd tot de hechtingen na Emily's geboorte genezen waren. Keren onder de douche, keren dat ze vroeg van een feestje weggingen en nauwelijks de deur door waren voor ze begonnen. Keren dat ze zin in hem had gekregen als ze hem opbelde.

Na hun scheiding was ze in staat geweest al die keren in een nieuwe vorm te gieten. Of liever gezegd, dat hadden ze zelf gedaan. Ze was ze weerzinwekkend gaan vinden – lelijk, geforceerd, extreem. Symptomatisch voor een soort onvermogen tussen hen om zichzelf gelukkig te maken, zelfs seksueel, op een dagelijkse manier, een gewone manier.

Nu is ze geagiteerd, wakkerder dan ze was toen ze boven kwam. Ze is boos op zichzelf dat ze gedacht heeft aan neuken met Mark. Ze trekt haar ochtendjas aan en gaat de brede trap naar de benedenverdieping af.

Als ze terugkomt in de keuken ziet ze Emily en Daisy aan de eetkamertafel zitten. Hun gezichten keren zich naar haar, betrapt, zo te zien. Boeken en papieren liggen om hen heen verspreid. Ze stapt de kamer in en spreekt hen streng toe: Waarom zijn ze nog op? Hebben ze helemaal geen huiswerk gemaakt bij hun vader? Waarom kunnen ze hun weekends niet beter organiseren?

Ze kijkt hoe hun gezichten zich sluiten door afkeer van haar, door woede. Emily antwoordt haar geduldig en neerbuigend. Ze heeft te veel make-up op haar ogen, denkt Eva. Ze lijkt op een wasbeer. Eva zou dat graag willen zeggen. Ze zou Emily willen vertellen hoe goedkoop en belachelijk ze eruitziet.

Ach! Ze is wreed. Ze hebben gelijk dat ze haar haten. Dat is toch logisch. 'Nog een uurtje dan,' zegt ze.

Daisy protesteert.

'Eén uur. Meer niet. Als het niet af is, is het niet af.'

Als ze de gang doorloopt naar de keuken hoort ze hoe ze zacht over haar beginnen te mopperen. Ze doet het plafondlicht aan en schrikt van haar eigen weerspiegeling in de ramen van de openslaande deuren – haar donkere haar uitgezakt en grijs, haar gezicht bleek en pafferig.

Ze doet de koelkast open en staat in de uitwaseming van koele, licht naar verrotting ruikende lucht. Na een poosje pakt ze een halfvolle fles wijn. Dat is niet wat ze wil – ze weet niet wat ze wil – maar ze schenkt een glas in. Ze is vol woede – op zichzelf, op de meisjes, op Mark. Staand bij het aanrecht neemt ze een slok.

De wijn is te koud, te wrang.

Het was een leuke dag tot nu toe, denkt ze. Ze probeert zichzelf te kalmeren. Ze dwingt zich om aan Theo te denken, hoe hij zwom en hoe zijn lichaampje zijn best deed om Gracies zwembad over te steken. Ze denkt aan het spelletje dat ze deden aan tafel, het sprookje en het witte paard.

Nog lang en gelukkig, denkt ze.

En voor de eerste keer op deze gewone dag overvalt het haar: haar verdriet, haar lieve, droevige, vertrouwde verdriet. Bijna dankbaar buigt ze eronder, tranen wellen op in haar keel. Met haar bovenlichaam over het aanrecht geleund om steun te zoeken begint ze eindelijk te huilen.

HOOFDSTUK DRIE

Mark ging vreemd, dat was voor Eva de eenvoudige manier om te ver-
klaren wat er mis was gegaan in dit huwelijk. De meisjes, zijn donker-
harige dochtertjes, waren nog klein, zes en drie. Daisy had nog molli-
ge babyvingertjes. Hij was dol op die vingertjes. Mark werd soms zelfs
duizelig van de diepe liefde die hij voelde voor allebei zijn dochters,
van zijn allesverterende verering voor hun fysieke wezen, zijn fascina-
tie voor elke zin die over hun lippen kwam. Voor hun lippen zelf, die
verfijnd en volmaakt de woorden omlijstten.

Maar hij was zijn liefde voor Eva vergeten. Of liever gezegd, hij was
hem even kwijt. Hij wist dat hij nog ergens was, maar op dat moment
kon hij die gevoelens niet vinden.

Hij had het idee dat het probleem was dat ze zo diep in het moe-
derschap verzonken was, in het regelen van hun leven. Hij was 's avonds
nog maar net binnen of ze begon al haar lijst af te ratelen – wat er gedaan moest worden om het eten op tafel te krijgen, wat er kapot was
gegaan in huis en gemaakt moest worden, snel! Iets wat een van de meisjes zich had aangewend en waar hij haar mee moest helpen omgaan. O!
En had hij melk meegenomen(of luiers of hondenvoer) op weg naar
huis? En waarom was hij zo laat? En had hij niet even kunnen bellen
dat hij later kwam?

Hij had het idee dat zij eigenlijk – zonder het ooit uit te spreken en
misschien zonder het zelfs maar te begrijpen – wilde dat hij haar dag
had moeten doormaken, net zo opgesloten en klemgezet als zij. Dat
maakte haar boos en koud. Hij voelde ook dat hun leven thuis iets sjo-
fels had dat alleen maar bijdroeg aan hun ellende. Er stond altijd vui-
le afwas in de gootsteen. Altijd lagen de activiteiten van de kinderen
– geknoeide verf, scharen en stukjes gekleurd papier, uitgedroogde klei,
speelgoed – verspreid op de eettafel, op de grond. Boeken, poppen, de-

kentjes, verkleedkleren lagen overal. Je kon niet gaan zitten zonder eerst een of ander stuk speelgoed van een van de kinderen op te moeten pakken omdat je er anders op zou gaan zitten. Soms als hij het huis binnenkwam, had hij het gevoel dat hij het niet meer kon verdragen. Een keer, toen hij nog maar een paar minuten thuis was, had hij de gootsteen met sop gevuld en was hij alle achtergebleven vaat gaan afwassen en het vlekkerige aanrecht vol kruimels gaan schoonvegen. Toen Eva de keuken in kwam en zag wat hij deed, viel ze tegen hem uit.

'O, hou toch op!' riep ze. 'Hou godverdomme op, hou op, hou op!'

Hij dacht eerst dat ze hem alleen wilde slaan, hem wegtrekken bij de gootsteen. Toen realiseerde hij zich dat ze aan het schort rukte dat hij voor had gedaan, dat ze het van hem af wilde trekken. Hij rukte het over zijn hoofd en gooide het op de grond, en Eva barstte in tranen uit.

Die keer mocht hij haar vasthouden. 'Ik kán het gewoon niet,' snikte ze, terwijl hij steeds weer tegen haar zei: 'Ik wilde alleen maar helpen. Ik probeerde je alleen maar te helpen, Eva.'

Hij zag hoe het gekomen was. Ze woonden buiten de stad, ze was te veel alleen, ze moest het huishouden doen en de meisjes en de boodschappen en het eten. En dan was er het huis zelf, met zijn hellende vloeren en deuren die niet goed sloten, kranen die lekten. Het kostte een halfuur om het bad vol te laten lopen. Er moest een lang regenseizoen doorstaan worden, de meisjes in huis opgesloten, druk, ze wilden beziggehouden en voorgelezen worden. Dan was er de droge, hete zomer en het stof dat alles bedekte. Hij begreep veel later dat ze depressief was en het niet aankon. Maar in die tijd had hij eigenlijk geen zin gehad het te begrijpen, want door haar woede op hem werd hij boos op haar. Hij had zich gewoon van haar afgekeerd. Eerst zocht hij troost in het leven van de wereld van de meisjes, de diepe liefde voor hen die was als een schild tegen Eva's verdriet, een schuldeloos wapen tegen de woede die zij uitstraalde. Als hij thuiskwam, waren zij degenen die hij met liefde begroette, degenen die hij aanraakte, degenen tegen wie hij glimlachte.

En toen keerde hij zich naar Amy.

Hun verhouding duurde iets minder dan een jaar en begon met een ontspannen flirt in de kantine, waar Amy achter de bar stond en waar hij soms kwam om met vrienden te praten, om nog een paar momenten rust te hebben voordat hij naar huis ging, naar Eva's ingehouden woede.

Mark flirtte graag – hij hield van vrouwen – en in zekere zin hoorde flirten bij Amy's werk. Als ze een mannelijke klant had die daar gevoelig voor leek, gaf ze de openingszin een speciale draai: 'Wat kan ik voor jóú doen?' Mark was in lachen uitgebarsten de eerste keer dat ze hem dat vroeg.

Als hij langskwam, praatten ze, met onderbrekingen, maar gemakkelijk, terwijl zij andere klanten bediende. De derde of vierde avond dat hij er was, zei Amy dat ze wist wie hij was, dat ze in een kleine bungalow woonde aan de rand van een van de kleine wijngaarden die hij beheerde. Dat ze hem daar had gezien.

Ja, die had hij wel eens gezien, zei hij.

Hij was er zelfs jaloers op geweest. Hij had haar ook gezien, op het terrasje achter het huis, een vrouw alleen, zonnebadend en lezend, en hij stelde zich voor hoe eenvoudig, hoe makkelijk het zou zijn om zo te wonen in zo'n huis.

Hij moest op een ochtend eens een kop koffie komen halen om het te bekijken, zei ze. Er hing een handdoek over haar schouder. Ze had altijd een handdoek over haar schouder, en daar wees hij haar op. Ze hield haar hoofd schuin en grijnsde. Ze tapte langzaam een groot glas bier. 'Altijd op zoek naar een vent met een stuk zeep,' zei ze.

Hij ging inderdaad bij haar langs, op een regenachtige ochtend toen er niet veel te doen was in de wijngaarden. En daarna zagen ze elkaar een paar keer per week, voor koffie, voor seks, voor de makkelijke conversatie die erop volgde in een huis waar geen kinderen waren en geen taken waar hij verantwoordelijk voor was. Het was allemaal zo eenvoudig, zo zonder verwijten en wrokkigheid. Soms wist hij een middag in het weekend weg te komen, en dan neukten ze en vielen in slaap, en werden wakker en neukten nog meer. Die zomer nam Eva de meisjes een week mee naar het huis van haar ouders in Martha's Vineyard, hun min of meer jaarlijkse bezoek. Mark wachtte bijna elke dag op Amy voor de kantine in zijn pick-up en volgde de rode achterlichten van haar oude Volkswagen kever over de donkere, lege weg naar haar huis.

Maar in de loop van de lange, regenachtige maanden van die volgende winter begon ze meer van hem te willen. Omdat hij dat niet kon geven, omdat hij zich niet kon voorstellen dat hij de pijn die het zou doen om zichzelf los te weken van Eva en Emily en Daisy wilde veroorzaken – omdat hij zich op die zeldzame momenten dat hij zichzelf toestond er eerlijk over na te denken niet kon voorstellen dat hij een leven leidde met Amy dat hij werkelijk wilde – werd zij langzamerhand ook boos op hem. Ze stond steeds meer op haar strepen: als ze met elkaar verder wilden, moest hij scheiden en moesten ze trouwen. Maar al terwijl ze daarover praatte, over hun permanent samenzijn, leek ze steeds meer een hekel aan hem te krijgen – hem zelfs te verachten. Op het laatst kon hij niet over een boek of een film praten en kon hij geen idee hebben zonder dat dat haar minachting voor zijn kritisch vermogen uitlokte. Lang voor het zover was, kon hij zien welke richting ze uit gingen.

Toch werd hij toen ze het uitmaakte gek van het verlangen eraan vast te houden, het door te laten gaan. De meest plastische beelden van hun vrijpartijen namen elk vrij moment van zijn dag in beslag – op zijn werk, thuis, terwijl hij rondreed in zijn auto. Hij schreeuwde het soms bijna uit van de angstige honger die hem overspoelde als hij dacht aan haar krachtige lange benen die zich spreidden, als hij zichzelf boven haar zag knielen, in haar komen. Hoe ze schrijlings over hem heen zat, hoe ze aan hem trok met haar mond, haar tanden. Een paar keer moest hij de auto stilzetten, heen en weer geslingerd tussen woede en zich aftrekken. Een keer sloeg hij zo hard op het stuur dat hij nog een week lang blauwe plekken op de zachte zijkant van zijn hand had.

Maar hij kwam eruit, hij herstelde zich. En toen hij weer zichzelf werd, kwam Eva bij hem terug, ze dook op uit de donkere vloek waar ze onder had geleefd.

Waar kwam het door? Mark wist het nooit zeker. Misschien was het de seks, die, merkwaardig genoeg, beter en frequenter was geworden tijdens de affaire met Amy – eerst omdat hij er zeker van wilde zijn dat Eva geen idee had dat hij iemand anders had, en later door de lust en de seksuele energie die in hem gewekt leken te zijn en die hem constant beheersten.

Maar natuurlijk waren er tegen die tijd ook andere dingen veranderd in hun leven. De meisjes waren een jaar ouder en Eva had een oppas voor hen gevonden. Zijn zaken gingen zo goed dat ze eindelijk genoeg geld leken te hebben. Eva had een parttime baan die ze heerlijk vond, deze keer in een boekwinkel. Hoe dan ook, het was alsof hij beloond werd voor het opgeven van zijn kleine extra luxe door zijn oude, lieve vriendin terug te krijgen. Beloond met rente: de gedachte aan haar begon hem hele dagen bezig te houden zoals het was geweest met gedachten aan Amy op het hoogtepunt van hun passie. En nog wel eens was, moest hij eerlijk toegeven.

Maar hij voelde het anders, hij zag het anders. Met Amy waren het, bijna beschamend, délen van haar lichaam geweest die hem in hun macht hielden: haar lange, gespierde kuiten en dijen, de brede, donkere driehoek van haar schaamhaar, het licht klikkende geluid dat haar geslacht maakte als hij met zijn hand haar benen spreidde. Met Eva, dacht hij, ging het om haar geheel, zoals het vanaf het begin was geweest: zoals ze gebaarde en fronste tijdens het praten, haar vreemde zinswendingen, haar kleinheid, waardoor hij zich krachtig en beschermend voelde. Zelfs de geur in het huis als ze aan het koken was en die op de een of andere manier uit haar leek te komen, deel leek uit te maken van wie zij was. Dat alles maakte hem domweg gelukkig.

De zomer begon. De avonden waren lang. De meisjes waren nu oud genoeg, ze speelden leuk samen, zodat Mark en Eva hun oude gewoonte van een glas wijn voor het avondeten weer op konden nemen. Ze zaten samen buiten op het terras, dat hij een jaar eerder met veel moeite had gemaakt met gebruikte bakstenen. Ze zaten in de schaduw van de bergen in het westen en keken naar het zonlicht dat nog een gouden deken legde over die in het oosten, en praatten zoals ze in het begin hadden gepraat, maar rustiger, liever, zou hij gezegd hebben. Eva had nu haar eigen nieuws te brengen – excentrieke, interessante klanten die binnen waren gekomen en de grappige dingen die ze hadden gezegd; welke boeken goed verkochten, en welke onverwacht geflopt waren; de bezoeken van vertegenwoordigers, de boekhouding – en dus had Mark het gevoel dat hij eindelijk openlijk over zijn eigen zorgen kon praten: ze zou zich er niet nog wrokkiger over voelen, nog meer verstoken van een leven in de wereld. Ze praatten over de schijnbaar grillige modes in bepaalde druiven, over hoe de vallei aan het veranderen was, over de exponentiële groei van de wijngaarden, over de problemen met onderdak voor de arbeiders en de morele verantwoordelijkheid daarvoor. Ze praatten ook over stomme dingen: of Diane Keaton eigenlijk acteerde in *Annie Hall* of gewoon op haar eigen maffe manier zichzelf was. Of mensen van de Oostkust, waar Eva vandaan kwam, meer gevoel voor humor hadden dan die in het westen.

Ze zaten daar op een avond in juli toen hij haar vertelde over Amy. Wat hij was gaan voelen naarmate ze dichter naar elkaar toe groeiden was dat het geheim over Amy hun nieuwe openheid belemmerde, een belemmering waar hij niet mee kon leven. Hij wilde niet dat er een scheiding tussen hen was. Hij voelde het als een seksuele behoefte: de behoefte dat Eva ook het deel van hem dat haar had bedrogen kende en begreep – nee, er zelfs van hield, dat was wat hij wilde.

Tijdens de lange stilte die viel nadat hij het had gezegd, voordat ze met een kille, afstandelijke stem had gevraagd: 'Hoe lang?', hoorden ze Emily binnen praten tegen Daisy, waarbij ze Eva's stem op haar meest speelse en liefhebbende toon nadeed: 'Weet je wat, malle meid van me? Je bent de grootste grapjas van de wereld.' In het verschil tussen de twee stemmen – die van Eva, het kleine meisje dat Eva speelde – kon Mark horen wat hij al kwijt was geraakt. Onmiddellijk begreep hij dat hij het natuurlijk nooit had moeten vertellen. Hij zag, een paar tellen te laat, dat het erger dan wreed was: het was zinloos wreed.

En hij had niet gerekend op Eva's eigen vermogen om wreed te zijn. Of in elk geval meedogenloos. Hij had zich van al hun ruzies moeten herinneren dat zij deze dingen – deze morele kwesties – in een helder, hard licht zag. Er was zwart en wit. Er was voor en er was na, voor Eva.

Het was afgelopen, zei ze tegen hem. Of eigenlijk zei ze: 'Oké.' Ze stond op, zette voorzichtig haar wijnglas neer. 'Dat was het dan.' Haar stem was hees, gespannen.

Ze ging het huis in. Hij bleef een paar minuten in de koele schaduw zitten kijken naar de warme heuvels aan de overkant. Hij hoorde haar bezig in de keuken. Ze gooide met pannen en schalen alsof ze voor honderden mensen moest koken.

'Ga weg,' zei ze schril tegen hem toen hij achter haar aan kwam en begon te smeken. 'Ik wil dat je weggaat.' Haar handen maakten woeste ongecoördineerde zwaaiende gebaren, haar keel stond strak van de woede. 'Weg! Neem je... belachelijke penis, en... ga weg!'

Zijn belachelijke penis?

De meisjes stonden nu in de deuropening in vreemde verkleedkleren, oude kleren van Eva die slap over hun borst hingen en hun kleine tepeltjes lieten zien, en die over de vloer om hun voeten heen golfden. Hun ronde monden waren opengevallen bij het geluid van hun moeders woede – ze zagen eruit als rare cartoonvissen op het droge. Ze hadden daar niet moeten zijn. Ze hadden dit niet moeten zien, of horen. Maar er was niemand om ze te redden. Mark kon het niet. Hij moest op de een of andere manier tot Eva doordringen. Hij hoorde zijn eigen stem Eva's naam noemen en proberen zijn zaak te bepleiten.

'Denk je dat ik jou ooit nog zou willen?' gilde ze. 'Terwijl ik elke keer als we vreeën zou denken aan jouw... dikke reet die op en neer pompt boven die... laffe teef!'

Zijn dikke reet? Hij had geen dikke reet.

Ze stopte nu en keek naar hem. Ze hijgde. Ze was zo ver van hem vandaan gaan staan als maar kon, tegen het aanrecht. Ze leunde ertegenaan, ze hing een beetje naar voren gebogen. Ze begon te lachen.

Mark hoorde de hysterie, maar de kleine meisjes niet, en in hun opluchting – o, het was allemaal een grapje! Een spelletje! – deden ze haar na en lachten vals en veel te hard, veel te schril. Hij keek naar hen. De angst stond nog in hun ogen, maar de keuken was vol gelach, een rauw, beschuldigend geluid: nachtmerrievreugde.

Mark kon het niet verdragen. Hij ging weg.

Hij ging weg. Toen hij de voordeur dichtdeed, dacht hij dat hij hoorde hoe Eva's lachen omsloeg in huilen, maar hij wachtte niet tot hij het zeker wist. Hij ging gewoon verder, door de tuin, zijn pick-up in, toen over de lange, bochtige oprit in het schemerdonker van de overhangende bomen naar de weg die naar de stad leidde.

Als hij zich later probeerde te herinneren welke woorden hij had gebruikt om het haar te vertellen, wist hij het niet. 'Eva, er is iets wat je moet weten'? 'Eva, ik moet je iets vertellen dat ik geheimgehouden heb'? 'Eva, ik wil je iets ergs over mezelf vertellen, iets verschrikkelijks, en dan wil ik dat je daarboven staat'? Hoe had hij kunnen denken dat het zou kunnen? Hoe had hij kunnen denken dat er woorden bestonden die hij over zijn affaire had kunnen vertellen die zij zou kunnen verdragen? Toch moest hij zoiets gezegd hebben. Hij herinnerde zich wel het gevoel dat hij had gehad vlak voordat hij het zei: de opwinding – opwinding, dat is wat hij had gevoeld! – van het begin van een nieuw avontuur.

Mark en Eva hadden elkaar leren kennen op een bruiloft, Marks derde bruiloft in evenzovele weken. Hij werd er depressief van – net als van die andere – door het gevoel van doelgerichtheid in die vrienden van hem dat overal om hem heen zweefde, door de onbevreesde, ontroerende verplichting die ze aangingen en die zo anders was dan alles wat hij zich voor zichzelf kon voorstellen. Elk stel had hij hetzelfde gegeven – dikke glazen bierpullen. Hij hield van bier. En of zij er wel of niet van hielden zou hem worst wezen. Zij zouden hem worst wezen. Alles zou hem worst wezen.

Mark was vijfentwintig. Het had hem zes jaar gekost om door tweeënhalf jaar studie heen te komen – hij was dyslectisch – en had nog maar kort geleden besloten ermee op te houden, te stoppen. Hij kon het best – hij had het gekund – dat wist hij zeker. Maar dat zou het doel zijn geweest, het enige doel: dat aan zichzelf te bewijzen. Het leek de moeite niet waard. Ieder ander die hij kende stroomde door, stapte het leven in, begon aan werk te denken, aan wat daarna kwam – trouwen – en Mark bedacht dat het in zijn tempo zeker nog twee of drie jaar zou duren voordat hij zelfs maar afgestudeerd was. En met dat diploma kon hij nog niets speciaals.

Hij dronk te veel. Dat was de manier waarop hij door alle bruiloften heen was gekomen. Dit was er een van een vrouw met wie hij een paar jaar eerder iets had gehad. Sindsdien waren ze 'goede vrienden', en toen ze zich voorover boog om in de vluchtauto te stappen in haar lichte pakje en hij haar lange, fraai gevormde benen zag, benen die hij ooit alle kanten uit had geduwd met het gemak van seksuele bezitterigheid, voelde hij zich een beetje verlaten. Beschadigde waar, dacht hij. Onverwachte tranen van zelfmedelijden kwamen in zijn ogen.

Eva was er slecht aan toe omdat ze net van school was, en haar eindexamen het einde betekende van een affaire met een van haar leraren Engels die een jaar geduurd had. Ze had er van tevoren niet echt in geloofd. Ze had gedacht dat het mogelijk was dat ze elkaar bleven zien. Ze had gedacht dat het mogelijk was dat hij zou scheiden en zich voor eeuwig aan haar verbinden.

Maar hij had gezegd dat hij haar niet in de weg mocht staan. Dat waren de woorden die hij had gebruikt. Hij was achter zijn brede bureau gaan zitten, het bureau waarop ze meer dan eens hadden gevreeën, maar dat hij nu gebruikte als een barrière tussen hen. Hij had, niet onvriendelijk, gezegd dat ze verder moest met haar leven.

Verder? Waarheen? Naar wie?

Toen de auto wegreed, toen het andere, gelukkige stel zich omdraaide om samen door het achterraam te zwaaien – koninklijk: het deftige heen en weer bewegen van twee handen – voelde ze dat ze begon te huilen. Ze zocht in haar schoudertas naar een plastic pakje zakdoekjes en wilde er een uittrekken. Toen de auto aan het eind van de oprit de weg op draaide, stapte Eva blindelings naar achteren en botste tegen Mark aan. Ze draaiden zich naar elkaar toe in de menigte gelukkige mensen, twee huilerige bruiloftsgasten. 'Heb je er nog een over?' vroeg Mark, en Eva gaf hem een zakdoekje. Eensgezind snoten ze hun neus. Toen keken ze elkaar aan, ieder nog met een zakdoekje tegen hun gezicht als een soort masker, en begonnen te lachen.

'Er gaat niets boven een lekkere snuitpartij, toch?' zei Mark even later.

'Dat zeg ik ook altijd,' antwoordde ze.

En ze liepen langzaam terug naar de tent, waar ze koffie bestelden en niet meer van hun plaats kwamen tot het ging schemeren en een jonge vrouw van de catering vroeg om de klapstoelen waar ze op zaten.

Ze waren tegen elkaar aan gestruikeld, zei Mark vaak, en hij beschreef de eerste jaren van hun huwelijk als 'verder struikelen'. Geen van beiden wisten ze wat hij wilde, waar zij goed in zou zijn. Eva gaf Engels op een middelbare school in San Francisco en vond het vreselijk. Mark zat in de bouw en had een vakbondskaart. Ze verhuisden naar het noorden, buiten de stad. Eva was serveerster en vond het vreselijk. Mark werkte aan een woningbouwproject aan de rand van Napa, een inferieur project waar de goedkoopste materialen werden gebruikt. Eva kreeg een baan in een kantoorboekhandel, eerst als verkoopster, later als cheffin.

's Avonds las ze hem soms voor, boeken die hij nooit zelf zou lezen of met zoveel moeite doorgewerkt had dat hij niet in staat was geweest erover na te denken. Ze las hem Conrad voor, en ze praatten over eer, en wanneer die te kostbaar werd – een dwaas, duur begrip. Ze las Tsjechov, die hen allebei verbaasde door de manier waarop hij zijn verhalen in een paar zinnen aan het eind een andere draai gaf, waardoor je je afvroeg wat je nou moest zien als de waarheid. Ze maakten lange wandelingen. Ze vreeën, ze maakten ruzie over het leven, over waar ze op weg naar toe waren, wat ze wilden doen. Over wat je zou moeten doen. Ze maakten fel en dramatisch ruzie, op een manier waarvan Mark zich later realiseerde dat hij ervan hield, waardoor hij zich levend voelde.

Toen werd Mark ingehuurd door een paar vrienden die met familiegeld grond hadden gekocht buiten Calistoga en een wijngaard wilden planten en zelf al het werk doen. Hij bracht de volgende anderhalf jaar bij hen door. Het was als het begin van een nieuw leven, een deur die openging. Het land was rotsig en onontgonnen, maar het was vlak, op de bodem van het dal. Ze maakten het schoon, ze trokken bomen en de grootste rotsen eruit. Ze ploegden de aarde. Hij kwam elke avond smerig en uitgeput thuis nadat hij zichzelf de hele dag had voortgedreven tot de grens van zijn kunnen. Als ze niet zo jong waren geweest als ze toen allemaal waren, was het hun nooit gelukt.

Een van de anderen had een wijngaard beheerd voor een grote wijnboer en had Wijnbouw en Oenologie gestudeerd aan de California University. Maar ze hadden allemaal van alles gelezen over de vallei en haar lange geschiedenis, en ze wisten een heleboel dat hij niet wist – hoe het land was gevormd in de prehistorie, wat voor chemicaliën en voedingsstoffen de verschillende grondsoorten in de vallei bevatten, wat de verschillen waren in temperatuur en regenval van het noorden naar het zuiden, van de hellingen tot de vallei, wat voor druiven het best zouden passen bij het land dat ze hadden gekocht, en wat ze met die druiven moesten doen om ze te laten gedijen.

Ze begonnen met de wijngaard in de lente, ze dreven palen in de nog rotsige bodem. In de herfst plantten ze de jonge struiken en irrigeerden ze met de hand met water dat ze in een pick-up uit een beek in de buurt haalden. Die winter, toen er minder werk was, ging Mark terug naar de bouw, maar de volgende lente en zomer kwam hij weer helpen een vijver te graven en een irrigatiesysteem aan te leggen.

Ze maakten fouten en ze deden echt alles op de moeilijkste manier. Maar de buren waren gul toen ze eenmaal zagen dat ze door zouden zetten. Ze verleenden advies en leenden apparatuur, en het werk werd volbracht. Die lange dagen waren de dagen die Marks relatie met deze plek, met het land smeedden. Hij voelde dat hij een thuis had gevonden. Dit was precies het werk dat hij wilde doen, precies de persoon die hij wilde zijn.

Dat jaar raakte Eva zwanger van Emily, en ze huurden het huis op de heuvel met hun eigen wijngaardje. Ze nam ontslag en Emily werd geboren. Ze maakten niet meer zo veel ruzie. Eva deed het huishouden en kweekte groente en bakte en kookte en speelde met Emily. Mark begon zijn eigen bedrijf, hij beheerde een paar kleine wijngaarden en bracht wat hij had geleerd in praktijk. Ze waren, zou hij hebben gezegd – zei hij ook – gelukkig. Zijn bedrijf breidde zich langzaam maar zeker uit naarmate wijn en wijn maken in begonnen te raken, naarmate meer mensen met geld op de vallei afkwamen, mensen die eigen wijngaarden wilden; naarmate het aantal wijngaarden explosief groeide – eerst vijfentwintig, dan veertig, dan honderd. Ze vreeën weliswaar minder vaak dan eerder in het huwelijk, maar met een comfortabel gemak, een vertrouwdheid met elkaars lichaam en een genot die maar af en toe te routineus leken.

Ze kregen Daisy. Ze hadden het erover gehad dat ze een jongetje wilden, maar toen de dokter het glibberige lijfje van de baby omhooghield boven Eva's knieën en Mark de diepe inkeping zag tussen haar gekromde hulpeloze beentjes, werd hij overspoeld door een liefhebbende opluchting, door blijdschap. Hij realiseerde zich dat hij de hele tijd bang was geweest voor een jongen. Hij wilde hem niet – een dyslectische, wilde jongen zoals hijzelf.

Maar hierna leek het of alles te veel werd. Eva werd teruggetrokken en boos. Mark begon zich af te keren van hun dromerige gestruikel en beging een fout, hij neukte elf maanden lang met Amy. En Eva werd zo boos op hem dat ze hem eruit gooide. En nam toen genoegen met een aardige man – ouder, kalm, toegewijd.

Was dat het, was dat wat er gebeurd was?

Dat was het, voelde Mark. Ze had genoegen genomen met John. En het leek gewerkt te hebben, het leek haar gelukkig gemaakt te hebben. Ze verhuisde met John naar het vervallen oude huis in de stad en knapte het op. John kocht de boekwinkel voor haar. Ze kreeg Theo. Ze leek tevreden. Als Mark de meisjes kwam halen, als hij langskwam voor verjaarspartijtjes of feestdagen, voelde hij de rust en het gevoel van orde dat haar omringde. Het had natuurlijk te maken met geld. Maar het had ook te maken met John, met zijn gelijkmatigheid, zijn áárdigheid.

Maar soms als hij Eva zo efficiënt zag rondlopen in haar grote, dure keuken, als hij haar haar langzame, prachtige glimlach met het spleetje tussen haar tanden zag lachen naar een gast, betrapte Mark zich erop dat hij zich afvroeg of ze hun oude leven niet ook miste, hun vragen, hun hartstochtelijke gesprekken, de ruzies, de keren dat ze naderhand 's nachts wakker werden en woordeloos en wild begonnen te vrijen. Hij had het gevoel dat ze vooral door zijn bedrog open was gaan staan voor een man als John. Zijn schuld.

Pas een maand of acht na Johns dood, op een warme dag in mei, begreep Mark wat hij aan het doen was, wat hij de hele tijd al gevoeld had. Realiseerde hij zich dat hij Eva het hof aan het maken was. Zag hij dat hij probeerde haar terug te krijgen, haar terug te winnen via de kinderen.

Zo was het niet begonnen. In het begin, toen Eva zo ellendig was, had hij de meisjes vaker bij zich genomen omdat dat voelde als het noodzakelijke, het goede om te doen. Alles om maar te helpen. Maar het veranderde waarschijnlijk, iets veranderde in Mark, toen hij Theo soms ook mee ging nemen, samen met de meisjes.

Dat was voor het eerst gebeurd begin december, twee maanden na Johns dood, toen Theo boven aan de trap verscheen met zijn rugzak net toen Mark wegging. Daisy en Emily waren al buiten en hij stond in de hal met Eva te praten.

Ze hoorden Theo tegelijkertijd op de trap en ze keken allebei omhoog en keken zwijgend toe hoe hij langzaam naar beneden kwam.

Mark verbrak de stilte toen Theo beneden aankwam. 'Wat is er, grote jongen? Wat ga je doen?'

'Ik heb mijn spullen.'

'Ik zie dat je je spullen hebt. Waar neem je ze mee naar toe?'

'Naar Marks huis. Naar jou,' zei Theo.

'O, liefje,' zei Eva en ging op haar hurken zitten om op dezelfde hoogte te zijn als Theo. Haar jurk viel in een cirkel om haar heen op de grond. Hij was gemaakt van een stof die overal bedrukt was met kleine toefjes bloemen. Toefjes. Mark had haar graag dat woord aangeboden.

'Weet je, schatje, alleen de meisjes gaan naar Mark deze keer,' zei ze.

'Waarom?' vroeg hij.

'Waarom,' zei ze. Ze keek op naar Mark. Ze keek verslagen.

'Omdat ik hun vader ben,' zei Mark. 'Omdat Emily en Daisy mijn dochters zijn, daarom heb ik graag dat ze bij me komen logeren.'

Theo had van de een naar de ander gekeken. 'Dat is niet eerlijk,' zei hij.

Niemand gaf hem antwoord.

Hij ging op de onderste tree zitten. 'Het is niet eerlijk,' zei hij weer. En toen begon hij te huilen.

Mark had naar Eva gekeken. Ze zag eruit of ze ook zou gaan huilen, om het oneerlijke van het leven, om Theo's verdriet. Om haar alleen zijn. Om alles.

'Ik vind het helemaal niet erg om hem mee te nemen, als je het goed vindt,' zei hij.

Hij zag hoe ze weer naar hem opkeek en haar gezicht veranderde – opklaarde van opluchting.

'Echt waar, Mark?' vroeg ze.

Daarna was het een gemakkelijk, comfortabel iets geworden. Als Theo mee wilde, als Eva niets speciaals gepland had om met hem te doen terwijl de meisjes weg waren, nam Mark hem ook mee naar zijn huis. Hij zei tegen zichzelf dat hij het voor Eva deed, maar hij was ook echt gesteld op het jongetje – om zijn enthousiasme, om zijn lieve, kwetsbare aanwezigheid die 's nachts in bed naast Mark lag, om zijn pezige, fysieke energie, die Mark zo deed denken aan hemzelf als jongen. Soms, als hij Theo 's nachts wiegde, of hem kuste als hij hem in bed legde, had hij het gevoel dat hij van zichzelf hield, dat hij een gedeelte van zichzelf genas – een gevoel dat hij niet duidelijk aan iemand anders had kunnen uitleggen.

Hij had het allemaal gerationaliseerd, hij had zichzelf verteld dat de meisjes hem niet meer nodig hadden. Als ze in zijn huis waren, brachten ze uren door in hun kamer met de deur dicht. Hij hoorde hen praten, of hij hoorde Emily aan de telefoon. Soms deden ze elkaars haar. Emily ging vaak uit, met vrienden, had afspraakjes. Daisy bleef in hun kamer. Als hij om het huis liep, zag hij haar daar lezen, of soms werken aan het bureau, of op het bed liggen luisteren naar muziek op haar walkman. Als hij eerlijk was, moest hij zeggen dat hij hen niet meer kende. En ze leken het niet belangrijk te vinden om hem te kennen.

Nee, Theo was degene die geïnteresseerd was in Mark, die de activiteiten wilde doen die hij gepland had voor de weekends – zodat Mark als hij een puzzel meebracht waarvan het meisje in de winkel zei dat hij geschikt was voor een jongen van drieënhalf, als hij Theo hielp met blokken een ingewikkelde knikkerglijbaan op te zetten die liep van de woonkamer naar de eetkamer, als hij naast het bad knielde en zich voorover boog om de gladde, zachte huid van het jongetje in te zepen, terwijl hij de badliedjes voor hem zong die hij voor de meisjes had gezongen, dacht dat hij alleen maar reageerde op de situatie – dat het niets wegnam van Emily en Daisy, die toch met andere dingen bezig waren.

Tot die dag in mei toen hij, omdat allebei de meisjes niet wilden,

Theo alleen meenam om een middag te gaan vissen. Toen ze terug waren, hing Daisy rond in de keuken terwijl hij het eten maakte, en liep eerder in de weg dan dat ze hielp. Op een gegeven moment vroeg Mark haar hem een vergiet aan te geven en noemde haar juffrouw Mopper. Dat had hij niet moeten doen. Ze barstte in tranen uit. Ze beschuldigde hem ervan dat hij meer van Theo hield dan van haar, ze zei dat ze niet begreep waarom hij zelfs maar de moeite nam haar te laten komen.

Mark leed zo met haar mee dat hij geen antwoord kon geven, hij strekte alleen zijn armen uit en trok haar erin.

Met zijn treurige dochter in zijn armen, voelde hij een steek van diep verdriet omdat hij haar verkeerd had begrepen – de onbevallige Daisy, zo lang dat ze haar hoofd een beetje moest buigen om het op zijn schouder te leggen. Op dat moment realiseerde hij zich waarom hij het deed, alles. Begreep hij dat hij probeerde zijn weg terug te verdienen naar Eva's liefde via de kinderen. En vooral via Theo. Het gevoel van erkenning, de korte schok van schaamte duurde maar heel even. Hij hield Daisy vast. Hij zou haar beter behandelen. Hij hield van haar.

Hij hield van haar en Emily, en hij was ook van Theo gaan houden. Daar was allemaal niets onechts aan. Het was gebeurd omdat hij van Eva hield. Hij hield nog steeds van haar, en van de kinderen houden, van allemaal, was een manier om bij haar terug te komen.

Hij stond in zijn keuken en streelde het haar van zijn dochter en fluisterde: 'Lieverd, natuurlijk hou ik van je,' en inmiddels was hij gaan denken dat hij het voor elkaar kon krijgen, dat het hem kon lukken. Hij wist dat het kon. Hij moest alleen langzaam en geduldig zijn. Hij zou dit aanpakken zoals hij zijn studie had aangepakt, dacht hij, met de overtuiging dat het hem misschien langer zou kosten dan wie dan ook, maar dat er geen reden was waarom hij het niet zou kunnen. Geen enkele.

HOOFDSTUK VIER

Toen ze klein waren praatten Daisy en Emily er soms over welke van hun vaders de meest échte vader leek. Dat was toen ze net verhuisd waren naar de stad, naar Kearny Street, toen het huis nog niet gerenoveerd was en voordat ze ieder een eigen kamer kregen. Toen waren ze nog vriendinnen, voor zover Daisy zich kon herinneren. (Voor zover Emily zich kon herinneren waren ze nog altijd vriendinnen, maar daar had ze natuurlijk ongelijk in.) Het was voordat Emily naar de middelbare school ging, toen ze nog elke dag samen naar school liepen, toen ze 's avonds nog in de twee bedden lagen die maar een meter uit elkaar stonden en maar doorpraatten als ze allang hadden moeten slapen – praatten tot Eva van onder aan de trap riep: 'Als ik boven moet komen krijgen jullie daar spijt van.' In die tijd praatten ze vaak samen openhartig en duidelijk over het centrale probleem in hun leven: twee vaders hebben. Naast elkaar liggend, hun lichaamsloze stemmen opstijgend in het donker, maakten ze een lijst van alle manieren waarop ze allebei – Mark en John – niet overtuigend waren. Nep, noemden ze het.

Mark was te jong, zeiden ze, hoewel ze wisten dat hij maar een jaar of vijf jonger was dan John. Maar John was veel volwassener. Echter.

Daisy had niet kunnen zeggen wat ze daarmee bedoelde. Het had te maken met een eigenschap die ze later herkende als een soort oplettendheid van John, aandacht – voor jou, voor wat je zei, voor wat je dacht. Toen al wist Daisy dat ze meer van hem hield dan van Eva, misschien meer dan van Emily. Van Mark wist ze het niet zeker.

Wat Emily bedoelde – wat ze zei dat ze bedoelde – was dat Mark niet de goede kleren had voor een vader, of de goede auto, dat ze veel te veel van hem mochten, dat hij ze te vaak mee uit eten nam als ze bij hem waren. Hij kon niet organiseren wat hen betrof, zei Emily. Al die dingen waren nep.

Haar stem in het donker klonk streng, accuraat in Daisy's oren, zoals altijd. In deze fase van hun leven samen bepaalde Emily de regels voor Daisy, en Daisy dacht dat ze onfeilbaar was.

Ze waren het er aan de andere kant over eens dat John te beleefd tegen hen was. Hij verwende hen, hij kocht te veel voor ze – bijna alles wat ze wilden. Dat was toch ook nep?

Daisy was daar niet van overtuigd, want ze hield van John en ze hield van die dingen in hem. Emily was harder. Het was nep.

Maar wat was echt? Ze wisten het niet zeker. Eva in elk geval. Misschien was één echte ouder genoeg. Dat was wat Emily uiteindelijk besloot te vinden.

Daisy niet. Daisy wilde er twee – een moeder en een vader. En de vader die ze koos was John, gedeeltelijk omdat Mark in die tijd min of meer uit hun leven verdween. Hij had iets met iemand, 'en méér dan iets', had Eva tegen hen gezegd met een vals lachje. Hij zegde weekends af, hij kwam soms niet opdagen om een van de meisjes van school te halen. Als ze naar zijn huis gingen was Erika daar vaak, en soms leek het of hij nauwelijks merkte dat zij er ook waren. Of misschien kon het hem niet meer schelen. Maar het maakte Daisy niet uit, want John had een stap naar voren gedaan en was het middelpunt van haar leven geworden.

Emily had inmiddels een eigen kamer, en dat, samen met het feit dat ze naar de middelbare school ging, had alles tussen hen veranderd. En ze leken sowieso verschillende kanten uit te gaan. Daisy werd steeds langer en steeds onhandiger toen ze elf was, en daarna twaalf. Inmiddels torende ze boven iedereen in haar klas uit, jongens en meisjes. Emily was klein, net zoals Eva, en mooi en populair. Toen ze nog geen twee maanden op school zat, had ze al een vriendje, een derdeklasser, Noah Weiss, die dook bij het zwemteam. (Als Daisy aan Noah dacht, herinnerde ze zich hoe ze met Emily bij een of ander toernooi was en hem voor het eerst zag. Nog jaren later herinnerde ze zich het versterkte, galmende geluid van de juichende stemmen in het betegelde binnenbad, en hoe Noah eruitzag, met zijn tenen om het uiteinde van de duikplank gekromd, zijn borst breed en onbehaard, de bobbel in zijn Speedo-zwembroek prominent en voor Daisy gênant. Ze had geprobeerd Emily daar naderhand iets over te vragen, over of ze daar niet aan moest denken als ze naar hem keek, en het eigenlijk gek vond, zoals Daisy, maar Emily zei dat ze kinderachtig was – 'Jezus, doe niet zo kinderachtig, Dees.')

Dat jaar werd ook Theo geboren – het jaar dat Emily naar de middelbare school ging – dus was Eva voor hen allemaal verloren, ondergedompeld in een wereld van borstvoeding, slaapjes en luiers verschonen. Ze was altijd moe, ze zei altijd dat ze iets láter zou doen.

Maar Daisy had John gekozen, en John leek tevreden, misschien zelfs blij dat hij gekozen was. Als ze er jaren later over praatte in therapie en probeerde het te reconstrueren vanuit Johns oogpunt, vroeg Daisy zich af of het niet allemaal berekening was geweest, zijn vriendelijkheid tegen haar. Misschien, zei ze tegen haar psychiater, vonden hij en Eva dat ze te solitair was, te verlegen. Misschien hadden ze het er samen over gehad, over hoe Daisy, nu Eva het zo druk had met Theo en Emily het leven van een middelbare scholier leidde, wat extra aandacht nodig had. Maar haar conclusie was dat ook al wás het berekening geweest in die zin – een ouderschapsdaad, wat een raar woord – dan deed dat er niet toe. Het was met liefde gedaan. Het had alles voor haar veranderd. Ze had een vriend, een bondgenoot. Wat Daisy hem ook vroeg, John deed het. In ruil daarvoor ging ze met hem mee – boodschappen doen, wandelen, fietsen. En wat ze ook deden, John praatte met Daisy. Of liever gezegd, hij vroeg Daisy om met hem te praten.

Ergens in de loop van de jaren dat hij haar stiefvader was, vroeg John Daisy hoe ze zichzelf zou beschrijven aan iemand anders; hij vroeg haar hoe ze zich muziek voorstelde als ze droomde: als noten? Of misschien alleen als golven van geluid of gevoel? Hij vroeg haar of ze dacht dat de manier waarop een taal in elkaar zat – ze had net een gedicht voorgedragen dat ze voor Frans uit haar hoofd had geleerd – verschil maakte voor de manier waarop mensen dachten; hij vroeg haar of ze dacht dat ze een ander persoon zou zijn als ze geografisch gezien ergens anders was opgegroeid – New York bijvoorbeeld, of Beiroet; hij vroeg haar of ze liever het oudste of het jongste kind in het gezin had willen zijn in plaats van het middelste, en wat voor verschil ze dacht dat dat zou maken.

Hij leek nooit uit te zijn op een speciaal antwoord. Hij was gewoon geïnteresseerd in wat ze dacht.

Een keer vroeg hij haar in welke zin haar leven anders was dan ze had gewild dat het was. Daisy hoefde er geen seconde over na te denken. Ze vertelde hem dat ze wilde dat haar ouders niet gescheiden waren en dat ze nog in het huis in de heuvels woonden.

Die keer bracht John haar met de auto naar de dokter. Het regende en de ruitenwissers sloegen gestaag de maat. John leek daarop geconcentreerd, of op de weg – in elk geval had je niet aan zijn gezicht kunnen zien dat ze iets belangrijks had gezegd, ze keek naar hem en dacht na over haar antwoord, over hoe pijnlijk dat voor hem moest zijn. Stom! dacht ze. Ze zei: 'Maar dan zou ik jou en Theo niet hebben, dus ik weet het niet. Het is moeilijk te bedenken.'

'Ja, hè?' Hij had haar even glimlachend aangekeken. 'Moeilijk te bedenken.'

Maar een paar maanden voor zijn dood had hij haar iets gevraagd over Emily. 'Wat vind jij ervan dat je een mooie oudere zus hebt, Daisy?' had hij gezegd. 'Zou het een goed idee zijn als we haar een kopje kleiner maakten?'

Daisy was in lachen uitgebarsten, maar het gaf haar ruimte, omdat John degene was die het gezegd had, zich misschien voor het eerst te realiseren dat er een gedeelte van haar was dat graag had gehad dat Emily voorgoed verdween – hoewel ze tegelijkertijd begreep dat ze zich verlaten zou voelen als dat gebeurde, dat ze het gevoel zou hebben dat er niemand was om haar te leren hoe ze elke dag de wereld in moest.

Ze fietste met John op Bennett Lane toen hij haar dit vroeg. Ze moest een beetje harder praten om hem antwoord te geven – hij reed achter haar. Ze vertelde hem dat ze zich inderdaad soms zo voelde naast Emily – lelijk en boos. Hij haalde haar in en fietste naast haar en concentreerde zich fronsend op wat ze zei. Ze zei: 'Maar ik houd ook echt van Emily. Soms heb ik zelfs medelijden met haar.'

'Medelijden? Met onze Emily?' vroeg hij. 'Hoe dat zo?'

Daisy keek opzij naar haar stiefvader. Hij droeg zijn gele fietshelm en een oud T-shirt met ARS erop. Hij had een korte broek aan en zijn benen waren wit en behaard. Hij was een nerd. Dat wist Daisy. Hij was groot en sproetig en lang niet zo knap als haar echte vader. Ze dacht na over wat ze had gezegd. Ze had het niet van tevoren geweten – dat ze medelijden kon hebben met Emily.

'Daarom,' zei ze. 'Omdat Emily alles altijd op de goede manier moet doen, weet je wel?' Was dat wat ze voelde? Of verzon ze het alleen om Johns aandacht vast te houden? Ze wist het eigenlijk niet. 'Of misschien omdat niemand haar ooit gewoon negeert.'

John had een poosje zwijgend achter haar gefietst.

Daisy voelde de wind – hij tilde haar haar op en duwde tegen haar huid. Hij was droog en rook naar aarde uit de wijngaarden.

'Dus genegeerd worden is goed?' zei hij uiteindelijk.

'Nou, dan kun je alles doen wat je wil. Het kan niemand iets schelen. Je kunt rustig zelf over alles nadenken.'

Hij hield in en ging weer achter haar rijden.

In de velden zag Daisy kluitjes arbeiders tussen de rijen druivenplanten. De oogst begon net en de Mexicanen waren opeens overal – ze werkten in de velden, liepen in groepen door de straten van de stad, sliepen 's nachts in auto's die geparkeerd stonden in stille lanen. Als je ze op straat passeerde, als je langs het park kwam waar ze in de hete middagen samenkwamen, hoorde je hun in elkaar overvloeiende stemmen, het onbekende ritme van hun taal, hun gelach. Het was alsof ze hun eigen wereld mee hadden gebracht, dacht ze, en als ze hen zag of hoorde, voelde ze dat haar gewone wereld even veranderde, een beetje exotisch en magisch werd.

Johns stem kwam nu van achter haar. 'Maar je weet dat het ons iets kan schelen, toch?'

'Jawel,' riep ze terug. 'Maar ik bedoel, niemand in de wereld.'

'O! Nou.' Toen had John gelachen. 'Ja.'

De herfst waarin John stierf was prachtig. Daisy kon zich niet herinneren dat ze ooit zoiets had gedacht, dat haar ooit een seizoen was opgevallen. Jaren later, toen ze het zich als volwassene herinnerde, erover praatte met dokter Gerard en probeerde na te gaan wat ze toen dacht en deed, kon ze het zich nog steeds scherp voor de geest halen – de klanken van het Spaans, het gevoel van het oogstwerk, de goederenwagons en vrachtwagens vol druiven die langsreden, de geur van gisting die je opeens rook als je langs iemands schuur kwam, de kleur van de bladeren, de koelere nachten. De wereld om haar heen. Ze herinnerde zich dat ze het gevoel had dat ze er langzamerhand voor open ging staan, voor de wereld. Ze was vol hoop.

Ze was naar de middelbare school gegaan, en omdat John haar had aangemoedigd, had ze zich opgegeven voor het literaire tijdschrift; ze had zich opgegeven voor het koor; ze was naar de selectiewedstrijden gegaan voor het basketbalteam, en werd geplaatst. Ze wist dat het nerdige keuzes waren – Emily, die nu in de vierde zat, bevestigde dat ('Kun je nou niet één normale activiteit kiezen?') maar het was waar ze goed in was, waar ze in geïnteresseerd was. En als de andere kinderen die geïnteresseerd waren in die dingen ook nerds waren, dan waren dat de kinderen waarvan Daisy het gevoel had dat ze hen begreep, kinderen waar ze een kans bij maakte. Ze realiseerde zich dat haar middelbareschoolleven anders zou zijn dan dat van Emily, maar John gaf haar het gevoel dat daar niets mis mee was. Had haar het gevoel gegeven dat ze gelukkig zou kunnen worden.

Toen John doodging, vond Daisy het verkeerd dat ze naar Marks huis werden gestuurd. Ze had thuis willen blijven, waar Eva rouwde om John; waar hij misschien nog in zekere zin aanwezig was, voelde ze. Ze waren nog maar twee nachten en de tussenliggende dag bij Mark toen Eva belde dat ze hen terug wilde, maar Daisy voelde het als een soort verbanning, een verbanning waarbij ze niet mochten praten over wat er net gebeurd was – vanwege Theo, nam ze aan. Een verbanning waarbij het leven doorgerold leek te zijn, dwars over Johns dood, waarbij het leek of ze moesten doen of er niets veranderd was.

Wie had dat besloten? Het leek of dat Emily was geweest, maar op de een of andere manier moest het ook Mark geweest zijn. Tenslotte was hij de volwassene.

De avond dat John gestorven was, had Daisy Mark met zijn vriendin horen praten aan de telefoon, ze had gehoord dat hij haar 'babe' noemde. Ze had nog nooit iemand deze koosnaam horen gebruiken behalve in rocknummers. Ze vond het kitscherig klinken. Het klonk, besefte ze opeens, seksueel. Toen ze in Marks keuken stond en dit opving, begreep Daisy wat haar vaders betrekkingen met deze vrouw waren. Hij ging met haar naar bed. Hij vond het jammer dat hij vanavond niet met haar naar bed kon. Dat was wat Johns dood voor hem had verstoord. Wat kon hem John schelen?

Niets. Het was verkeerd dat ze daar moesten zijn, bij hem.

Ze hadden die avond een taart gebakken – Emily's idee, voor zover Daisy het zich herinnerde – en Theo had de schaal met het glazuur uitgelikt. Daisy zat tegenover hem aan Marks eettafel en keek hoe hij methodisch het laatste beetje chocoladedrab eruit schraapte. Er zat een klontje in zijn haar, zijn gezicht zat vol.

Zijn gulzige gretigheid, zijn dierlijke vergeten stond haar tegen. Ze wilde hem slaan, een stukje van de zachte, gave huid van zijn arm pakken en dat stevig omdraaien.

Wat gemeen! Hoe kun je zo gemeen zijn! Hij was degene die zijn vader kwijt was. Daisy wist dat ze ongelijk had, dat haar gevoelens niet te rechtvaardigen waren. Ze was abrupt de kamer uit gelopen en op haar slaapzak in het donker gaan liggen, tot Mark aan de deur kwam en haar vroeg Theo welterusten te zeggen. Vol schuldgevoel was ze boven op Theo gedoken in Marks bed en had hem slobberige kussen gegeven waardoor hij moest lachen en haar naam riep.

Maar later, toen ze weer op haar eigen bed lag en erover nadacht, voelde ze zich zelfs daarover ongemakkelijk. Lachen! Spelen! Terwijl John in z'n eentje ergens dood lag. Ze stond op om Mark te zoeken en hem een vraag te stellen die eerder ook al bij haar opgekomen was, over wat er gebeurd was met Johns lichaam, over waar hij was.

Maar Mark wist het niet. Het kon hem ook niet schelen, dat zag ze best.

Daisy nam de telefoon op toen Eva belde om hen naar huis te laten komen. Haar moeders stem klonk uitgeput maar vredig, traag. En zo zag ze er ook uit toen ze een uurtje later aan kwamen rijden en Daisy haar op de veranda zag staan wachten op hen – alsof ze net hersteld was van een lange ziekte. Ze was altijd slank geweest, maar opeens leek ze veel te mager. Haar ogen waren zo omschaduwd dat het leek of ze in haar hoofd verzonken waren, met blauwe plekken eromheen. Maar ze werd er niet minder mooi van. Daisy vond haar zelfs mooier dan anders – klein en kwetsbaar en lijdend. Ze leed zo erg dat iedereen het kon zien en meer van haar zou houden.

Toen ze uit de pick-up stapten, kwam Eva de treden af naar hen toe. Ze hurkte op het betonnen pad en trok hen hongerig om zich heen.

Daisy voelde zich ongemakkelijk. Ze was te groot voor deze omhelzing. Hij was bedoeld voor iemand van het formaat van Theo. Ze stond neer te kijken op haar moeders hoofd, op de witte, wasbleke hoofdhuid bij haar scheiding; en omdat dit op de een of andere manier te bloot leek, te naakt, keek ze naar Mark, die naar hen stond te kijken. Zijn blik ontmoette die van Daisy. Hij leek bijna bang.

Toen veranderde zijn blik, zijn hand ging omhoog, en Daisy keerde zich om. Gracie stond boven hen in de open deur van de veranda.

Eva liet hen los en stond op, en Daisy draaide zich om en liep de trap op. Ze stapte in Gracies open armen – geparfumeerde, voluptueuze Gracie. 'Liefje,' zei Gracie. Daisy besefte opeens dat ze voor altijd in deze omhelzing wilde blijven. Gracie wiegde haar een paar seconden. Toen deed ze een stap achteruit en streelde Daisy's haar. En nu stonden ze allemaal op de veranda, bij de deur, en Gracie omhelsde Emily op precies dezelfde manier.

'Kom binnen, Mark,' zei Eva. Daisy keerde zich om. Haar vader stond nog op het pad, in z'n eentje, en keek omhoog naar hen allemaal. Eva snoot haar neus. 'Kom je niet even binnen? Even wat drinken.' Haar stem klonk hol.

Daisy keek hoe hij de treden op kwam en op haar moeder afliep. Zijn armen gingen omhoog en om Eva heen, en ze verdween tegen zijn borst. Hij hield haar vast. Toen ze hen zo zag, herinnerde Daisy zich opeens hoe ze eruit hadden gezien toen ze nog getrouwd waren, als ze elkaar toen vasthielden – hoe goed ze bij elkaar pasten, wat bij John en Eva niet zo was geweest. Ze bleven lang samen staan. De anderen waren weggegaan, het huis in, maar Daisy stond te kijken. Toen Mark klaar was, toen hij Eva losliet, bleef hij haar schouder vasthouden. 'Eva,' zei hij. 'Ik vind het... zo erg.'

'Maak... maak me niet weer aan het huilen, Mark,' zei ze. 'Maar dank je wel. Ik weet het. Dat dat zo is. Maar kom binnen. Kom binnen.' Ze maakte een vaag, breed gebaar en hij liep het huis in, langs

Daisy, die nog als een zoutzak in de deuropening stond, langs Theo, die een meter verderop in de hal zijn tas met speelgoed en beddengoed had leeggegooid zodat ze er allemaal omheen moesten laveren.

Nu klonk Emily's stem uit de keuken. 'Jezus, moet je al dat eten zien, die enorme hoeveelheid eten. Is dat allemaal voor ons?'

Als in reactie op haar gingen ze allemaal naar de keukendeur. Eva stapte de keuken in. 'Iedereen is zo lief geweest,' zei ze hees, bijna verontschuldigend. Het brede keukeneiland was bedekt met eten – pannen, schalen, aluminium kommen met glanzend plasticfolie, fruit in manden met linten. Aan sommige hingen kleine kaartjes.

'Kijk hier eens.' Emily begon te lezen: 'Zwartebessenmuffins. Twintig minuten verwarmen op 180 graden.'

'Ik wil zwartebessenmuffins,' zei Theo. Zijn kruin kwam tot het blad van het eiland, en hij stond op zijn tenen naast Emily om ook iets te kunnen zien.

'En wat denk je hiervan! Sesam kippenvleugels. Hé! Ook twintig minuten op 180.'

'Ik lust geen sesam,' zei Theo.

'Maar ik wel,' zei Emily en klopte hem zachtjes op zijn hoofd.

Daisy zei: 'Het is kip, Theo. Zoiets als kippenpootjes. Dat vind je lekker.'

'Echt waar, liefje?' vroeg Gracie. 'Misschien moesten we dan maar een feestmaal aanrichten. Eva?' zei ze iets harder, alsof Daisy's moeder doof was, of een kind. 'Wil jij nu wat hebben voor de lunch? Zullen we een beetje van al deze dingen opmaken?'

Eva was als een slaapwandelaar – vriendelijk, afwezig. 'Natuurlijk,' zei ze mild. Ze keerde zich naar Daisy's vader. 'Mark, jij blijft toch ook? We hebben meer dan genoeg.' Haar arm ging omhoog. 'De begrafenismaaltijd,' zei ze.

Mark zei dat hij dat wel wilde, hij wilde wel blijven.

Gracie dreef hen allemaal bazig voort, en langzamerhand haalden ze servetten en bestek en borden te voorschijn. Ze dekten de tafel, haalden verschillende soorten drinken voor iedereen, zetten de schalen die ze gebruikten op onderzetters en rechauds. Eva bewoog zich langzaam, robotachtig, en Daisy vroeg zich af of dat door de medicijnen kwam.

'O, mijn lieverd,' zei ze toen ze waren gaan zitten, en toen niets meer. Haar gezicht was blanco. Ze keek ergens in de verte.

Ze vermeden allemaal elkaars blik, omdat niemand haar antwoord wilde geven, en hun messen en vorken rammelden hard in de stilte.

Daisy had het gevoel gehad dat ze vanbinnen stilstond toen John stierf. Maandenlang was het alsof ze bevroren was. Ze vergeleek zichzelf met de anderen en zag dat er een manier was om het te doen, dat rouwen, waar zij op de een of andere manier niet bij kon. Eva huilde vaak. Dan kwam je haar tegen in de woonkamer of de keuken en stroomden de tranen over haar gezicht, en dan snoot ze snel haar neus en zei soms sorry. Je kon haar 's nachts horen huilen of door het huis dwalen.

Emily was de eerste paar weken ook snel in tranen.

Daisy wist dat ze zou moeten huilen, maar ze deed het niet, ze kon het niet. Ze begreep dat iedereen vond dat Emily het op de goede manier deed. Dat haar oudere zus zelfs hierin, het rouwen om John – van wie Daisy het meest had gehouden! – beter was dan zij. Naarmate de weken voorbijgingen – november, december – voelde ze ook dat haar ouders zich zorgen om haar gingen maken, en zich zelfs ergerden aan haar zwijgen. Aan haar nietsheid. En omdat ze dachten dat ze verdriet moest hebben dat ze niet liet zien, bleven ze aan haar hoofd zeuren. Ze stelden haar vragen. Ze wilden dat ze praatte.

Ze hoorde hen een keer over haar praten in de keuken toen Mark hen kwam halen. Hij vroeg naar iedereen, hoe het met iedereen ging, en toen hij ten slotte bij haar kwam, zei hij alleen: 'Dees?'

Er was een stilte, en Daisy wist dat haar moeder antwoordde met een gebaar, een gezicht, rollende ogen.

'Ach ja,' zei Mark. 'Nou ja: Daisy.' Wat zou hij doen? Zijn hoofd schudden?

Daisy zat op de achtertrap, die met een scherpe bocht uitkwam bij de keuken. Hij was smal en steil. Ze was op slag stil blijven staan, halverwege, toen ze Mark binnen hoorde komen en naar haar moeder hoorde roepen, die geantwoord had van vlak beneden Daisy. De muren hier waren afgestoken en ongeverfd, en Daisy liet haar hand langzaam over het koele, hobbelige oppervlak van het oude stucwerk glijden terwijl ze luisterde.

'Ik heb geen flauw benul,' zei Eva. Er rammelden dingen – kookdingen.

'Heb je het haar rechtstreeks gevraagd: "Hoe gaat het met je, Daisy?"' Zijn stem overdreef elke lettergreep.

'Zo'n beetje. En het antwoord is "Oké, prima natuurlijk, best."' Ze zuchtte en deed iets. Ze zei: 'Het is alsof je wacht tot een baby begint te praten – wacht tot hij begrijpt dat al dat lawaai dat iedereen om hem heen maakt iets betekent – dat is precies het gevoel dat ik heb bij het wachten tot Daisy begrijpt dat gevoelens hebben de manier is waarop de meeste mensen het leven ervaren. Alsof het een soort code is die ze nog niet heeft gekraakt.'

Even later zei Mark: 'Waar het om gaat is dat Daisy meer dan genoeg gevoelens heeft.'

'O, ik weet het, ik weet het. Ik wilde alleen dat ze ons daarin toeliet, dat ze een manier bedacht om er iets over te zeggen.'

'Dat ze leerde praten,' zei Mark.

'Ja!' zei Eva hartgrondig.

Daisy wist dat ze gelijk hadden. Dat ze erover zou moeten praten. Maar wat kon ze tegen hen zeggen? 'Waarom zijn jullie niet doodgegaan? Ik heb jullie niet nodig.' Ze wist dat het niet eerlijk was om boos te zijn op Eva, op Mark. Maar ze was het toch.

Toen de winterregens begonnen en heviger werden, begon het verdriet van de anderen af te nemen. Eva bewoog zich vaak met haar oude, vertrouwde snelheid door de dagen. Soms hoorde je haar lachen als ze 's avonds aan de telefoon zat. O, ze raakte nog wel in zichzelf gekeerd als ze alleen was met Daisy, of met Daisy en een van de anderen – thuis of in de auto. Dan leek alles aan haar gedempt en gesmoord, ze had niets te zeggen. Maar in de wereld was ze weer steeds meer zichzelf: opgewekt, levendig.

Emily, die tijdens de rouwdienst voor John zo hartstochtelijk had gesnikt dat Daisy wist dat haar eigen zwijgen, haar stilte in vergelijking daarmee koud en gevoelloos moest lijken, was weer opgenomen in de wereld van haar vrienden – vakantiefeesten, inschrijfdata voor universiteiten, het schrijven van opstellen, uitgaan met Noah, die thuis was van de universiteit. Slapen met hem, neuken met hem. Daisy wist dat omdat Emily het haar had verteld. En hoewel Daisy er niets over wilde horen moest ze wel luisteren naar de details: waar ze het deden (voornamelijk in de auto), hoe het voelde (van tevoren opwindend, en tijdens een beetje saai). Emily vertelde haar wat hij had gezegd, wat zij had gezegd, wie ervan wist, wie het verder nog deden, wie andere dingen deden – aftrekken, pijpen – enzovoort, enzovoort, en Daisy nam het allemaal in zich op en wist niet hoe ze moest reageren of zelfs maar wat ze ervan dacht.

Ze voelde haar alleen-zijn en woede tegenover de anderen groeien. Ze herinnerde zich dat Theo, die nieuwe, harde schoenen aan had gehad naar de dienst, schoenen die hij niet mooi vond, tegen de houten achterkant van de bank voor zich had geschopt, dat hij ondanks Eva's hand op zijn benen en haar huilerige, gefluisterde vermaningen zo hard en onophoudelijk had geschopt dat Gracie hem uiteindelijk naar buiten had gedragen en met hem in de zon op de trappen van de kerk had gezeten tot het allemaal voorbij was en de anderen naar buiten kwamen en hen daar vonden. Gracie zat voor hem te zingen toen ze aankwamen, de eenvoudige, herhalende liedjes die altijd werkten bij Theo.

Daisy bedacht dat schoppen precies was waar ze zin in had. Hard schoppen.

Wie schoppen?

Eva, bijvoorbeeld. Eva, omdat ze lachte, omdat ze enthousiast raakte als ze een schrijver mee uit eten moest nemen. Emily, omdat ze wegzeilde naar haar eigen leven. Mark, voor zijn onoplettendheid en omdat hij Theo de hele tijd meenam. En zelfs Theo, omdat hij John vergat, omdat hij deed of Mark van hem was, alsof dat een prima nieuwe vader was.

Soms leek alles een paar dagen in orde. Mark kwam eten, ze zaten wat bij elkaar, het voelde natuurlijk en vertrouwd en Daisy vergat dat Mark er niet eens hoorde te zijn. Dat John er hoorde te zijn.

Of Daisy vergat tijdens de basketbaltraining alles, behalve hoe haar lichaam voelde als het naar voren rende en opsprong voor een dunk. Er waren avonden dat ze huiswerk maakte met Emily aan de eetkamertafel en ze een bijna fysiek genoegen beleefde aan een geleverd geometrisch bewijs; aan het langzame ontwarren van een zin in het Latijn; aan de manier waarop het licht boven de tafel over de omtrekken van Emily's gezicht viel, een gezicht dat Daisy even vertrouwd was als haar eigen gezicht. Op die momenten leek het mogelijk dat de minuten, de uren haar voortdroegen op een veilige manier.

Maar dan veranderde het en ging alles weer fout.

Begin januari kreeg ze haar duim tussen het autoportier. Ze zag het gebeuren in slow motion, en wist in de halve seconde voordat de pijn begon dat die eraan kwam en erg zou zijn.

Er was een botje gebroken. Hij zwol op. Natuurlijk kon ze niet basketballen. Een paar dagen ging ze toch naar de training en zat op de bank te kijken hoe de andere meisjes oefenden, en keek naar het gips om haar hand en voelde dat haar lichaam zelf haar had verraden. En omdat ze dat niet kon verdragen, stapte ze uit het team, ondanks de verzekering van de coach dat hij haar plekje vrij zou houden, dat ze terug kon komen om te spelen zodra haar hand genezen was.

Op een middag toen ze uit school kwam, regende het, zo'n geselende winterbui die ze aan had zien komen vanuit het natuurkundelokaal. Mevrouw Pagels moest het licht aandoen, zo donker werd het buiten, en alles in het lokaal had er opeens goedkoop en versleten uitgezien. Daisy wist dat ze niet op de fiets naar huis zou moeten gaan, dat ze niet goed zou kunnen zien of remmen, dus liet ze hem in het rek staan en ging lopen.

Toen ze de volgende dag op weg naar school langs het rek kwam, was haar fiets weg – gestolen. Daisy voelde zich zo geschokt en verraden dat ze tranen in haar ogen kreeg.

Ze moesten een opstel voor Engels schrijven waarin ze iets in hun leven beschreven dat hen gelukkig had gemaakt. 'Er staat een huis in de heuvels voorbij St. Helena waar ik niet meer woon,' schreef Daisy. 'En daarin wacht een man die niet meer leeft.' Ze leverde die twee regels in en kreeg een onvoldoende, en haar lerares Engels vroeg haar even langs te komen tijdens het zelfstudie-uur. Toen Daisy bij het lokaal aankwam, was mevrouw Gaines nog in gesprek met iemand anders, een jongen die Daisy niet kende. De deur was dicht, maar Daisy hoorde hun stemmen stijgen en dalen. Ze keek naar hen door het glas. Het gezicht van de jongen was vriendelijk en geanimeerd.

Toen het Daisy's beurt was, wist ze dat haar gezicht heel anders was. Ze wist hoe leeg en zuur ze keek, maar ze kon er niets aan doen.

Juffrouw Gaines was jong en knap, hoewel haar neus te groot was. Ze had een Brits accent. Ze droeg meestal zwarte kleren, de enige lerares die Daisy kende – de enige persoon die Daisy kende – die dat deed. Haar gezicht keek Daisy vriendelijk aan terwijl ze over het opstel praatte. Ze zei tegen Daisy dat ze, hoewel ze alle sympathie in de wereld voor haar had ('in de wereld' dacht Daisy meesmuilend), toch moest voldoen aan de eisen voor de opdracht, en de opdracht was een opstel geweest. Begreep ze dat? Ja, zei Daisy, met een gevoel van rauwe, lege razernij dat dagen zou blijven. 'Ik begrijp het uitstekend.'

Die avond had Eva geprobeerd met haar te praten over haar zwijgzaamheid, haar onaangename houding ten opzichte van de anderen in huis. Waarom? Wat was er mis? Ze wilde helpen.

Daisy haatte haar moeders gezicht als ze zo praatte, haar fronsende, meelevende ogen, de droevige lijntjes die haar mondhoeken naar beneden trokken. Er was niets mis, zei Daisy. 'Als jij je duim gebroken had en je fiets werd gestolen zou je je net zo voelen als ik.'

'Hoe is dat dan?'

'Als een stuk stront.' Ze keerde zich om en deed of ze zich concentreerde op haar huiswerk, de lange Latijnse passage die voor haar lag.

Eva zat tegenover haar aan de eetkamertafel. Emily was kennelijk ingeseind dat dit gesprek eraan kwam – ze was naar haar kamer verdwenen om te studeren. Eva keek strak naar Daisy. Ze schraapte haar keel. 'Als je niet met me wil praten over wat er mis is, Dees,' zei ze, 'hoe kan ik je dan helpen?'

'Je kunt me hoe dan ook niet helpen.' Ze sloeg de bladzij om zonder iets te zien.

'Ik zou het kunnen proberen.'

'Hoe? Hoe kun jij me helpen?' Daisy keek op. Opeens was ze woedend. Ze sloeg haar boek met een klap dicht. Eva schrok even. 'Alles in mijn leven is kapot.' Haar stem barstte bijna.

Eva gaf geen antwoord. Ze keek weg, maar Daisy zag dat haar moeders ogen vol tranen stonden. Dat maakte haar woedend. Het leek een verzoek, een eis om iets van haar, en Daisy kon en wilde niet reageren. Ze greep haar Latijnse boek en het woordenboek en ging de eetkamer uit. Ze sprong met twee treden tegelijk de trap op. Ze sloeg de deur van haar kamer achter zich dicht.

Dit alles was de reden dat ze de hele zomer in de winkel, haar moeders boekwinkel moest werken. Emily ging naar Frankrijk met een uitwisselingsprogramma en zou bij een Franse familie wonen en als ze terugkwam zou ze vloeiend Frans spreken, maar Daisy moest werken. Ze probeerden het te laten klinken alsof het geen straf was, een straf voor het feit dat ze was wie ze was, voor het feit dat ze voelde wat ze voelde, maar dat was het wel. Ze wilden een oogje op haar houden, zorgen dat ze nuttig bezig bleef. In werkelijkheid hadden ze haar andere opties gegeven maar die had ze allemaal afgewezen, zodat je zou kunnen zeggen – ze had het haar moeder echt horen zeggen – dat ze ervoor had gekozen in de boekwinkel te werken. Maar dat was een leugen.

Ze bedacht de vraag zoals niemand hem haar had gesteld. Zoals John hem zou hebben gesteld: *Wat denk je dat je zou willen doen deze zomer?*

Ze dacht aan John, aan de laatste keer dat ze hem had gezien, de ochtend van de dag dat hij stierf. Ze was de laatste geweest die het huis uit ging, dat opeens stil was geworden toen de anderen weg waren. Toen ze haar fiets van de achterveranda naar beneden droeg, kwam John uit de garage, die ze hadden omgebouwd tot kantoor voor zijn bedrijf. Hij droeg een lichtblauw overhemd met een ernstig versleten boord en een uitgezakte kaki broek. Zijn grote, witte voeten waren bloot. Met zijn lange, schuin aflopende kaaklijn en zijn wimpers als van stro zag hij eruit als een grote, simpele jongen.

'Weer op de fiets?' zei hij.

'Ja.'

'Waarom loop je niet met Emily en haar gezelschap mee, denk je?'

Ze had haar schouders opgehaald.

Hij kwam bij de veranda staan. 'Ze zijn toch wel aardig voor je?'

'Gaat wel. Ze negeren me zo'n beetje, geloof ik. Maar ik kan toch niet praten over die dingen waar zij zich mee bezighouden, dus dat geeft niet. Eigenlijk ben ik liever alleen.'

'Maar je wilt niet te alleen zijn.'

'Dat ben ik niet, té alleen.' Op dat moment was dat waar. Ze bleef bijna elke dag tot laat op school voor een of andere activiteit, en ze begon een idee te krijgen met wie ze mogelijk vriendschap zou kunnen sluiten.

Opeens grinnikte John. 'Je hebt het hier natuurlijk wel tegen een vent die de hele dag in zijn eentje doorbrengt, begraven in boeken. Dat is wel niet helemaal alleen, maar sommigen zouden zeggen dat het er wel zo uitziet, Daisy. Het lijkt er verdacht veel op.' Hij gaf een klopje op haar stuur met zijn sproetige hand en deed een stapje achteruit. 'Hoe dan ook, tot vanavond,' zei hij. En Daisy zette af en reed de oprit af.

Ze dacht aan het feit dat ze niet had omgekeken. Ze wilde dat ze had omgekeken. Hoewel ze wist dat het onzin was, had ze het gevoel dat ze een of ander signaal had gemist, een of andere geheime boodschap die hij voor haar had en die haar hier doorheen had kunnen helpen.

En natuurlijk bedacht ze af en toe dat als ze wel had omgekeken, als ze iets naar hem had geroepen, als ze maar een paar seconden meer van zijn tijd had genomen die ochtend, dat al het andere op zijn dag evenveel verschoven zou zijn, en dat hij niet Main Street op zou zijn gestapt precies op het moment dat de auto de hoek om kwam.

Ze dacht aan haar moeder toen ze die paar dagen later teruggekomen waren van Marks huis, hoe iedereen zo voorzichtig en liefhebbend was geweest om haar heen, hoe ze had gezegd: 'O mijn lieverd', toen ze aan tafel waren gaan zitten, alsof John nog leefde, alsof hij daar in de kamer was, maar alleen zichtbaar voor haar.

Wat ze zou willen doen deze zomer?

Niks. Nop. Nada.

HOOFDSTUK VIJF

Eva blijft een paar minuten in de auto zitten nadat ze de motor heeft afgezet. Het is vroeg in de avond, maar het is half juni, dus de zon staat zelfs op dit uur nog hoog boven de heuvels om haar heen. Maar de hellingen laten een in diepe schaduwen gehuld gezicht zien – bijna zwart hier en daar waar de naaldbomen het dichtst op elkaar staan. Iets in de auto tikt zacht, wegstervend. Eva kijkt naar het huis, háár huis – degelijk, negentiende-eeuws, al het bewerkte hout gerestaureerd door haar en John nadat ze erin getrokken waren en de houten buitenmuren geschilderd in een historisch bleekroze. De luiken voor de ramen aan de voorkant zijn dicht tegen het licht en het ziet er blind en wezenloos uit.

Ze is er meer dan een week niet geweest omdat ze Emily mee heeft genomen naar haar ouders en daarna naar de oriëntatiebijeenkomst voor haar reis naar Frankrijk. En hoewel Eva enthousiast aan de reis begon omdat ze graag weg wilde, wilde ze aan het eind dolgraag weer thuis zijn. Deze week heeft ze af en toe gehunkerd naar thuis zoals je kunt hunkeren naar de aanraking van het lichaam van een geliefde.

Maar nu ze er is en opkijkt naar het huis vanuit de auto, aarzelt ze om naar binnen te gaan. Ze heeft het rare gevoel dat dit niet is wat ze bedoelde. Niet dit thuis.

Maar wat voor ander thuis is er dan?

Het begint langzamerhand warm te worden in de auto, dus doet ze het portier open en stapt uit, de droge avondlucht in. Ze haalt haar tas van de achterbank en loopt het pad op. Alles ziet er prima uit, behalve de tuinslang die afgerold in de voortuin ligt. Ze weet dat als ze hem optilt het gras geel zal zijn in een lichte, kronkelige lijn waar de slang heeft gelegen. Ze gaat de treden naar de veranda op, met de tas op zijn wieltjes bonkend achter zich aan.

Als de voordeur openzwaait en ze naar binnen stapt, wordt ze getroffen door de schimmelige, muffe warmte. Ze wil de airconditioning niet aanzetten – ze heeft een hekel aan het gezoem, het gevoel van opgeslotenheid dat hij geeft – dus loopt ze snel rond om de ramen aan de voor- en zijkanten van het huis open te gooien. Terwijl ze zo heen en weer loopt wordt ze bijna overvallen door het gevoel dat je krijgt van dingen opnieuw zien – een gevoel dat haar verbaast, ze is maar zo kort weg geweest.

Ze denkt aan de versies van zichzelf die het huis in haar geheugen bevat, van haar geschiedenis met John in deze ruimtes, alle veranderingen die ze doorgemaakt hebben. Het huis was een krot toen ze het kochten, en ze hadden erin gewoond tijdens de rommelige transformatie – het weghalen van de panelen van het goedkope verlaagde plafond, het aanleggen van nieuwe bedrading en leidingen, het afsteken van lagen oud behang, het vernieuwen van ramen; de renovatie van de keuken, het schuren en schilderen. Ze waren vertrouwd geraakt met alle mogelijke variaties van stof dat onvermijdelijk een weg wist te vinden langs het plastic dat ze spanden om het buiten te houden, onder de deuren door die ze dichtkitten om het binnen te houden. Ze hadden maandenlang in willekeurige kamers van het huis gewoond terwijl er in andere kamers gewerkt werd.

Deze kamer, de woonkamer, was een poos hun slaapkamer geweest. Nu ze daar staat, denkt ze aan hoe het voelde wakker te worden op de matras op de vloer naast John, terwijl de zon binnenstroomde – natuurlijk hadden ze nog geen luiken – het lichtraster dat ’s nachts tastbaar op de matras lag als ze zich omdraaide om te zien of hij ook wakker was.

Het is moeilijk dat verleden te verbinden aan deze kamer. Hij is ordelijk en mooi. De plafonds zijn hoog en het houtwerk om ramen en deuren en plinten heeft overal vier of vijf rondingen die verschillende soorten reliëf geven, terwijl een nieuwer huis er maar een of twee zou hebben. Of helemaal geen. Het meubilair, hoewel soms oud, is opnieuw bekleed met lichte stoffen – Californische kleuren, noemt Eva ze. Aan de muren hangen de moderne schilderijen die John verzamelde, en een groot doek van N.C. Wyeth, een illustratie uit *Schatei-*

land – twee mannen die in een hut op een schip aan het vechten zijn onder het licht van een zwaaiende olielamp. Hier en daar liggen stapels boeken, sommige ervan de boeken die John aan het lezen was, of wilde gaan lezen, of net uit had toen hij stierf. Ze heeft het niet op kunnen brengen deze laatste herinneringen aan waar hij van hield en hoe hij dacht op te ruimen – hoewel ze zijn kleren in dozen heeft gepakt en aan een liefdadigheidsinstelling gegeven, hoewel ze zijn papieren in dozen heeft gepakt en op zolder opgeslagen.

Een bries komt binnen, geurend naar rozemarijn en jasmijn.

Ze gaat naar de wc onder de trap en plast, dan wast ze haar handen en gezicht. Als ze haar hoofd uit het water haalt, kijkt ze goed naar zichzelf. De week reizen heeft zijn tol geëist. Haar ogen zijn opgezet, haar gezicht lijkt een beetje gezwollen. Zelfs haar kleren – de witte blouse, de zwartlinnen broek – lijken vermoeid, gekreukeld en uitgelubberd.

Ze laat de blouse los over de broek hangen en gaat naar de keuken om daar de ramen open te doen, ze laat haar ogen over de achtertuin gaan – Theo's dure klimtoestel in de hoek en de stoeptegels die Johns pad naar de garage markeren. Voor de garage is het basketbalnet waar hij en Daisy vaak luidruchtig aan het spelen waren. Ze denkt aan het geluid van de bal op het beton, de dreun op het bord, het voortdurende commentaar van John als ze speelden. Hoe dat allemaal de keuken in dreef laat in de middag en haar een veilig, omsloten gevoel gaf.

Ze gaat zitten bij het keukeneiland. Ze kan zich niet herinneren wanneer ze voor het laatst thuiskwam in een leeg huis. Waar niemand was. Theo is bij Gracie – hij heeft bij haar gelogeerd toen Eva weg was, hoewel hij natuurlijk zoals altijd naar de crèche ging. Daisy is bij Mark. Ze heeft voor zichzelf moeten zorgen tijdens Marks lange werkdagen, maar ze zal het druk hebben gehad. Ze is deze zomer in de boekwinkel begonnen, en het was de bedoeling dat ze er elke dag heen ging om opgeleid te worden door Eva's assistente, Callie. Eva heeft haar ook gevraagd elke dag even bij het huis langs te gaan om de planten water te geven en de post mee naar binnen te nemen. Die klusjes heeft ze kennelijk gedaan, maar niet erg elegant – gezien de slang die afgerold op het gras buiten is achtergebleven, en gezien de post, die min of meer op het keukeneiland gegooid is. Eva begint hem door te kijken. Brochures. Rekeningen. Een herinnering dat haar abonnement op *The New Yorker* bijna verlopen is.

Na een paar minuten houdt ze op. Door de tocht wapperen de paar enveloppen op die ze open heeft gescheurd, fladderen de pagina's van een paar brochures. Ze schenkt een glas water in en blijft tijdens het drinken bij de gootsteen naar buiten staan kijken. Elk raam hier is onderverdeeld in zes stukken. In de onderste drie zijn de tuin en de bomen die de tuin van de buren aan het gezicht onttrekken. Daarboven, in de bovenste stukken, wordt de hemel dieper blauw. 'Hemelsblauw,' zegt ze hardop, en ze schrikt van haar stem.

Ze gaat terug naar de hal en sleept haar tas naar boven. Voordat ze begint met uitpakken doet ze ook daar de ramen open, eerst in haar eigen slaapkamer, dan in de kamers van Theo en Daisy, en dan in die van Emily. Ze blijft even staan rondkijken in Emily's domein – Emily die deze zomer de wereld in trekt. De kamer is even netjes en goed georganiseerd als Emily zelf. De eerstgeborene, denkt Eva. Zoals in een of ander kinderliedje dat ze zich niet kan herinneren. Zoals zijzelf. Emily heeft een prikbord waar ze om gevraagd heeft, en daarop hangt een kalender met het vertrek naar Frankrijk over zes dagen in dikke, rode inkt aangegeven, met drie uitroeptekens.

Eva heeft die ochtend afscheid genomen van haar dochter op de campus van de school waar ze haar oriëntatieweek voor de reis kreeg. Ze was door het mooie landschap van New England langzaam teruggereden naar de snelweg. Ze had geen haast – ze had ruimschoots de tijd om haar vliegtuig naar huis te halen. Ze had een beetje hoofdpijn. Ze hadden de vorige avond doorgebracht in een plattelandshotel in New England in de buurt, zo'n herberg met schommelstoelen op een rij langs de hele voorveranda. Toen ze tijdens het eten tegenover Emily had gezeten in de ouderwetse eetkamer en haar had horen praten over de universiteit waar ze in de herfst heen ging, over de plannen die ze had, had ze zich oud gevoeld, en te veel gedronken. Het was een gevoel dat in de loop van de reis steeds sterker was geworden, realiseerde ze zich. Er was een climax geweest tegen het eind, toen ze in de zaal zat met de andere ouders voor hun eigen oriëntatie over de buitenlandse reis van hun kinderen, en rond had gekeken naar hen allemaal – respectabele, goedgeklede veertigers. Er zat een man tegenover haar te bladeren door het informatiemateriaal dat klaarlag. Hij fascineerde Eva, op een perverse manier – hij was zo typerend. Hij droeg zo'n dure polo en een geruite broek. Instappers met kwastjes. Zijn gezicht was breed en zomers gebruind, bijna mahoniekleurig. Een boot misschien, of uren en uren tennissen en golfen. Het was een man met wie ze getrouwd had kunnen zijn, bedacht ze, als ze in het oosten was blijven wonen, als ze een oosterling was gebleven. Ze voelde een flits van dankbaarheid voor haar leven – voor de toevallige besluiten die haar naar het westen hadden gebracht, die haar misschien geen westerling hadden gemaakt, maar in ieder geval niet iemand die herkenbaar, indeelbaar was zoals deze man. Ze dacht aan haar huwelijken met twee mannen, die geen van beiden deze zelfvoldaanheid uitstraalden.

Hij keerde zich nu naar zijn vrouw, een blondine in een bleekroze, mouwloze jurk. Ze las een brochure. Hij raakte haar knie aan en ze keek op. Eva vond het een lief gebaar. Ze bedacht hoe zij er voor hem, voor hen, uit moest zien – zijzelf ook van middelbare leeftijd, in haar wijde Californische kleren, haar uitgegroeide haar. Wat hij van haar zou denken: post-hippie, new age. Een warhoofd.

Maar waar het om ging was – en dat was haar openbaring – dat het er hoe dan ook niet toe deed. Zij deden er niet toe. Ze waren allemaal gewoon wie ze waren, de achtergrond van de levens die op het punt stonden te veranderen door de reis waar ze straks over geïnstrueerd werden. Zij waren de chauffeurs, nota bene. De chequetekenaars. De salarisverdieners. Ze kreeg opeens het gevoel dat zij allemaal – en nu keek ze de kamer rond en zag de anderen ook – dat zij allemaal alleen in dienst van de jeugd stonden.

Twee avonden daarvoor, in het huis van haar ouders buiten Hartford, het huis waarin ze was opgegroeid, had ze tijdens het eten zitten luisteren hoe haar ouders, onberispelijk elegant als altijd, Emily hadden ondervraagd over de universiteiten die ze had bekeken en waarom ze Wesleyan had gekozen, over wat ze die zomer ging doen, en wat ze kon bedenken of weten over het leven dat ze wilde. Ze luisterde terwijl Emily maar doorpraatte, alsof er geen reden was waarom niet iedereen gefascineerd zou zijn door haar plannen – en ze realiseerde zich, dat zij, Eva, geen plannen of ideeën meer had voor zichzelf.

Ze had geprobeerd daarover te praten met haar moeder toen Emily naar bed was gegaan en nadat haar broze vader zich teruggetrokken had. Ze zaten in de woonkamer bij de lege haard. Alles was donker – het houtwerk, de meubels, de oude kleden. Het huis rook oud om hen heen, en alles had het sleetse air van vergane glorie.

De magere, koele Martha Bennett had haar verkeerd begrepen. Ze dronk sherry en zette haar glas met een tik op de gebutste koffietafel. 'Voor mij kwam dat moment toen mijn moeder stierf,' zei ze. Ze sprak het uit als moedah. 'Ik was denk ik zo'n tien jaar ouder dan jij nu toen dat gebeurde, en ik had opeens het gevoel dat ik nu voor in de rij stond – dat iedereen voor me opzij was gestapt en ik opeens duidelijk kon zien wat er kwam.' Haar ogen werden vochtig, tot een vreemde intensiteit vergroot achter haar dikke bril.

'Nee, maar dit is anders,' zei Eva. 'Het heeft niets te maken met de dood. Het gaat om die jongere levens. Over dat ze zoveel... avontuur of zo voor zich hebben.'

Martha keek haar strak aan. Ze glimlachte, niet onwelwillend. 'Zoals ik al zei, liefje. De dood.'

Maar het had niet te maken met de dood, denkt Eva nu. Dat had ze gevoeld toen John stierf, dat de dood het enige was dat haar nog wachtte. Maar nu wil ze verder. Dat weet ze. Dat is in elk geval iets. Ze wil verder. Ze wil leven. Meer. Meer van iets. Ze weet alleen niet wat.

Zittend op Emily's bed denkt ze terug aan – herinnert ze zich bewust – hoe ze zich voelde toen het afgelopen was met Mark. Dat was erger, zegt ze tegen zichzelf. Dat was toen zoveel erger. Ze was jong en blut geweest en nog steeds hopeloos, woedend verliefd op Mark. Het enige wat ze wilde was haar eigen niet terug te halen verleden, dat hij kapot had gemaakt.

Ze werkte toen voor een fooi en woonde hoog op die ellendige heuvel. En elk meubelstuk, elke kamer, elk schilderij aan de muur, herinnerde haar aan Mark. Een jurk die ze regelmatig naar haar werk moest dragen – omdat het een van de weinige redelijke dingen was die ze bezat – was een jurk waar hij dol op was geweest vanwege de lange rij kleine knoopjes voorop, en het langzaam openmaken was een onderdeel geworden van een plagend begin van seks. Er waren nachtponnen die ze van hem had gekregen, een blouse die hij leuk vond omdat hij zo preuts was, omdat alles wat hij in seksueel opzicht van haar wist daardoor een groot geheim werd tussen hen.

Gracie werkte toen nog als verpleegster, en kwam vaak langs na haar dienst, nog met haar werkkleren en haar zware, witte verpleegstersschoenen aan. Soms bleef ze slapen en zaten ze nog lang te drinken en te praten over hun leven, over mannen, vertelden verhalen uit hun verleden. Gracie vond dat Eva gewoon iemand tegen moest komen, dat ze weer uit moest gaan en het gevoel moest krijgen dat er nog iets anders was, dat er nog iets anders mogelijk was. Ze wilde dat Eva zich liet koppelen. Gracie was iemand die graag dingen voorschreef. Eva dacht dat dat door haar werk kwam. Of misschien had ze haar werk gekozen omdat ze graag dingen voorschreef.

Eva herinnert zich dat ze Gracie erop had gewezen dat zijzelf ook een solitair leven leidde. Ze had Gracie gevraagd waarom zij iemand nodig had en Gracie niet.

'Ik ben anders,' had Gracie gezegd. Ze zaten in de woonkamer tegenover elkaar in de oude, uitgezakte stoelen die Eva en Mark tweedehands hadden gekocht. De meisjes lagen allang in bed, na het dansfeestje dat ze voor hen hadden gegeven, ze hadden hen roekeloos rondgezwaaid op een oude lp van Jerry Lee Lewis op de glanzende houten vloer die Mark zelf opnieuw had gelakt de eerste zomer dat ze daar woonden.

'Waarom? Je bent een vrouw. Je bent ook alleen.'

Gracie had haar schouders opgehaald. Ze had haar haar losgemaakt toen ze binnenkwam, en het viel tot over haar schouders in een dikke, blonde waterval die nu golfde in het licht als ze bewoog. 'Ik ben harder dan jij. En ik wil niet van iemand houden, jij wel.'

Met een schok merkte Eva dat dat waar was. Het legde haar het zwijgen op. Ze wilde van iemand houden. Ze wilde liefde.

'Bovendien,' zei Gracie even later. 'Ik héb kerels. Tientallen.' Ze maakte een wijds gebaar met haar hand alsof er een regiment mannen voor haar stond.

Eva nam nog een slok goedkope wijn. 'Maar je houdt niet van iemand,' zei ze en zette haar glas neer. 'Je gaat niet eens met iemand uit.'

'Nou, ik raak ze wel aan. Ik houd ze vast. Ik ben goed op de hoogte van hun uitrusting.' Gracie grijnsde scheef. 'Ik rotzooi de hele tijd met kerels, soms houd ik me vast aan hun penissen.' Haar hoofd ging vragend schuin. 'Hun peni?' Ze lachte. 'Hoe dan ook, het hoort bij mijn functieomschrijving.'

'Maar niet één vent. Niet één penis.'

'Maar ik wil niet één vent. Ik wil er zes. Dat is het verschil tussen ons.'

Eva herinnert zich ook dat ze zich op een van die avonden opeens had geschaamd voor het gejammer over haar leven. Ze had Gracie haar excuses aangeboden voor het feit dat ze praatte alsof ze het zo zwaar had. Ze wist dat het niets was vergeleken met hoe zwaar de tijd was die Gracie had doorgemaakt in Vietnam: ze had niet het recht om te klagen.

Gracie keek verbijsterd. 'Dat was niet zwaar.' Ze schudde haar hoofd. 'Dat was de mooiste tijd van mijn leven.' Iets in het gezicht van haar vriendin maakte dat Eva zich over de tafel boog waaraan ze zaten om Gracies arm aan te raken.

'Nee, echt,' zei Gracie. Ze glimlachte droevig. 'Ik ben nog nooit zo gelukkig geweest, zo opgewonden op een dagelijkse basis als ik in Vietnam was. Daar zal ik nooit echt overheen komen. Wat kan daar tegenop?'

'Waar tegenop?' had Eva gevraagd.

'Tegen de… opwinding. Tegen het drama.' Gracies brede gezicht leek van binnenuit verlicht bij de herinnering. 'Tegen het gevoel dat je helemaal opgebruikt wordt. Tegen de seks, tegen de liefde.' Ze keek fronsend naar Eva. 'Ik wilde dat het nooit ophield. Ik moet me schamen.'

'Schaam je niet,' zei Eva.

'Dat doe ik ook niet. Maar ik zou het wel moeten doen.' Ze haalde haar vinger langzaam over de rand van haar glas. 'Maar het hield op,' zei ze. 'Het hield wel op. En nu heb ik de rest van mijn leven om doorheen te komen. De ene doodgewone dag na de andere.'

Er zat een veegje bloed voor op Gracies uniform. Eva bedacht hoe anders een doodgewone dag van haar was dan een doodgewone dag van Gracie. Hoe ongewoon Gracies doodgewone dag voor haar zou zijn.

Ze staat nu op en loopt Johns studeerkamer in. Ze doet ook daar de ramen open, een rij ramen achter zijn bureau die uitkijken op straat. Merkwaardig genoeg denkt ze aan de vrouw die naast haar zat in het vliegtuig, een vrouw die terugkwam van een vijfdaags verblijf in een kuuroord. Ze was gekapt, gemanicuurd, opgemaakt. Ze was een jaar of zestig, dacht Eva, maar met die zorgvuldige make-up en het elegant geverfde haar dat een vrouw tegelijkertijd veel ouder en veel jonger laat lijken dan ze is. Die vrouw had reflexologie uitgelegd aan Eva.

'En u gelooft daarin?' had Eva gevraagd.

'Natuurlijk,' zei de vrouw. 'Het werkt, ik ben het levende bewijs. Waarom zou ik er niet in geloven?'

Omdat het pure kul is, had Eva willen zeggen. Omdat het nergens op slaat. Omdat u een volwassene bent in een wereld na de Verlichting. Wat ze zei was: 'U ziet er inderdaad geweldig uit.'

Toen had ze bedacht dat misschien een deel van haar probleem was dat ze nergens in geloofde. Ze staat nu naar buiten te kijken naar de voortuin en de stille straat. Dat is natuurlijk niet helemaal waar. Ze had geloofd dat zij en John samen oud zouden worden, dat hij haar altijd trouw zou zijn.

Maar aan de andere kant had ze dat van Mark ook geloofd, maant ze zichzelf. Ze had geloofd dat zij Mark een ingang in de wereld had gegeven, dat hij haar nodig had, dat hij nooit iets zou doen om dat in gevaar te brengen. Ze weet nog hoe ontroerd ze was toen hij haar voor het eerst vroeg voor te lezen uit het boek dat ze in haar handen had. Het gevoel van deernis en tegelijkertijd macht.

Wat voor macht?

Iets dat te maken had met de woorden op de bladzij en het gevoel dat zij het vervoermiddel was. Of zelfs hun vertaler. Als ze Mark later hoorde praten over een boek en woorden gebruikte die zij hadden gewisseld, en ideeën erover herhaalde die niet helemaal van haar waren maar ook niet echt van hem, voelde ze zich soms beklemd door deze verbintenis met hem. En was dat niet een soort ontrouw van haar kant? Een verraad van wat voor hem misschien het diepste gedeelte van hun relatie was, zoals het feit dat hij met iemand anders sliep dat voor haar was geweest?

Maar zo ging het nu eenmaal tussen mensen, toch? Er is altijd een beetje het gevoel van gevangen te zijn door wat we liefhebben. Ze herinnert zich hoe ze vandaag bij de bagageband, toen ze stond te wachten tot haar tas te voorschijn kwam, had gekeken naar een gezin met twee kleine kinderen dat hun autostoeltjes, hun rugzakken, hun weekendtas en hun inklapbare wandelwagentje verzamelde. De jonge ouders hadden iets uitgeputs – ze praatten niet met elkaar, behalve om taken te verdelen. Toen ze wegliepen, had de moeder een baby voor haar buik hangen en duwde ze de bagagekar, terwijl de vader het oudste kind in het wagentje had en een rugzak op zijn rug. Ze had het zich toen herinnerd – het elementaire gevoel van opgesloten zitten en overbelast zijn toen de kinderen klein waren. Zoals ze zich hetzelfde gevoel herinnerde met Mark, het gevoel op de een of andere manier aan hem gebonden te zijn, verantwoordelijk voor hem te zijn. Aan hem vastgebonden, met hem, ook al hield ze zielsveel van hem.

Met John was het anders geweest. Hun werelden overlapten elkaar, verrijkten elkaar. Er was geen vertaling nodig, er hoefde geen verantwoordelijkheid genomen te worden – althans van haar kant. En ook seksueel was er veel meer vanzelfsprekendheid en gemak. Het was niet minder hartstochtelijk, denkt ze, maar de hartstocht was rustiger, gebaseerd op genegenheid. En hoewel ze af en toe miste wat zo hongerig en gedreven had geleken in Mark, beschouwde ze het ook als iets wat inherent was aan hem, iets wat overdraagbaar was. Iets wat hij gemakkelijk ergens anders heen had kunnen meenemen, en dat had hij ook gedaan.

Wat er tussen haar en John op seksueel gebied gebeurde, leek geboren te zijn uit en deel uit te maken van wat er verder tussen hen gebeurde.

Hoewel ze zich nu ze erover nadenkt, herinnert dat hij dat niet zo voelde. Ze herinnert zich dat ze hem op een avond, in het begin van hun relatie, had gevraagd wat hem in haar aantrok. Ze lagen in bed in zijn huis. De meisjes waren thuis met een oppas in het huis op de heuvel.

'Het absoluut gebruikelijke,' zei hij.

'En dat betekent?'

'Je neukbaarheid. Het gevoel dat ik je verrukkelijk vond.'

'Wat een aardig antwoord,' zei ze en ze draaide zich naar hem toe. Het was een warme avond en ze waren allebei naakt, zijn dikke penis was opzij gevallen. Hij had zijn hand langs haar lichaam laten glijden, langs de curve van haar heup. Ze was echt geschokt dat hij dit zei, dat hij dat soort taal gebruikte, haar beleefde, nieuwe minnaar. Geschokt, en toen blij. Zoveel beter dan: 'Je prachtige geest, je humor, je charme.' Zijn haar zat raar in de war en hij zag er onverzorgd en dwaas uit. Ze streek het weer op zijn plaats.

Hij grijnsde naar haar. 'En dan natuurlijk nog dat allemaal – je humor, je charme – daarom ben ik van je gaan houden.'

Eva was weer op haar rug gaan liggen. Het licht van de straatlantaarn viel op hen. Ze kon daar maar niet aan wennen in de stad – de lichten. Het was zo donker op de heuvel. Hier konden ze elkaar altijd zien. Na een minuut zei ze: 'Dus jij denkt dat verrukkelijk zijn voor iemand anders de eerste stap is.'

'Jezus, ja. Jij niet dan?'

Ze wist niet goed wat ze moest zeggen. Zij had John helemaal niet verrukkelijk gevonden, niet in die zin, niet in het begin. Niet op de manier waarop ze dat met Mark had gehad, bijvoorbeeld, toen ze met hem zat te praten in de tent op de bruiloft die eerste dag, en ze zenuwachtig probeerde zijn belangstelling vast te houden tot ze zo lang bij elkaar waren dat met hem naar bed gaan – die nacht met hem naar bed gaan – tot de mogelijkheden behoorde. Praten en praten over helemaal niets en alleen aandacht voor het verlangen dat als muziek tussen hen zinderde.

Bij John had haar aandacht zich pas langzaam op hem gericht de avond dat ze elkaar ontmoetten, aangetrokken door de standvastigheid en intelligentie van zijn belangstelling voor haar.

'Ik denk het wel,' zei ze. 'Ja. Verrukkelijk.' En ze had hem weer aangeraakt en met haar hand zijn pik omvat.

De avond dat ze elkaar ontmoet hadden, was Eva van plan geweest verliefd te worden op een van Johns schrijvers, een man die John Doyle heette. Eva was degene geweest die Doyles boek had gevonden tussen de proefdrukken die de boekwinkel kreeg. Ze had het prachtig gevonden en had een paar keer aan de eigenaresse van de boekwinkel voorgesteld hem uit te nodigen voor een leesbeurt. Hij woonde in San Francisco – dus makkelijk te krijgen – en John Albermarle, zijn uitgever, had een kleine uitgeverij in de vallei. Het zou goed zijn voor de lokale ontwikkeling.

In de proefdruk was het de roman zelf geweest, de manier van schrijven, die Eva boeide. Maar toen het echte boek kwam, met zijn elegante omslag en de foto van de auteur, zag ze dat Doyle een donkere, mysterieuze schoonheid had. Er werd niet gerept van een gezin in de korte biografie, geen aanwijzing in de opdracht – 'Voor Ethan en Seth' – over een vrouw of minnaar. Hij zou natuurlijk homofiel kunnen zijn. Maar de tekst zelf sprak dat tegen in zijn enthousiaste heteroseksualiteit.

Ze had zich die avond zorgvuldig en elegant gekleed – de jurk met al die kleine knoopjes en een kanten sjaal. Ze was er vroeg heen gegaan – zij was verantwoordelijk. Voor de stoelen, die uitgeklapt moesten worden en neergezet in rijen in een halve cirkel. Voor de bloemen – vanavond margrieten uit haar eigen tuin, op de toonbank in een vaas naast de muziekstandaard waarachter John Doyle zou lezen. Ze was verantwoordelijk voor de wijn en het mineraalwater en de koekjes op een tafel die tegen de boekenplanken geschoven was. Voor de boeken die opgestapeld moesten liggen op de signeertafel bij de deur.

Frances, de eigenaresse van de winkel, zou optreden als gastvrouw en inleider, een rol waar ze dol op was, dus zij zou het grootste deel van de interactie met Doyle hebben. Maar naderhand zou er gegeten worden in een restaurant een paar honderd meter verderop, en Eva was ook uitgenodigd – ze zou later teruggaan naar de winkel om op te ruimen.

Het eten dus. Dat zou haar kans zijn.

De leesbeurt ging goed. Twee derde van de stoelen was bezet, en Eva verkocht zo'n vijfentwintig boeken. John Doyle was een goede lezer

– eigenlijk een acteur – die zelfs de pauzes een volledig, dramatisch gewicht gaf en zijn gezicht en stem afwisselend angstig of juichend of boos maakte. Na het lezen reageerde hij enthousiast op de vragen die hem gesteld werden door het grotendeels vrouwelijke publiek. O, misschien ging hij iets te lang of iets te zelfvoldaan door op de manier waarop hij werkte en hoe hij zijn materiaal benaderde, maar, dacht Eva, het werd hem tenslotte gevraagd.

Terwijl ze stonden te wachten op hun tafel in het restaurant stelde Frances Eva voor als degene in de winkel die het boek had aangebracht. John Doyle en John Albermarle – de twee Johns, de ene mooi, de andere niet – keken welwillend op haar neer. Toen ze eindelijk zaten, kwam zij terecht tussen hen in aan de ronde tafel. Frances zat het geheel voor. Haar man, Roger, berucht ongeïnteresseerd in alles wat riekte naar het literaire, was er ook. Hij wilde graag de wijn kiezen, want hij dronk graag wijn. Heel veel wijn. Een andere fles bij elke gang. Hij vond Eva ook aardig, waarschijnlijk omdat ze jong was, in zijn ogen, en mooi. Vanavond, voor de wijn maakte dat hij de druk van sociale interactie niet meer voelde, praatte hij met haar. Hij praatte haar de oren van het hoofd, zei ze later tegen de meisjes, en gebaarde met haar hand hoe die oren van haar hoofd op de grond vielen. Hij praatte over wijn, over het eten en de kok, wiens kookkunst hij jaren eerder had geproefd in Boston. Hij praatte over Boston, die saaie, moreel superieure stad.

Frances had een harde, diepe stem – ze praatte met een rollende r – en Eva, die tussen stukjes van Rogers commentaar door luisterde naar John Doyle die met haar baas praatte, realiseerde zich langzaam dat hij de spot dreef met Frances, door haar excentrieke zinsbouw en haar ingewikkelde zinsconstructies op droge, sarcastische toon te herhalen. Hoewel Frances het niet leek te merken – of het niet erg leek te vinden.

Eva wel. Ze werd er boos om. Ze voelde zich bezitterig gekwetst voor Frances, háár Frances. Die lieve, slimme Frances, die dol was op boeken, die altijd alles las – Atwood, Musil, Brodsky, Grass, Amis – maar die als je niet goed naar haar luisterde ouder klonk, tuttig. Afwijsbaar. In dit geval werd ze afgewezen.

Bijna tegelijkertijd realiseerde Eva zich dat de andere John, John Albermarle, de hele avond af en toe vragen op haar had afgevuurd – rare vragen, die hij opeens op haar losliet en waar ze niet serieus op had geantwoord.

En daar kwam er weer een, hij boog zich naar haar toe precies tijdens haar openbarende gedachte over Frances en de andere John en wenkte haar met zijn houding naar zich toe. Ahem, ahem: Hij vroeg zich af, dacht zij dat iemand die zich aangetrokken voelde tot boeken een soort ervaring zocht die niet te vinden was in het dagelijks leven?

'Wat?' vroeg ze. Misschien was dit de eerste vraag waar ze echt aandacht aan besteedde. In elk geval vroeg ze zich nu af hoe ze zijn andere vragen had beantwoord. *'Hm?' 'Misschien wel?' 'Wie weet?'*

'Ik bedoel,' hij glimlachte bijna verontschuldigend, 'doen we dat, zijn we op zoek naar iets wat we hier niet vinden?' Zijn hand sloeg zacht op de tafel.

Nu leunde Eva achterover in haar stoel en keerde haar lichaam naar hem toe, weg van John Doyle, de rotzak. Ze was een beetje dronken. Haar hersens tolden. Wat was dat eigenlijk voor vraag? Was het de bedoeling dat ze hem serieus nam? Na een poosje zei ze: 'En, waarom ben jij uitgever geworden?'

Hij lachte. 'Ik denk eigenlijk tot op zekere hoogte omdat het kon.'

'Wat betekent dat?'

Toen hij zijn handen optilde, zag ze hoe enorm die waren. Kluiven. Met sproeten op de rug. 'Ik had wat geld geërfd. Genoeg om me af te kunnen vragen wat ik zou willen, zonder me af te hoeven vragen of ik mezelf daarmee zou kunnen onderhouden.'

'Onvoorstelbaar,' zei ze.

Ze wilde zich net weer naar de andere John keren toen John Albermarle zei: 'Maar denk je niet dat er een zekere verontschuldiging voor die bevoorrechtheid ligt in het feit dat ik werk heb gekozen waarmee ik gestaag geld verlies?'

'En, zul je in armoede eindigen?' vroeg Eva scherp. 'Als bewoner van een arme boerderij?'

'Dat is niet waarschijnlijk.'

'Dan heb je niet genoeg spijt,' zei ze.

'Je bent wel streng, hè?'

'Ik verlies ook gestaag geld, alleen heb ik niets. Ik ben arm. Ik ben verbitterd.'

'Verbitterd! Je ziet er niet verbitterd uit.'

'O, dat ben ik ook niet.' Eva nam een slokje wijn. Het was prima wijn. Dank je, Roger. 'Dat ben ik ook niet. Ik houd van mijn werk.'

'En denk je dat dat is omdat je via boeken een ontsnapping uit het gewone leven zoekt?' Zijn toon maakte de vraag belachelijk, en hemzelf, maar hij wilde duidelijk ook een antwoord.

'Nee, ik ben dol op het gewone leven.' Ze boog zich naar hem toe en fluisterde: 'Maar ik ben op het ogenblik erg boos op boeken. Ik ben in de maling genomen door boeken. Vooral door het boek dat onze vriend hier heeft geschreven.' Ze gebaarde vagelijk in John Doyles richting. 'Ach, ik had zoveel meer van hem verwacht. Hij stelt teleur, hè?' Johns mond ging open maar Eva praatte door. 'En dit is ook jouw boek, natuurlijk, dus ik ben ook boos op jou.'

Hij glimlachte. 'Nee, dat ben je niet. Het is een prachtig boek. Het moet je niet uitmaken wie het heeft geschreven.' Op de een of andere manier leek het, hoewel hij impliciet John Doyle afviel, geen verraad in Eva's ogen.

Eva boog zich dicht naar hem toe. De lucht bij hem voelde warm. 'Maar ik vind het jammer dat ik hem heb ontmoet,' zei ze. 'Ik heb hier een les geleerd: ik had genoegen moeten nemen met alleen het boek. Ik had vanavond niet moeten komen.'

'O ja, je moest hier zijn vanavond.'

'We hadden jong bloed nodig!' bevestigde Roger onverwacht – wie had gedacht dat hij nog iets kon begrijpen? Hij boog voorover aan Johns andere zijde. Hij nam nog een grote klok wijn.

Aan het eind van de maaltijd, toen John Doyle vertrokken was en Frances de rekening had betaald en ze allemaal afscheid hadden genomen bij de deur van het restaurant, bood John Albermarle aan Eva een lift naar huis te geven.

Toen ze zei dat ze met haar eigen auto was, bood hij aan haar daarheen te brengen. Toen ze zei dat ze eerst moest opruimen in de winkel zei hij dat hij haar zou helpen.

John deed de stoelen, klapte ze in en droeg ze twee aan twee in zijn enorme klauwen naar de kast achter in de gang. Eva verzamelde de lege glazen van waar ze neer waren gezet overal in de winkel – op planken, onder stoelen; op bóéken, zag ze tot haar ontzetting. Ze raapte servetjes op en veegde kringen en vlekken weg. John vroeg haar naar de winkel, naar Frances, naar haar eigen voorkeur in boeken. Op een bepaald moment realiseerde Eva zich hoe gênant onevenwichtig hun gesprek was, en de beleefdheid vereiste dat ze hem ook een paar vragen stelde.

De hare waren minder speculatief dan de zijne, en grover. Waar was het geld voor het uitgeefavontuur vandaan gekomen?

Grond, zei hij. Zijn familie woonde al heel lang in de vallei.

En waar kwam zijn belangstelling voor uitgeven vandaan?

Ach, van zijn behoefte – vond ze dat niet maar al te menselijk? – om zijn smaak aan anderen op te leggen, nam hij aan. De stoelen rammelden en kletterden terwijl hij ze inklapte.

En waar kwam het vertrouwen in zijn eigen smaak, zijn smaak in boeken vandaan, vroeg ze.

'Nou, van de Heer,' zei hij, gebogen over een weerspannige stoel.

Eva lachte hardop en klapte in haar handen.

John stopte en keek naar haar op, zijn handen op de rug van de stoel – de prins der stoelen: de grote, sproetige John Albermarle.

Ze zou van hem moeten houden, dacht ze.

Hij glimlachte. Ze kon zien dat hij verliefd op haar was, misschien zelfs gecharmeerd door haar kinderlijke gebaar – het klappen – hoewel ze het niet bedoeld had als charmant, het was gewoon haar onmiddellijke verrukte reactie op wat hij had gezegd.

Nu vroeg hij haar of ze zin had om koffie te gaan drinken.

Nee, dat dacht ze niet.

Hij ging de gang door met de laatste twee stoelen. Toen hij terugkwam, had Eva haar tas op de toonbank gezet en was zichzelf in haar sjaal aan het wikkelen.

'Waarom niet?' vroeg hij.

Ze vertelde hem dat ze naar huis moest om de oppas weg te brengen.

Ze had kinderen? Er leek een masker over zijn gezicht te trekken, een en al gladheid.

'Ja, twee.'

Dat was niet mogelijk. Hoe lang was ze al getrouwd?

Ze keek naar zijn lange gezicht dat weer opklaarde toen ze zei dat ze gescheiden was. (Dat was een van de dingen waar ze van zou gaan houden in hem, de openheid van zijn gezicht, de manier waarop het elke verandering in gevoelens weerspiegelde zonder dat hij het zelf leek te weten.)

'Nou, misschien moet ik achter je aan naar huis rijden en de oppas voor je naar huis brengen. Anders moet je de kinderen een tijd alleen laten terwijl je de oppas wegbrengt.'

Zou er nog een man in de wereld zijn die dat had kunnen bedenken? vroeg ze zich af. Eentje maar? Maar ze schudde haar hoofd. 'Dat kan ik niet aannemen,' zei ze.

Hij begon te protesteren: het was geen enkele moeite.

'Nee, ik bedoel dat ik je niet ken. Ik kan niet van de oppas vragen alleen naar huis te gaan met jou terwijl ik je niet ken.'

'Nou, dan kan ik bij jouw kinderen blijven terwijl jij de oppas naar huis brengt.'

Eva lachte. 'Als ik je niet de oppas naar huis laat brengen, waarom zou ik je dan bij mijn kinderen laten?' Ze keerde zich van hem af – ze waren nu bij de deur – en knipte het licht uit. Het licht van de straatlantaarn viel op hen, wit en koud. Toen ze zich weer naar John keerde, leek zijn gezicht in het scherpe licht harder.

Hij stapte naar Eva toe. Hij trok haar sjaal dichter om haar heen en knoopte hem op haar boezem, waardoor haar armen erin geklemd zaten. Hij kuste haar. Toevallig stond hij ook op haar voeten terwijl hij dit deed, maar Eva negeerde dat voorlopig. John hield haar hoofd in zijn handen alsof het een mooi, broos voorwerp was. *Een gouden schaal*, dacht ze. Ze voelde zich van goud. Zijn kus was even zacht en teder als de kussen die ze de meisjes gaf als ze naar bed gingen. Na een hele tijd zei ze: 'Au,' en haalde haar voeten onder de zijne vandaan.

Nu draait ze zich weg van de ramen in Johns studeerkamer, blijft even achter Johns bureau staan, gaat dan in zijn bureaustoel zitten en draait erin rond. Het probleem is, denkt ze, dat thuiskomen nu is als thuiskomen bij haar verdriet, haar eigen leegte. Thuis. Wat betekent dat nog voor haar, zonder John? Ze heeft opeens een visioen van zijn gezicht zoals dat door de dood overvallen was, van het verschrikkelijke moment dat hij achteruit van haar wegzeilde door de lucht. Daarna het geluid dat zijn schedel maakte toen hij de lantaarnpaal raakte. Ze zal het nooit vergeten. Ze voelt zich even zo bitter en woedend dat de adem haar benomen wordt. Ze kijkt naar haar handen die op zijn vloeiblad liggen, de kapotte, gescheurde nagelriemen, de afgekloven nagels.

Na zijn dood had ze de papieren van zijn bureau opgeruimd, maar de ingelijste foto's die hij had gekozen om elke dag naar te kijken had ze laten staan, en nu glijdt haar blik van de ene naar de andere. Ze pakt ze een voor een op en staart ernaar, alsof het haar op de een of andere manier zou kunnen verbinden met hem als ze ze ziet zoals hij dat deed. Er is er een van alle drie de kinderen samen op de voorveranda, Theo is ongeveer een jaar, mooi en mollig, en de meisjes zijn nog even lang, een slanke, donkere tweeling – hoewel Daisy opzij kijkt op deze foto en haar profiel merkwaardig volwassen lijkt. Er zijn er twee van Eva, een in de boekwinkel waarop ze geschrokken opkijkt van achter de toonbank, met haar bril op. Ze heeft nooit begrepen waarom John die leuk vond. De andere was gemaakt tijdens hun huwelijksreis in Griekenland, en ze vindt haar gezicht er wazig uitzien – John had hem gemaakt toen ze net hadden gevreeën. Er is er ook een van haar, overweldigd van opluchting en blijdschap met in haar armen de pasgeboren Theo met zijn vrolijke babymutsje op in het ziekenhuis.

Ze wil haar kinderen, denkt Eva.

Nee, dat klopt niet; ze wil Theo. Niet Daisy, realiseert ze zich. Als ze aan haar dochter denkt, voelt Eva het 'nee' in zichzelf, de nederlaag. Kolossale Daisy. Somber. Hunkerend. Somber omdat ze hunkert. Ze steekt haar hand uit naar de telefoon en toetst Gracies nummer.

Ze heeft Theo een poosje geleden in bed gestopt, zegt Gracie. 'Maar wedden dat hij nog wakker is? Als dat zo is, kom ik er zo aan met hem. Dus dat spreken we af: als je niet binnen een paar minuten van me hoort, ben ik onderweg. En ik bel terug als hij onder zeil is.'

Terwijl ze wacht gaat Eva haar eigen kamer in, haar kamer en die van John, verkleedt zich en pakt haar tas uit. Ze neemt haar toiletspullen mee naar hun badkamer en verspreidt ze. Wat heeft ze veel ruimte, zonder Johns spullen! Ze heeft genoeg van ruimte.

Ze staat beneden in de keuken te kijken wat er in de koelkast zit, als de voordeur opengaat en Gracie hallo roept.

Als Eva over de betegelde vloer naar de gang loopt, is Theo er al en rent op blote voeten op haar af. Ze buigt zich voorover en tilt hem op, voelt zijn beentjes om haar middel en zijn korte armen om haar nek. Hij ruikt naar onbekende zeep. Ze strooit kussen op zijn gezicht en wiegt hun lichamen heen en weer. Gracie kijkt welwillend toe vanuit de gang.

Als ze Theo ten slotte neerzet, springt hij nog een paar keer opgewonden op en neer. Hij draagt een korte *seersucker* pyjama bedrukt met footballhelmen. Hij zegt: 'Wat heb je voor me meegebracht, mama?'

Ai! Niets!

Ze heeft niets voor hem meegebracht!

En plotseling ziet ze zichzelf als het kind, degene die naar hem gegrepen heeft, die iets van hem wil, terwijl ze alleen haar hongerige zelf te bieden had. Ze schaamt zich. Iedereen weet van het cadeautje als je weg bent geweest. Zij weet ervan. Ze had beter moeten weten.

Maar als ze zegt dat ze morgen iets heel speciaals gaan kopen, protesteert hij niet en ze bedankt Gracie, die nog in de gang bij de open voordeur staat.

Als Gracie weg is, draagt ze Theo naar boven, naar bed. Ze gaat naast hem zitten en zingt zachtjes tot hij in slaap valt, plotseling en diep, lamgeslagen door uitputting. Ze blijft nog lang zitten kijken naar zijn stille gezichtje, dat bijna weer babyachtig is door de verzachting van de slaap, de oogleden en mond een beetje open.

Ze herinnert zich een avond toen John nog leefde en Theo bij hen in bed was geklommen, en hij haar wakker maakte doordat hij in zijn slaap hardop zei: 'Waar heeft ik nou gelaten? Waar die stomme biggie is nou?' De zin was zo misplaatst, zo kinderlijk lief in zijn uitgangspunt en zo achteloos, werelds volwassen in zijn taal, dat ze een ingewikkelde reeks emoties had gevoeld – verbazing, geamuseerdheid, vreugde; en toen verdriet, verdriet bij de gedachte aan zijn volwassen zijn, de onvermijdelijkheid daarvan en het verlies dat dat zou geven.

Ze was van plan geweest vannacht bij Theo te slapen – dat had ze in haar hoofd, realiseert ze zich nu, toen ze Gracie belde: zich oprollen naast zijn magere, pezige lichaampje, hem de hele nacht horen mompelen en ademen.

Waarom heeft ze hem dan naar zijn eigen bed gedragen? Waarom gaat ze nu de gang door naar haar eigen kamer en begint zich daar uit te kleden om straks alleen in bed te stappen?

Het heeft iets te maken met het feit dat ze geen cadeautje voor hem heeft meegebracht, denkt ze, en dat ze heeft gezien hoe hard ze hem nodig heeft, hoezeer zij in dat opzicht het hebberige kind is. Ze had zich op dat moment betrapt gevoeld door Gracie en zich voor zichzelf geschaamd.

Ze mag Theo niet blijven gebruiken als troost, zegt ze tegen zichzelf. Ze moet hem loslaten, en zelf een leven vinden – meer leven in elk geval – in de wereld.

Twee dagen later gaat Eva als ze de afwas in de vaatwasmachine heeft geladen de trap op, met het gevoel dat ze iets doet dat ze zichzelf heeft voorgeschreven omdat het goed voor haar zal zijn, bijna medisch noodzakelijk, en belt een man die ze nauwelijks kent, Elliott McCauley, een man die volgens Gracie prettig gezelschap zal zijn. Eva vraagt hem of hij ergens in de komende weken een keer met haar wil gaan eten, en hij zegt ja, dat wil hij wel.

HOOFDSTUK ZES

De Valley Bookstore is in Main Street in St. Helena, drie huizen naast de groenteman. Het is in essentie één grote, open ruimte, met een praktisch kantoor en een wc in een gangetje achterin. Er hangen posters aan de muur, vergrotingen van beroemde foto's van beroemde schrijvers, wat meer vrouwen dan mannen: Colette die opkijkt van haar bureau met haar haar als staalwol en haar zwarte mond nuffig samengeknepen. Toni Morrison, kolossaal en fel in een elegante jurk en grijzende dreadlocks. Een wazig portret van een onverwacht aarzelend kijkende Willa Cather. En nog een stuk of tien, waaronder de dramatisch belichte Hemingway van Karsh, en een glimlachende foto van Saul Bellow als jongere man, met een flitsende hoed op.

De kassa waarachter Daisy troont is een U-vormige toonbank die uit de muur steekt tot halverwege de ruimte. Hij staat op een kleine verhoging, waardoor Daisy hem beschouwt als een troon, of een preekstoel. Vandaar kan ze alles in de winkel zien – de opstelling van de kasten vormt wat Eva 'leeshoekjes' noemt, waar ze gemakkelijke stoelen heeft gezet – maar toch weet Daisy altijd of er iemand is doordat de verweerde, ongelakte vloerdelen bij de lichtste stap luid kraken.

Daisy zal de volgende twee uur alleen zijn, de laatste uren van de middag. Eva is weggegaan om Theo te halen en eten te gaan koken, en Callie, een van de vrouwen die in de winkel werken, is om drie uur weggegaan. Dat is de afspraak, dat is gedeeltelijk de reden waarom Daisy is ingehuurd voor de zomer – om Callie meer tijd te geven om bij haar kinderen te zijn. Maar het geeft niet, want Daisy vindt Callie aardig. Callie was degene die haar opleidde terwijl Eva Emily naar haar uitwisselingsprogramma bracht, en Daisy vond het gevoel van gelijkheid dat Callie haar leek te gunnen prettig. Ze vond het prettig dat Callie geduld had in het uitleggen van de procedures en taken. En ze vond het prettig als Callie haar af en toe leek te betrekken in kleine terzijdes ten koste van Eva: 'Dit is wel niet helemaal de manier waarop je moeder het graag wil hebben als ze er is, maar ze voert ook wat je noemt een strak regime. Wij stervelingen vinden dat het zo net zo goed gaat.'

Die middaguren – de uren dat Daisy alleen werkt tot Eva met Theo komt om af te sluiten en haar mee te nemen naar huis – zijn meestal erg rustig. De meeste toeristen zijn al weg, teruggereden naar de stad of naar hotels in de Vallei om uit te rusten en zich klaar te maken voor het diner. De plaatselijke bewoners komen meestal 's ochtends boeken kopen, als ze kans hebben op een praatje; maar in elk geval doen ze om deze tijd van de dag hetzelfde als Eva doet, namelijk kinderen halen, boodschappen doen, koken.

Eva heeft een lijst met klussen opgehangen bij de kassa, klussen die Daisy kan doen als ze tijd over heeft, en Daisy heeft er inderdaad een gedaan vanmiddag – alle bestelkaarten geordend op distributeur zodat ze de boeken makkelijk kunnen vinden als er bestellingen worden afgeleverd en snel de klanten kunnen bellen die ze willen hebben. Maar daar is ze al een halfuur mee klaar, en nu zit ze alleen maar op de kruk achter de toonbank, haar voeten op de bovenste plank eronder waarop dozen kantoorbenodigdheden staan. Ze kijkt afwisselend naar de voetgangers die langs het winkelraam komen – langzaam in de verzengende hitte – en plukt aan haar nagelriemen, ze trekt de harde randjes eraf over de onderkant van haar nagels waardoor soms een druppel helder bloed opwelt.

Opeens hoort ze stemmen uit de straat, harde, hese stemmen: kinderen! Ze kijkt op. Het is een groep jongens, oudere jongens, die zich voortbewegen in een struikelende groep, elkaar stompend in het voorbijgaan. Dan zijn ze weg. Daisy is dankbaar dat kinderen van haar leeftijd niet in de boekwinkel komen. Dat die gênante vertoning er niet in zit: dat ze bijna zeker nooit iemand zal hoeven bedienen die ze van school kent.

Van achteren uit de kinderafdeling hoort ze de enige klanten in de winkel, een moeder die een boek voorleest aan de twee meisjes die ze mee heeft genomen. Daisy kent deze vrouw – ze is al drie of vier keer binnengekomen tijdens Daisy's dienst. Ze koopt niets. Ze neemt alleen graag haar kinderen mee om ze voor te lezen. Ze is jong en knap en lief voor haar kinderen, hoewel ze soms te hard, te enthousiast praat op die stomme, onechte manier waarop grote mensen communiceren met hun kinderen: 'Wauw! Het stoomwalsboek! Dat is toch echt het fijnste boek van de hele wereld hè?'

Maar als ze voorleest is haar stem vast en laag. Daisy luistert naar het gemompel. Ze herinnert zich hoe Eva hun voorlas, haar en Emily, toen ze klein waren. Ze herinnert zich ook hoe de kamer om hen heen voelde in het huis tussen de wijngaarden boven op de heuvel, ze herinnert zich de glanzende vloer, de bank met de oude, blauwe sprei eroverheen; de harsige, droge geur van de lucht die binnendreef door de open ramen. Ze kan terugroepen hoe het voelde om tegen Eva aan te leunen, haar Eva-geur te ruiken, voelen hoe haar arm zich spande en onder je bewoog als ze de bladzij om ging slaan, zodat je elke keer een beetje moest verschuiven. Soms als Mark er was, bleef hij ook luisteren, met een dromerige blik op zijn gezicht, alsof hij de dingen waar Eva over las voor zich zag. Alsof hij gewoon een kind was, net als zij.

Ze vindt het krankzinnig dat dat allemaal weg kan zijn. Dat hele leven. Dat Mark weg is, en John ook. Dat ze hier is, helemaal alleen, dat dit haar handen zijn, haar benen – ze buigt zich voorover en wrijft over haar benen – met een klein beetje zwartige stoppels.

Ze heeft haar benen deze zomer voor het eerst geschoren met Eva's scheermesje. Het was een van die dagen in juni toen Eva met Emily naar het oosten was. Daisy was de paar straten naar het huis komen lopen om het gras en de planten in de voortuin te besproeien. Ze vond het geen vervelende klus. Er was iets prettigs aan de boog water in de zon, aan de aarde die donker werd en even glinsterde onder de stroom, en dan het water opdronk en weer droog eindigde. Daisy hield zelfs van het lekken van de spuit, van het koude water dat langs haar arm en haar kleren droop.

Toen ze klaar was, nam ze de post mee naar binnen en legde die op het keukeneiland. Ze ging naar boven en dwaalde door de kamers, waar het donker was omdat alle luiken dicht waren. Alles was stil en bedompt en heet, en Daisy merkte dat het zweet in haar oksels stond en langs haar rug stroomde. Ze ging Eva's kamer in en lag een poosje op het bed en rook het lichte parfum dat Eva altijd droeg.

Ze kwam overeind en liep naar Eva's toilettafel. Er waren drie spiegels tegenover haar, en op het tafelblad daarvoor nog een vierde, op een koperen standaard, die haar gezicht een paar keer vergrootte. Daisy keek van dichtbij naar haar huid in de spiegel, prikte erin, kneep een paar mee-eters uit. Haar neusgaten leken gigantisch en harig. Bah. Ze trok Eva's make-upla open en probeerde de zwarte eyeliner. Een beetje grijze oogschaduw. Rouge.

In de spiegel keken drie dramatische Daisy's terug, donker en filmsterachtig. Mooi!

Ze kon er zo uitzien. Ze kon dit soort make-up opdoen naar school deze herfst en er zo uitzien en het zou iedereen opvallen.

En opeens, bij deze gedachte – de kinderen op school (als ze daaraan dacht, zag ze bepaalde mooie meisjes in haar klas, meisjes die haar klas regeerden) leek het gezicht dat haar aankeek in de spiegel anders. Ze vond zichzelf grotesk, geverfd, hoewel ze niet meer make-up op had dan al die meisjes, dat wist ze. Waarschijnlijk minder.

Ze stond op en ging de badkamer in. Ze waste haar gezicht. Het water in de wasbak werd zachtgrijs en daarna roze. Terwijl ze zich afdroogde met een van de grote, witte handdoeken, zag ze Eva's scheermesje in een beker op de brede rand van de wasbak staan. Ze deed het medicijnkastje open. Daar lag een tube met iets wat Rozemarijn/Munt Scheercrème heette. Daisy slingerde een been in de wasbak, liet het water lopen en maakte haar been nat. Ze zeepte zich in met de scheercrème en schoor langzaam en voorzichtig de fijne haartjes op haar benen weg. Toen trok ze haar blouse en bh uit en schoor haar oksels ook. En toen besloot ze, omdat ze het er vreselijk uit vond zien, ook het donkere haar tussen haar benen te scheren. Ze moest het eerst te lijf met een schaar, omdat het zo lang was. Ze gooide de plukken walgelijk krullend haar in de wc en trok het door. Toen ze zo veel mogelijk had afgeknipt, schoor ze zich glad, zoals het vroeger was geweest, toen ze een klein meisje was.

Nu kijkt ze weer naar de etalageruit, steekt haar hand onder de band van haar korte broek en voelt. Daar is het ook stoppelig, net als haar benen – onaangenaam ruw aan haar vingertoppen, en dan zacht en warm in het midden.

De vloerplanken kraken. De kinderen staan pratend op. Daisy gaat rechtop zitten en wil opstaan om de kaarten met bestellingen op te bergen.

Maar de moeder heeft deze keer een boek bij zich – ze gaat het kopen. Ze komen allemaal naar Daisy toe, hun gezichten verlegen en opgetogen, alsof ze misschien trots op hen zal zijn omdat ze deze aankoop doen. Ze zegt wat ze moet zeggen: 'Kan ik u helpen?' en de moeder geeft het boek. Daisy kent het niet, het is een bundel rijk geïllustreerde kinderversjes. Niet iets wat Eva hun ooit had voorgelezen, niet iets wat John aan Theo had voorgelezen – want John was degene die voorlas in hun nieuwe gezin, die met Theo in de woonkamer zat na het eten terwijl Daisy en Emily hun huiswerk deden aan de eetkamertafel. Eerst las hij alleen prentenboeken, aanwijsboeken ('Wat zien we op deze bladzij?'); en daarna de eenvoudige verhaaltjes – verhaaltjes voor het slapengaan of de avonturen van voertuigen: treinen, stoomwalsen, autootjes. Daarna las hij wat kleine kindersprookjes; en hij en Theo waren net aan Winnie de Poeh begonnen – hoewel Eva zei dat Theo te jong was voor Winnie de Poeh – toen John doodging.

Daisy slaat het bedrag aan en pakt de creditcard van de vrouw aan. Ze legt hem in het apparaat en haalt de schuif eroverheen. De vrouw tekent het bonnetje en Daisy scheidt de velletjes en niet het reçu vast aan het gedeelte dat voor de vrouw bestemd is. Ze vraagt of ze een tasje willen. Nee, zegt het oudste meisje verlegen. 'Wil jij het dragen, Adrienne?' vraagt de moeder. Het meisje knikt. Daisy geeft het boek aan het kleine meisje en het bonnetje aan de moeder. De moeder stopt het in de grote rieten tas die aan haar schouder hangt.

Daisy kijkt hoe ze weglopen, hoe ze samen bewegen, hoe de meisjes tegen hun moeder aanbotsen, hoe zij zich over hen heen buigt als ze de deur opendoet. Ze schuiven bijna ceremonieel onder de boog van haar lichaam door. De deur gaat dicht. Daisy is alleen.

Ze laat de kassa rinkelend weer opengaan om het bonnetje op te bergen. De la komt naar buiten. De bankbiljetten liggen in hun vakjes, vastgepind onder hun scharnierende klemmetjes. Daisy tilt de bak eruit, legt het bonnetje eronder en zet de bak weer terug. Ze blijft even naar de verschillende biljetten kijken, steekt dan haar hand uit en pakt er een van tien en, na een korte aarzeling, nog een van vijf. Ze vouwt ze op en steekt ze in de zak van haar korte broek. Dan doet ze de kassala dicht en gaat weer op haar kruk zitten luisteren naar het bonken van haar hart. Zo wacht ze tot haar moeder en Theo haar komen halen.

Daisy is een dief – waarom voelt ze zich dan niet slecht? Waarom voelt ze zich niet schuldig? Nou gewoon. Het geld dat ze heeft gepakt, dat ze vaker heeft gepakt tijdens de hete, trage weken van de zomer, voelt op de een of andere manier alsof ze er recht op heeft, alsof het iets goedmaakt wat haar is aangedaan, een onrecht.

'Veroorzaakt door Eva?' vroeg haar psychiater. (Dat was vele jaren later, lang na al deze gebeurtenissen, toen Daisy terugkeek op de dingen die gebeurd waren in de ongeveer anderhalf jaar na Johns dood en probeerde te bedenken wat er in dit alles fout was en wat goed, probeerde te bedenken waarom ze zo verdwaald was geraakt. En welk gedeelte van verdwaald raken misschien nodig was geweest om zichzelf te vinden. Had ze zichzelf wel gevonden? Misschien was ze gered van een gevaarlijk lot. Ze wist dat de meeste mensen dat zouden vinden. Ze wist dat ze dat in bepaalde opzichten ook zou moeten vinden. Dat ze dat niet deed, was ook iets wat haar verwarde en waarover ze praatte met dokter Gerard, iets wat ze probeerde te begrijpen.

'Misschien niet precies veroorzaakt door Eva,' zei ze, en probeerde zich te herinneren hoe die vroegere Daisy zich had gevoeld. 'Maar in elk geval wel verbonden met haar. Zij mocht huilen, zij mocht de weduwe zijn, zij kreeg het medeleven.' Er viel een lange stilte terwijl Daisy naar de grond keek, naar het kleed met een ingewikkeld patroon dat bijna het hele kantoor vulde en bestond uit elke kleur die je maar kon bedenken. 'En toen leek ze gewoon verder te willen gaan.'

'Met haar leven,' zei de psychiater.

Na een korte stilte lachte Daisy. 'Ja, eigenlijk wel,' zei ze. 'Onvergeeflijk, hè?')

Op haar bankrekening heeft Daisy haar echte geld, het geld dat ze verdiend heeft, het geld dat Eva haar heeft betaald. Maar in een doos op de bodem van haar kast, achter een berg schoenen en spullen die ze nooit meer gebruikt, heeft ze een schoenendoos vol geld, het geld dat ze heeft gestolen – kleine coupures, maar alles bij elkaar is het meer dan honderd dollar. Bijna elke week doet ze er iets bij, en bijna elke keer dat ze dat doet, gaat ze op de bodem van haar kast zitten en telt het met een gretig en verbeten genoegen, terwijl ze haar isolement en woede sterker voelt worden bij elk vettig biljet dat ze aan de stapel toevoegt. Al die jaren later kon ze zich nog steeds herinneren hoe gerechtvaardigd dit allemaal voelde in die tijd, hoe het geld op de een of andere manier verdiend leek.

En dat ging zover dat Daisy op het moment dat Theo, die opeens bezeten is van geld, betrapt wordt op het stelen van kleingeld, geen verband ziet met het drama en geen gevoel van herkenning of schuld krijgt. Hij heeft muntgeld gepakt uit de portemonnees die ze altijd rond laten slingeren omdat zij, zoals hij zegt, zoveel centjes hebben en hij niet genoeg. Net als Daisy heeft hij zijn buit verstopt, maar hij is minder vindingrijk geweest. Hij heeft het gewoon in de la naast zijn bed gestopt, waar Eva het gemakkelijk vindt.

Die avond in juli laat Eva hem alles teruggeven en Daisy zit onbewogen te wachten terwijl hij huilend zorgvuldig de zes kwartjes en drie dubbeltjes uittelt die hij van haar heeft gestolen. Hij heeft de hik omdat hij zo hard heeft gehuild.

'Nu moet je tegen je zus zeggen dat het je spijt,' zegt Eva. Ze staat in de deuropening van Daisy's kamer als opzichter van deze straf. Daisy ziet aan haar gezicht dat ze geamuseerd is, misschien zelfs gecharmeerd van Theo's onschuldige schuldigheid – dat deze gedwongen bekentenis en genoegdoening puur theater zijn – een ritueel dat Eva waarschijnlijk belangrijk vindt voor Theo's ontwikkeling of zo. Daisy is boos dat ze gedwongen wordt daar deel van uit te maken.

Je zou denken dat haar eigen diefstal, en misschien zelfs haar wrok jegens Eva, haar in staat zouden stellen iets aardigs te zeggen, iets waardoor Theo zou weten dat ze het niet echt erg vindt, dat hij niet iets heel ergs heeft gedaan. Maar er speelt nog iets anders in Daisy. Iets wat haar gemeen maakt tegen Theo. Dus wacht ze met een veeleisende, harde afstandelijkheid terwijl hij zegt: ‘Het spijt me erg, Daisy.’

Even later antwoordt ze: ‘Nou ja. Gewoon nooit meer doen.’

‘Dat doet hij ook niet,’ zegt Eva. ‘Toch, manneke?’ Ze steekt haar hand naar hem uit en hij loopt naar haar toe en geeft haar zijn handje, verdrietig en berouwvol hoofdschuddend.

Nog drie keer in augustus steelt Daisy uit de kassa, op een moment dat er niemand is. De laatste keer is Eva in de winkel maar zit ze te werken in het kantoor met de deur dicht.

Net als Daisy de kassala dichtdoet, ziet ze hem: Duncan, de man van Gracie. Hij komt te voorschijn van achter de kasten waar hij kennelijk naar haar heeft staan kijken.

Hoe lang al?

Aan zijn gezicht is niets af te lezen. Hij kijkt volkomen vriendelijk, op de gemaakte manier waarop hij altijd vriendelijk kijkt. Hij is niet al te groot, heeft grijs haar en is knap op een bestudeerde, bijna ongenaakbare manier. Hij heeft een hoog voorhoofd en donkere, wezenloze ogen. Zijn huid is ongewoon bleek. Hij ziet er niet uit als een Californiër. Hij kleedt zich altijd elegant, zelfs Daisy is dat opgevallen, en hij is altijd sarcastisch. Zelfs tegen Daisy. Zelfs tegen Theo.

Hij loopt erg mank – door een of ander ongeluk. Daisy vindt hem niet aardig.

‘Is Eva er?’ vraagt hij vriendelijk.

Daisy maakt een beweging met haar kin naar de achterkant van de winkel. ‘Ze zit in het kantoor.’

Hij glimlacht naar haar, zijn lippen een beetje van elkaar. Waarom heeft ze hem niet gehoord? De krakende vloer, de manke stap. Hij komt nu naar de toonbank toe. Hij leunt erop. Hij gebaart naar haar lichaam, haar heup, waar ze het geld in haar zak heeft gestopt. Hij zegt: ‘Ik vind dat je dat met me moet delen.’

Daisy is ademloos. Ze kijkt snel weg. En dan weer terug. Ze schudt haar hoofd.

‘Nee?’ zegt hij en glimlacht naar haar.

Ze glimlacht niet terug. Ze kijkt naar hem. Alles wat hij doet lijkt onecht. Bedacht.

‘Zeker weten?’ Zijn stem is licht en volkomen vriendelijk.

Ze knikt.

'Nou, dan kan ik het maar beter vertellen.'

Daisy haalt haar schouders op. Ze wordt overvallen door misselijkheid, duizeligheid.

Duncan kijkt ook naar haar. Kan hij haar angst zien? Haar zwakte? Hij draait zich om en gaat op weg naar het kantoor.

En blijft na drie stappen weer staan. Hij keert zich half om. Ze heeft niet bewogen. Hij glimlacht weer. 'Je bent een taaie, hè, Daisy? Ik houd van taai.'

Daisy kijkt naar hem. Ze weet dat hij met haar speelt, dat hij haar plaagt. Zc weet dat hij het uiteindelijk toch zal vertellen – hij kan toch niet anders? – maar ze besluit dat ze niet toe zal laten dat hij haar ook nog eens vernedert.

Eigenlijk is het niet eens een besluit. Haar wil komt eenvoudigweg tegen hem in opstand.

Hij komt weer dichter naar de toonbank en praat aardiger. 'Weet je, als ik het niet vertel, als ik ons geheimpje bewaar, is het alsof ik ook je moeders geld gestolen heb. Dan word ik een handlanger. Een heler.' Hij spreekt het woord zorgvuldig uit, maar vreemd, dramatisch, alsof het grappig is.

Het is helemaal niet grappig. Daisy's hart gaat langzamer kloppen. Door het venijn. Ze haat hem.

'Dat moet je iets waard zijn. Mijn... medeplichtigheid. Voor jouw bestwil.'

Daisy kijkt naar hem.

Hij pakt een pen. Hij speelt met een memoblok op de toonbank, een stapel aan elkaar geplakte velletjes waar Eva en Callie aantekeningen op schrijven. Op de zijkant staat: 'Niet op het lijf geschreven.' Ze merkt opeens dat hij zenuwachtig is. Zenuwachtiger dan zij. Zenuwachtig of opgewonden misschien. De pen krast over het blok. Houdt stil. Hij kijkt op. Zijn ogen zijn donker en koud.

'Wat is het je waard, Daisy?' vraagt hij.

Na lang wachten zegt ze: 'Hoeveel wil je?' Haar stem klinkt droog en raspend.

Hij lacht. 'Daisy,' zegt hij. Hij legt het blok neer. 'Ik wil alles.'

Daisy denkt aan alles, alle opgevouwen biljetten in de doos achter in haar kast. Ze weet dat hij daar niet op doelt. Ze weet dat hij daar niet van weet, niet van kan weten.

Maar misschien toch wel. Misschien heeft hij haar al eerder geld zien pakken. Misschien bespioneert hij haar al een tijdje? De hele zomer?

Ze kijkt hem recht aan en schudt haar hoofd.

'Nee?' Hij doet een stap achteruit. 'Nou, daar moeten we eens over nadenken, Daisy. Ik zal erover nadenken. Pieker jij er maar over.' Hij knikt, een reeks steeds kleiner wordende hoofdbewegingen. 'Ik kom erop terug.'

Nu glimlacht hij breed, bijna oprecht, en keert zich om. Ze kijkt naar hem: sleep, bonk; sleep, bonk. Ze heeft het idee dat hij extra mank loopt voor haar. Hoe kan het dat ze hem niet gehoord heeft? Bij de deur kijkt hij om naar haar, nog steeds glimlachend. Hij zwaait met zijn vingers naar haar, als een luchthartig persoon, als iemand uit een soap.

Als hij weg is, kijkt ze neer op het blok. Hij heeft er drie keer ja op geschreven: ja ja ja. Ze scheurt het bovenste vel van het blok. Maar de woorden zijn doorgedrukt op het volgende vel, dus dat scheurt ze er ook af, verfrommelt ze allebei en gooit ze weg.

HOOFDSTUK ZEVEN

Half augustus, bijna tien maanden na Johns dood, ontdekte Mark – Gracie vertelde het – dat Eva weer 'een beetje' iets met iemand had. Ze waren in een hippe antiekwinkel in Sonoma samen een cadeautje voor Eva's verjaardag aan het uitzoeken. Haar drieënveertigste. Gracie had een vaas in haar handen die ze misschien wilde kopen. Ze vertelde het hem op een achteloze manier. Opzettelijk achteloos, dacht hij.

Even was hij verbijsterd. Hij ging met zijn rug naar haar toe staan. Maar toen, midden tussen de tafels vol serviesgoed, linnen, mandjes en glazen, bedacht hij dat als je het op een bepaalde manier bekeek, Eva ook iets met hem had, hoewel hun momenten samen onbeladen waren en op het gezin gericht. Maar ze hadden gepicknickt met de kinderen erbij, ze waren naar dwaze films geweest waar ze allemaal om konden lachen, ze hadden samen gekookt en tegenover elkaar aan Eva's tafel gezeten en gepraat. Gepraat totdat Theo en Daisy opstonden en tv gingen kijken of muziek luisteren, tot de oude klok in Eva's woonkamer negen sloeg en daarna tien.

Toch deed het pijn.

Het sloeg nergens op. Dat begreep hij. Tenslotte had hij al die tijd verhoudingen gehad. Of was in elk geval af en toe met vrouwen naar bed gegaan. Niet iets serieus, niet iemand om wie hij gaf. Maar gewoon met het gevoel dat het bij het leven hoorde. Bij zijn leven.

Misschien heeft Eva dat ook besloten, dacht hij. Dat ze uit moest gaan. Dat ze weer moest gaan leven.

Maar ging ze met iemand naar bed?

Hij vroeg: 'Wat bedoel je met een beetje?'

'Je bent toch niet jaloers!' Gracie zette de vaas neer en staarde hem openlijk aan.

Wat had ze in zijn stem gehoord? Hij had het langs zijn neus weg gezegd, dacht hij. 'Ik mag toch zeker zijn wat ik wil zijn. Maar ik wil toch graag weten wat je bedoelt met gaat.'

Ze haalde haar schouders op. 'Ach, het doet er eigenlijk niet toe. Het is niet serieus.' Ze liep voor hem uit door het gangpad, hier en daar iets aanrakend.

'Hoe weet je dat?' vroeg hij een minuut later. Hij bekeek niets meer. Hij kon zich niet concentreren.

'Doet er niet toe. Ze is nog niet klaar voor iets serieus.'

'Vanwege John, bedoel je.'

'Natuurlijk vanwege John.'

'Vanwege de manier waarop hij dood is gegaan?'

Gracie keek hem aan. 'De manier waarop hij dood is gegaan, waarop hij leefde. John.' Ze stak haar handen op. 'John als persoon. De persoon van wie ze houdt.'

'Ach, ze zal nog steeds van John houden als ze verliefd wordt op iemand anders.'

'Wat betekent dat in godsnaam?'

Waarom had hij het gezegd? 'Ik weet het niet, Gracie,' antwoordde hij eerlijk. 'Alleen... ze mag van hem houden zoveel als ze wil, maar een gedeelte van haar moet toch... actief verliefd willen zijn, leven, met haar liefde, met degene van wie ze houdt. Of zo.'

Gracie keek hem verwonderd aan. 'Hé, dat klinkt eigenlijk heel lief, Mark,' zei ze traag. En even later: 'Weet je,' grinnikte ze, 'misschien hadden wij toch iets met elkaar moeten beginnen.'

Hij lachte.

'Ja, lach maar, wreedaard.' Zij lachte ook.

Toen ze bij de kassa stond – ze had een antieke geschilderde rieten mand voor Eva gevonden – zei Gracie opeens: 'Ik weet niet, Markie jongen, maar ik denk niet dat je te veel hoop moet hebben.'

'Hé, wie zegt dat ik dat heb? Wie zegt dat?'

Ze haalde haar schouders op en lachte weer. 'Ik weet het niet. Vergeet het maar. Vergeet maar dat ik iets heb gezegd. Wat weet ik ervan?'

Precies, dacht hij. Ze wist er niets van. Ze had hen niet samen alleen gezien, had het groeiende vertrouwen tussen hen niet gevoeld. Soms als hij Daisy terugbracht op die zomeravonden – of Daisy en

Theo – zaten hij en Eva lui te praten over hun leven en voelde hij zich zo dicht bij hun oude intimiteit dat hij zich kon voorstellen dat er al iets begonnen was dat steeds maar verder en verder zou gaan.

Mark kwam aan bij Gracies huis voor Eva's verjaardagsfeest en reed zijn pick-up ratelend haar lange oprit op, met een pluim bruin stof achter zich in het licht van de ondergaande zon. Op de oprit stonden de twee auto's en de pick-up die Gracie en haar man Duncan bezaten; en de oude Jaguar van Eva's oude vrienden Fletcher en Maria. Het gebruikelijke gezelschap verzameld, dacht hij. Hij pakte de wijn die hij had meegebracht – drie flessen rinkelend in een papieren tas – en zijn cadeautje voor Eva en stak het grind over.

Gracie was in goeden doen geraakt in de jaren tachtig, zoals iedereen die op tijd in Napa was. Haar geld kwam rechtstreeks van de bron: ze werd makelaar precies op het moment dat de hoogtijdagen begonnen, puur toeval. Daarvoor was ze verpleegster geweest, maar na meer dan vijftien jaar, waarvan een in Vietnam, had ze een burn-out gekregen. Hij wist nog dat ze hem vertelde dat ze wist dat het zover was toen ze een patiënt had geslagen, een dronkenlap met een gebroken arm die steeds probeerde te roken op de eerste hulp, hoewel ze hem een paar keer had uitgelegd waarom dat niet mocht. 'Ik bedoel, op het moment dat ik het deed, beschouwde ik het als strikt therapeutisch. Weet je, het hele ziekenhuis zou de lucht in gaan als hij een sigaret opstak bij een zuurstoffles of zo. Maar later realiseerde ik me dat ik gewoon chagrijnig was. Ik was chagrijnig en gaf hem een mep.' Ze schudde haar hoofd. 'Dat is geen verplegen meer, man. De volgende dag ben ik eruit gestapt.'

Ze woonde nog in wat een klein huisje was geweest beneden in het dal – haar 'verzorgingshuis' noemde ze het voordat ze het opgeknapt had; maar het huis was gegroeid en veranderd sinds ze geld had, en weer veranderd nadat ze met Duncan getrouwd was. Het feestje vanavond zou achter in de tuin zijn, waar ze een paar jaar geleden een groot zwembad had laten aanleggen, en een grote stenen patio omringd door rozemarijn en lavendel. De openslaande deuren naar de woonkamer stonden open, voor en achter, en toen hij naar het huis liep – als het zo open stond zag het eruit als een paviljoen – kon Mark er dwars doorheen kijken naar de ruimte erachter, en zelfs naar de wijngaard daarachter; en aan de rand daarvan was Duncan, Gracies man, vuurwerk aan het klaarzetten.

Eva's verjaardag viel op 21 augustus, en Gracie en Duncan gaven dit feest elk jaar voor haar, compleet met vuurwerk en rituele spelletjes. Gracie organiseerde de spelletjes, haar eigen uitgebreide versie van hints. Duncan had de leiding over het vuurwerk. Dat was een van zijn vele hobby's, hobby's die Mark afwisselend verbaasden en boeiden, zoals Duncan zelf hem verbaasde en boeide.

Gracie zag hem vanuit de keuken, opzij van de woonkamer. 'Lieverd, lekker ding, geef me een kus,' riep ze.

Hij glimlachte naar haar. 'Vooruit dan maar,' antwoordde hij.

Ze bloosde van warmte en opwinding. Toen hij haar omhelsde, snoof hij haar geur op. Ze rook naar kruiden die hij niet had kunnen benoemen, en naar haar eigen parfum, en de scherpzoete lucht van transpiratie. Haar gezicht glom. Haar zware, blonde haar was opgenomen en werd vastgehouden door een klem op haar kruin, maar op haar schedel zag het er donker en vochtig uit. Haar lippenstift was verdwenen en hij vond haar gezicht onschuldig, gul zonder dat rood.

'Ha, wijn, verrukkelijke wijn,' riep ze toen hij haar de tas gaf. Ze haalde de flessen eruit en bekeek de etiketten. 'Man, dat had je nou niet moeten doen,' zei ze grinnikend. Ze kende deze kleine wijngaarden vanwege hun betekenis voor de onroerendgoedprijzen zoals Mark ze kende door wat ze betekenden voor de prijzen in de wijnbusiness.

Hij opende een van zijn flessen rood om hem te laten ademen, en zij schonk hem een glas in van de al open sauvignon blanc die in een ijsemmer stond. Ze deed haar schort af en liep met hem mee naar buiten. Ze droeg een wijde, golvende, soepel vallende jurk en sandalen.

Toen ze de patio op kwamen in het warme licht van de ondergaande zon kwamen Duncan en Fletcher net terug van de rand van de wijngaard. Maria zat aan de lange houten tafel die al gedekt was voor het diner, met de hoge wijn- en waterglazen ondersteboven. Toen Duncan Mark zag, hief hij zijn glas – een martiniglas, hij dronk nooit wijn voor het eten – en riep uit: 'Aha, de akkerman van deze slenk.'

Mark knikte en hief ook zijn glas, hoewel hij niet zeker wist of hij niet in de zeik genomen werd. 'Heer,' zei hij, en dronk.

'Kan iemand me vertellen wat in hemelsnaam een slenk is?' vroeg Gracie.

Probeerde ze Mark af te leiden van de mogelijk beledigende strekking van Duncans opmerking? Misschien. Het leek wel vaker of Gracie anderen wilde beschermen tegen de onprettige dingen die Duncan zei of deed.

Eva had Duncan eens 'chronisch ironisch' genoemd. Betekende dat dat ze hem niet aardig vond? Mark wist het niet zeker. Gracie en Duncan hadden elkaar leren kennen nadat Mark en Eva uit elkaar waren gegaan, dus als ze al iets gezegd had over Duncan en wat ze over hem dacht, had ze dat tegen John gedaan, niet tegen Mark.

Duncan maakte nu een gebaar. 'Een slenk: deze vallei, schat, waar jij zo'n aangename broodwinning uit haalt, al stoot je daarmee de rest van de wereld het brood uit de mond.'

Gracie lachte haar zware lach: ha, ha, ha. Ze waren inmiddels allemaal gaan zitten, hun stoelen een eindje weggeschoven van de gedekte tafel. Het was nog helemaal licht en de lucht begon net af te koelen na de hitte van de dag. Mark strekte zijn benen uit. Hij was zich bewust van een soort spanning in zichzelf. Hij wachtte eigenlijk alleen op Eva's komst.

Maar hij luisterde wel naar het gesprek, naar Duncan, die het vuurwerk aan het uitleggen was. Hij kende een man in San Francisco die het ontwierp, en wist allerlei technische details. Hij praatte nu over hoe meerfasenpatronen werkten, hoe lang de lonten moesten zijn om een bepaalde hoogte te bereiken voor het patroon ontplofte, over de namen van de vormen die ze vanavond zouden zien – wilgen en palmen en spiralen en chrysanten – en hoe die allemaal afzonderlijk waren geladen.

Hij en Gracie waren echt een vreemde combinatie, dacht Mark terwijl hij naar hen keek. Gracie was openhartig en breedsprakig. Ze was wel aantrekkelijk, maar ze was ook groot en grof. Een beetje een paard, had hij kunnen zeggen als dat niet zo onaardig en onsexy klonk. Want Gracie was op de een of andere manier sexy. Ze straalde een gevoel van beschikbaarheid, van openheid uit, van dierlijke energie, daar kwam het door. Ze had het gemak en de welwillendheid die hij associeerde met verpleegsters – een soort ruwe zorgzaamheid. En daaroverheen lagen de intelligentie en de sluwheid, de mensenkennis die haar succesvol maakte in onroerend goed – hoewel het aan de andere kant moeilijk zou zijn geweest om niet succesvol te zijn in onroerend goed op het moment dat zij het beroep oppakte in de vallei.

Maar Duncan. Mark keek hoe hij rustig zat te praten op zijn ingehouden, nauwkeurige manier. Hij droeg een zacht bleekgrijs linnen overhemd. Zijn ogen waren klein en donker, met zware oogleden. Zijn huid was bleek met wat rimpeltjes, vooral rond de ogen, en leek bijna lichtgevend. Duncan was een taaie, dacht Mark. Hij ging elke strijd aan – met sarcasme of spot. Soms zelfs met een bepaalde gezichtsuitdrukking – een klein trekje van zijn bovenlip.

Wat Mark van hem en zijn leven wist, wist hij in stukjes en beetjes van Gracie of Eva. Hij had acteur willen worden toen hij jong was, maar was uiteindelijk een paar jaar stuntman geweest – een goede, blijkbaar, had Gracie gezegd. Ze had er trots over verteld. Dat hij van nature atletisch was en geen angst kende. Maar toen was hij gewond geraakt bij een vreselijk ongeluk tijdens zijn werk. Hij liep nog steeds mank. Hij had meer dan een jaar in verschillende ziekenhuizen gelegen en had nog jaren pijn gehad. Hij bewoog zich altijd weloverwogen, misschien omdat bewegen pijn deed. Maar het wekte de indruk van zelfbeheersing. IJzeren zelfbeheersing, dacht Mark, gezien zijn gebrek aan expressiviteit in andere dingen. Zijn ogen richtten zich op je, strak en observerend, maar op de een of andere manier maakten ze geen contact met je. Koud.

Gracie hield vol dat het ongeluk ook goede kanten had gehad. Dat de revalidatie zijn leven op veel manieren voorgoed had veranderd. Hij had bijvoorbeeld hout leren bewerken en werd langzaam een soort meestermeubelmaker, en daarmee verdiende hij nu zijn geld. En verder had het hem tijd gegeven om te lezen, veel en gevarieerd. Hij werd een gretige lezer. Zo had hij Gracie trouwens ook ontmoet, vier jaar geleden – in Eva's boekwinkel, waar ze allebei regelmatig binnenvielen, om verschillende redenen: Gracie om te kletsen en te roddelen – over de buren, over de kinderen en Eva en John en Mark en het leven;

Duncan om over boeken te praten. En om ze te kopen, met tien of twaalf tegelijk. Eva stelde hen aan elkaar voor en een paar maanden later waren ze getrouwd.

Wat ze in elkaar zagen? Als hij zo naar hen keek bedacht Mark dat hij daar geen antwoord op zou weten. Gracie was nu aan het woord, ze vertelde een mop met een arrogant Brits accent – prinses Anne in een quizprogramma. Duncans ogen waren strak op haar gericht, voor zover Mark kon zien zonder emotie, behalve een milde, ongeïnteresseerde geamuseerdheid. Maar er was iets in zijn geforceerdheid, zijn zelfbeheersing waarvan Mark kon zien dat het aantrekkelijk moest zijn geweest voor Gracie. Toen ze bij de clou was, die ze uitsprak met die sappige stem: 'O! Ik weet het! Het is een paardenlul!' lachten Fletcher en Maria hard. In Duncans gezicht veranderde niets.

Misschien was hij op haar geld uit. Ze was behoorlijk rijk toen ze elkaar leerden kennen. Maar toen herinnerde Mark zich dat Eva had verteld dat hij een enorme schadevergoeding had gekregen na het ongeluk.

Maar misschien was hij daar al doorheen. Misschien was het opgegaan aan medische zorg. Het meubilair dat hij maakte verkocht goed, meer dan goed: er werd over geschreven in kunsttijdschriften, in architectuurbladen. Maar al dat soort werk moest een beetje onregelmatig zijn – een paar jaar geregeld opdrachten of verkopen en dan misschien een paar magere jaren. Dus misschien was geld toch een argument geweest.

Nu veranderde er wel iets in Duncans gezicht – zijn aandacht verscherpte zich plotseling. Maar zijn blik was weggedwaald van Gracie. Toen hij opkeek om die blik te volgen, zag Mark Eva in de deuropening van het huis staan. Eva, en Daisy en Theo. Gracie moet ook gevoeld hebben hoe zijn blik zich verplaatste, want ze had zich omgedraaid.

'Eva!' riep ze en stond op. 'Te laat op je eigen feestje, schaam je je niet? Hoi Dees. Hoi Theo, lekkertje.'

En toen stonden ze allemaal op, gingen in de rij staan, verwisselden van plaats, en iedereen kuste en omhelsde Eva en de kinderen. Mark wachtte op zijn beurt. Hij hield Eva het eerst vast. Ze droeg een zwarte, rugloze zonnejurk en haar huid was koel en zijdezacht onder zijn vingers. Hij omhelsde Daisy. Toen hij haar tegen zich aandrukte, werd hij zich opeens bewust van de druk van haar borsten tegen zijn borst. Wanneer was dat gebeurd? Hij moest zich inhouden om niet naar haar te kijken toen hij haar losliet. In plaats daarvan pakte hij Theo op en zwierde hem rond.

Maar even later keek hij oplettend naar Daisy terwijl ze Gracie en Maria hielp het eten op tafel te zetten. Ze droeg een dungeweven, golvend shirt, misschien indiaans, op een wijde kaki korte broek met veel zakken die bijna tot haar knieën kwam. Je kon haar beha door het shirt heen zien, een minimaal, voornamelijk symbolisch kledingstuk. Ze leek zelfbewuster en zekerder dan anders. Had dat te maken met die veranderingen in haar lichaam? Een keer toen ze opkeek en zijn ogen ontmoette, bloosde ze. Blozen was nieuw voor Daisy, dacht hij.

Eerder had Maria haar gevraagd wat ze deze zomer allemaal aan het doen was, en ze had zo te horen verlegen verteld over haar baan in Eva's boekwinkel. Ze luisterden allemaal aandachtig, zelfs Duncan, en ze leek overweldigd te zijn doordat ze in het middelpunt van de belangstelling stond. Haar wangen kleurden terwijl ze hun vragen beantwoordde. Hij zag dat ze opgelucht achterover leunde toen het gesprek op iets anders overging, toen Maria en Gracie het hadden over hun eerste baantjes, Maria in een drive-inbioscoop, op rolschaatsen, en Gracie als au pair in Winnetka bij een rijk gezin. Ze had samen met de kokkin in de keuken gegeten, zei ze. Ze had voor die tijd nooit iets begrepen van klassen in Amerika. Ze zei: 'Ik dacht eigenlijk dat ik *au père* heette – voor de vader.' Ze trok haar wenkbrauwen op en grinnikte. 'Ik had alle reden om dat te denken, moeten jullie weten.'

Op een bepaald moment tijdens dit alles zag Mark hoe Duncan zich vooroverboog en Daisy's glas rechtop zette en het vervolgens volschonk met wijn en naar haar toeschoof. Het leek een elegant gebaar, alsof hij haar welkom heette als bijna-volwassene, iemand met ervaringen die ze zich allemaal konden herinneren. Hij vond het jammer dat hij er zelf niet aan had gedacht.

Ze gingen eten, en tijdens het eten werd de lucht goud en roze, en daarna snel steeds donkerder blauw. Hij werd inktzwart, dacht hij. Het kaarslicht zorgde nu voor een soort intimiteit, zoals het een cirkel maakte van hun gezichten in het omringende donker.

Toen de eerste gang afgelopen was, maar nog voordat Duncan het vuurwerk afstak, kwam het ingewikkelde ritueel dat ze ieder jaar afwerkten: het verdoven van de hond, een oude spaniël die Miranda heette – en die als de dood was voor het lawaai van de explosies. Terwijl Gracie de kaken van de hond uit elkaar hield en de pil in zijn bek gooide, hieven ze allemaal hun glas en dronken op haar: 'Miranda! Op Miranda!' Mark zag hoe Gracie met vaste hand Miranda's keel wreef tot ze slikte.

Gracie vroeg Theo of hij hen wilde waarschuwen als Miranda groggy werd. Hij ging naast haar op de grond bij de tafel zitten en verdween daardoor uit Marks blikveld. 'Maar wat is groggy?' vroeg hij, zijn stem kwam omhoogdrijven.

'Slaperig. Suf,' zei Daisy.

'Lethargisch,' stelde Duncan voor. Hij had een montuurloze bril opgezet en het kaarslicht weerspiegelde erin.

'Dank je wel, schat,' zei Gracie, 'voor dit zinloos nog vagere synoniem voor het oorspronkelijke woord.'

'Wat is lethargisch?' vroeg Theo's stem, en Mark keek hoe Eva's langzame glimlach haar gezicht veranderde.

De derde of vierde keer dat Theo meldde dat Miranda groggy was – hij sprak het woord gewichtig uit – bevestigde Gracie dat ze inderdaad deze keer duidelijk groggy was, en Duncan stond op en liep naar de rand van de wijngaard. Toen Mark hem weg zag lopen, het moeizaam heffen en vallen bij elke stap, dacht hij – en dachten ze allemaal, daar was hij zeker van – aan de schade die hij had opgelopen. Hij stapte steeds verder weg het donker in, en ten slotte was hij alleen nog maar een bleke vorm die daar bewoog.

Opeens klonk het fluiten van een opstijgende pijl en de hemel lichtte op – eerst wit en daarna in een reeks vallende, breed uitwaaierende stralen blauw en groen en dieprood. Theo leunde achterover op Eva's schoot met zijn duim in zijn mond en zijn gezicht naar de hemel gewend. Maar ze waren allemaal een minuut of vijf in vervoering terwijl de kunstmatige donder door de vallei echode en de kleuren uit elkaar spoten in verrukkelijke, sproeiende, vloeibare watervallen van licht. Miranda lag onbezorgd en wazig aan Gracies voeten en tilde haar kop af en toe op met een langzame, wiegende, zwaaiende beweging, alsof hij te zwaar was voor haar nek. Zoals Daisy opmerkte leek ze op zo'n gipsen beest met een loshangende wiebelkop dat sommige mensen op de hoedenplank van hun auto hebben. De zwavelgeur van het kruit dreef over de tafel.

Toen het afgelopen was, bleven ze een paar minuten zitten. In de stilte hoorden ze coyotes naar elkaar huilen in de vallei. Duncan deed met ze mee, en oogstte daarmee een applaus dat geleid werd door Eva. Het gepraat werd onsamenhangender. Waarom vuurwerk zoiets magisch had. Herinneringen aan oud en nieuw. Kindertijd. Theo's ogen waren dichtgevallen. Daisy's glas was leeg en deze keer vulde Mark het.

Na een poosje gingen ze naar binnen, het verrassend felle kunstlicht in. Eva nam Theo mee naar de logeerkamer en legde hem in bed terwijl de anderen de tafel afruimden en afwasten. Toen Eva weer te voorschijn kwam, verdeelde Gracie hen in teams voor hints.

Gracie stond er ieder jaar op dat het gespeeld werd, en organiseerde het, ook al deed ze zelf niet mee. Zij was, zoals Duncan haar noemde, de baas. Ze wees hun zelfs hun woorden toe.

Mark en Eva zaten in een team met Fletcher. Hun woord was 'confidentie'. Ze gingen in de keuken overleggen over de korte sketches die ze zouden spelen voor elke lettergreep en daarna voor het hele woord. Het kwam erop neer dat ze alle drie in de sketches speelden voor de afzonderlijke lettergrepen, met verkleedkleren en rekwisieten uit een rieten mand vol oude kleren en rommel die Gracie speciaal voor feestjes en kinderbezoek bewaarde. Maar voor het woord zelf stonden Eva en Mark alleen op, naast elkaar.

'Hele woord,' kondigde Eva aan. Toen draaide ze zich naar hem toe en zei: 'Ik moet je iets vertellen maar je mag het aan niemand anders vertellen.'

'Ik zou het niet in mijn hoofd halen,' zei hij.

Zij ging op haar tenen staan en hij boog zijn hoofd. Ze fluisterde een paar minuten in zijn oor, onzinlettergrepen. Maar haar adem was warm op zijn gezicht, in zijn oor, en hij werd opeens opgewonden en verdrietig. Maar toen ze klaar was en zei: 'En je vertelt het aan niemand, hè?' antwoordde hij, zoals de bedoeling was: 'Je kunt me absoluut vertrouwen.' De anderen hadden het woord in tweeënhalve minuut geraden.

Toen gingen Mark, Eva en Fletcher zitten en was het andere team aan de beurt – Duncan, Daisy en Maria. Ze vergaderden in de keuken, en tijdens de stiltes in de gesprekken in de woonkamer hoorde Mark hun stemmen de sketches verzinnen. Hij luisterde of hij Daisy hoorde. Ze maakte maar af en toe een opmerking.

Uiteindelijk kwamen Duncan en Maria te voorschijn om de eerste lettergreep te doen. Ze stonden tegenover elkaar en Duncan vertelde Maria een hele serie flauwe raadseltjes. Elke keer draaide ze zich naar het publiek met een verwarde blik in haar ogen en zei: 'Ik snap het gewoon niet.' Na een heel scala aan probeersels kwam Fletcher met het antwoord: 'dom'.

Voor de tweede lettergreep riepen Duncan en Maria naar Daisy, die onzichtbaar in de keuken was: 'Kom nou, we zijn laat, we moeten gaan!' en Daisy antwoordde: 'Een seconde nog.' Ze waren geïrriteerd, duidelijk ouders die vaak op deze dochter moesten wachten. Ze riepen weer en Duncan keek op zijn horloge. Na nog een paar keer waarbij Daisy riep: 'Een seconde nog,' zei hij: 'Dit duurt veel langer dan dat. Veel langer. Misschien wel zestig keer zo lang.'

Eva raadde 'minuut'.

Maria gebaarde korter – korter woord. 'Min!' riep Eva, en Duncan knikte. 'Min!' zei ze. 'Dom. Min.'

Voor het hele woord kwam Duncan alleen naar voren en boog. Iets in zijn houding maakte dat Mark zich realiseerde hoe buitengewoon knap hij ooit moest zijn geweest. Hij zag er nog steeds niet slecht uit, hoewel hij door het ongeluk en de jaren gegroefd was geraakt. Hij ging langzaam op handen en knieën zitten. Daisy en Maria waren achter in de keuken bezig met de doos rekwisieten – je kon ze horen lachen – en met een paar laarzen waar ze om hadden gevraagd.

'Een seconde nog,' riep Daisy. Ze lachte. 'Deze keer écht een seconde.' Haar stem klonk lichter, onbezonnener dan hij hem ooit had gehoord.

Na nog een paar minuten kwam ze te voorschijn. Ze deed haar armen wijd. 'Ta-da!' zei ze. Ze droeg een oud zwart badpak dat van Gracie moest zijn geweest. Het was haar te groot en ze had het om haar middel gesnoerd met een strakke riem met stras. Ze had donkerrode lippenstift op en droeg de versleten laarzen die Gracie voor haar had gevonden en die tot halverwege haar kuiten kwamen. Haar ogen waren zwart omlijnd. Ze had een liniaal in haar hand.

Ze liep naar Duncan en ging achter hem staan. Ze tilde een been op, zette haar voet op zijn rug en kletste de liniaal in haar handpalm. 'Spreek!' beval ze hem met een zogenaamd Duits accent: Schpreek!

Duncan hief zijn hoofd en blafte een paar keer droevig.

'O, die is veel te makkelijk,' zei Fletcher. 'Dominatie. Dom, Min, Nazi.'

Daisy glimlachte en haalde haar voet van Duncans rug en viel onmiddellijk uit haar rol. Duncan kwam overeind op zijn knieën en stak zijn handen op in zogenaamde berusting.

Mark had naar Eva gekeken toen Daisy naar voren kwam. Hij had gezien dat zij even verbijsterd was als hij door de verschijning van hun dochter. Hij keek nu weer naar haar en zag dat haar lippen samengeknepen waren en haar neusvleugels roze. Ze was boos. Maar op wie? Op Daisy? Op Duncan? Op de een of andere manier had Mark het gevoel dat ze misschien boos was op hem, maar hij kon niet bedenken waarom.

Maar nu stond Gracie op en loodste ze weer naar buiten om te wachten op de taart. Daisy stond op het punt ze te volgen, nog steeds verkleed, maar Gracie onderschepte haar. 'Ga je maar omkleden, schat. Die ouwe lullen krijgen het er moeilijk mee als je er op deze manier bij loopt.'

'Woef,' zei Duncan bij de deur en grijnsde naar Gracie en Daisy.

Daisy ging de keuken weer in en ze slenterden allemaal naar buiten, het donker in, waar de kaarsen dansten en flakkerden in hun glazen stolpen op tafel. De lucht was lichter, koeler dan hij de hele dag was geweest.

Mark kwam achter Eva aan. Ze ging naast Duncan aan tafel zitten, keek hem fel aan en zei: 'Wiens idee was dat?'

Duncans lippen krulden licht. 'O jee, je bedoelt duidelijk "wiens slechte idee was dat?"'

'Dat bedoel ik zeker.'

Er viel een stilte. Duncan haalde zijn schouders op. 'Het was een spelletje,' legde hij uit, nadrukkelijk alsof hij het tegen een kind had.

Eva keerde zich naar Maria. 'Hoe kon je haar dat laten doen?' vroeg ze.

Maria zei: 'Ik had geen idee dat ze er zo uit zou zien.'

Eva snoof ongelovig.

'O, Eva,' zei Maria vleiend. 'Ik dacht dat het een soort grapje was dat wij wel zouden begrijpen en zij niet. Eigenlijk niets aan de hand.'

Mark zei: 'Toe nou, Eva, bederf je feestje niet.'

Ze keerde zich naar hem. 'Vond jij het niet smakeloos? Vond jij het niet een soort verraad aan Daisy?'

'Je vindt het gewoon geen prettig idee dat ze groot wordt,' zei Duncan. 'Dat ze een seksueel wezen is. En dat is ook puur cliché, Eva. Het ontluikende kind, de jaloerse moeder. Daar ben je te goed voor.' Hij glimlachte nota bene, onbevreesd voor Eva's woede.

Ze keerde zich naar Duncan en zei: 'Jij weet niets van Daisy.'

Er trok een lachje om zijn mond. 'Ze heeft waarschijnlijk ook wel een of twee geheimpjes voor jou, schat.'

Mark keek op en zag zijn dochter door de verlichte woonkamer komen. Ze was bijna bij de open deuren. 'Dees!' zei hij een beetje te hard.

De anderen keken om. Ze had haar losse shirt en de wijde kaki broek weer aan. Maar ze was op blote voeten en had de felle lippenstift en de zwarte oogschaduw nog op. Toen ze bij de door kaarsen verlichte tafel kwam, schrok hij eigenlijk nog meer van haar verschijning dan toen ze verkleed was. Het was alsof ze niet helemaal terugveranderd was, alsof een deel van het personage dat ze had gespeeld in haar achter was gebleven. En in dit licht zag hij hoe mooi ze zou worden, met haar strenge, lange gezicht. Even stijlvol als een Modigliani.

Ze ging zitten op het moment dat Gracie in de deuropening verscheen en dichterbij kwam met de gloeiende taart als een warm licht onder haar brede, gulle gezicht. Ze begon 'Lang zal ze leven' te zingen en de anderen vielen in. Mark zat naast Duncan, en het viel hem op dat die man zelfs tijdens het zingen zijn woorden nog kon doordrenken van sarcasme.

Maar het zingen, de taart en de komst van Gracie en Daisy hadden ervoor gezorgd dat het nare moment van Eva's woede vergeten was tegen de tijd dat ze de kaarsen uitbliezen. Tijdens het dessert hadden Fletcher en Maria het erover dat ze naar *A Fish Called Wanda* wilden, en ze praatten allemaal over John Cleese – was hij de geestigste man die er bestond? – en speculeerden erover wie van de Monty Pythonacteurs het in zijn eentje het langst zou volhouden.

Mark zag Daisy haar wijnglas zelf weer volschenken. Hij boog zich naar haar toe: 'Hoeveel heb je gedronken, Dees?'

Ze keek hem vlak aan. Ze had het grootste deel van haar lippenstift eraf gegeten met het ijs en de taart, maar hij was zich bewust van een nieuwe kijk op haar.

'Doet het ertoe als je niet meer weet hoeveel je er hebt gehad?'

Was dat een grapje? Was het vijandig? Mark wist het niet. Was het alleen maar een vraag? Hij keek opzij en toen weer naar haar. Hij zei: 'Je wordt wel bijdehand, hè?'

Er trok iets koels en een beetje hards over haar gezicht. Ze glimlachte naar hem en wendde zich toen af.

Gracie en Maria hadden Eva's cadeautjes mee naar buiten genomen, en ze maakte ze een voor een open op haar eigen trage, gracieuze manier, waarbij ze zelfs commentaar leverde op het pakpapier en de grappige of lieve kaartjes. Het waren vooral keukenbenodigdheden – iedereen wist dat ze van koken hield. Een puddingvorm, een vernuftig apparaat om groente te snijden. Maar Gracie had haar de geverfde mand gegeven en Mark was later in zijn eentje teruggegaan naar dezelfde winkel en had een antieke ketting van gitkralen voor haar gekocht. Ze was overal enthousiast over, maar hij had het idee dat ze vooral blij was met de ketting. Ze deed hem in elk geval meteen om en draaide zich met een opgetogen gezicht naar de tafel. 'Hoe zie ik eruit?' vroeg ze behaagziek, en Mark riep met het koor mee: mooi, prachtig, fantastisch. En dat was ook zo, vond hij.

Een van de kaarsen sputterde en ging uit. 'O, dat betekent dat ik weg moet,' zei Eva. 'Het is laat en Theo moet naar huis.'

Ze stond op en bedankte hen allemaal opnieuw, en vooral Gracie. Ze omhelsde haar. Ze stonden nu allemaal op. Maria begon Eva's cadeautjes te verzamelen. Daisy en Fletcher ruimden de tafel af. Eva was het huis in gegaan.

Ze kwam uit de woonkamer met Theo, zijn dode gewicht over haar bovenlichaam en schouder gedrapeerd, zijn billen op haar arm. Hij jammerde toen ze het licht in kwam en verstopte zijn gezicht in haar hals.

'Ik zal de cadeautjes in de auto leggen,' zei Maria.

'Nee, laat Daisy dat maar doen,' antwoordde Eva. 'Ze moet toch komen. We gaan weg.'

Maar Daisy was in de keuken aan het helpen, dus brachten Maria en Mark samen de cadeautjes naar buiten, en ook een groot stuk taart dat Gracie in aluminiumfolie had gepakt zodat Eva het mee naar huis kon nemen.

Nadat ze Theo op de achterbank had geïnstalleerd ging Eva achter het stuur zitten.

Mark deed haar portier dicht en leunde er even tegen terwijl hij op haar neerkeek. 'Zal ik Daisy zo meteen thuisbrengen?' vroeg hij. 'Ik wil graag even met haar alleen zijn.'

Eva keek hem even aan. Begreep ze dat hij Daisy gebruikte als een manier om naar haar huis te komen? Dat hij alleen wilde zijn met haar, met Eva, en dat dat alleen mogelijk zou zijn als hij Daisy thuisbracht?

'Oké,' zei ze. Haar stem klonk vermoeid. 'Maar niet te lang. We moeten morgen op de gewone tijd op.'

'Nee, alleen tot het ergste is opgeruimd.'

In de pick-up tien minuten later was Daisy ongewoon spraakzaam. Ze verklaarde de Latijnse wortels van de woorden die ze hadden uitgebeeld. Woorden met Latijnse wortels waren goed voor hints omdat ze zo mooi op te delen waren, vertelde ze hem. Ze was dol op woorden met Latijnse wortels. 'Ook al mag dat eigenlijk niet.'

'En waarom is dat dan?'

'O, ze zijn te lang, te ingewikkeld en te formeel. Eenvoudigere woorden zijn eleganter. Dat zeggen ze tenminste,' articuleerde ze nadrukkelijk, en haar gekromde vingers maakten aanhalingstekens.

'Je hebt me te pakken,' zei hij. 'In mijn boekje zijn alle woorden lood om oud ijzer.'

'Ja, jij en boeken, dat kennen we.'

Hij lachte. 'Ach, Daisy, het is treurig maar waar.'

'Misschien word ik wel schrijfster,' zei ze. 'Een beroemde natuurlijk.' Ze lachte snel en trok toen een gezicht: wat belachelijk, wat pretentieus.

'Ik zou jóúw boeken lezen,' zei hij. 'Elk woord.'

'Ik houd van schrijven,' zei ze opeens serieus. 'Ik ben er goed in.' Er viel een korte stilte. Mark keek naar de gloeiende rode achterlichten voor hen. Het deed hem denken aan de avonden dat hij achter Amy aan naar huis reed, de koorts die langzaam in hem steeg bij de gedachte aan wat ze samen zouden doen, wat ze op het punt stonden te doen. Hij herinnerde zich hoe hij haar inhaalde bij de deur, zich op haar stortte en haar naar het bed droeg. Hij herinnerde zich haar benen, de greep om zijn heupen.

Dat deed hij terwijl hij getrouwd was met Eva, terwijl hij hield van Eva. Wat een ongelofelijke lul was hij eigenlijk. Er was geen kans dat Eva hem terug zou nemen. Geen schijn van kans.

Daisy praatte over schrijven. Over hoe moeilijk het meestal was om de juiste woorden te vinden. Maar hoe het af en toe voelde als een gave, als iets dat gewoon gebeurde, dat ze gewoon wist. En toen klonk het of ze een gedicht daarover voordroeg. Of iets geordends en ritmisch dat verband hield met die gedachte.

Toen ze weer zweeg, zei Mark: 'Was jij dat? Waren dat jouw woorden?' Ze stonden stil bij de kruising aan de grens van St. Helena.

'Pff!' lachte ze. 'Dat mocht ik willen. Het is Emily Dickinson, pap.'

'O, sorry hoor,' zei hij. Het stoplicht werd groen. 'Toch vind ik het mooi. Haar. Hen. Die woorden.'

Even later zei ze: 'Maar het is waar, weet je.'

'Wat?'

'Dat het als de woorden komen makkelijk en natuurlijk lijkt. Ongekunsteld zegt Emily Dickinson. Het lijkt zo ongekunsteld dat je vergeet wat een gave het is.'

'Ongekunsteld is een mooi woord voor natuurlijk. Ongekunsteld.

Voor mij is dat als ik een druif vasthoud, als ik hem proef, zodat we weten wanneer we moeten plukken. Ik kan hem ook meten – ik meet hem – maar ik weet het ook door zijn gewicht in mijn hand, door zijn smaak.' Hij glimlachte. Het water liep in zijn mond bij de gedachte. 'Wat zei ze ook weer over wijn nippen?' vroeg hij.

'Daar had ik niet aan gedacht, pap.' Haar gezicht was open, enthousiast.

'Waar niet aan?'

'Aan het verband met wijn! Hoe ze het komen van de juiste woorden vergelijkt met de juiste wijn.' Ze fronste haar wenkbrauwen. 'Nou ja, misschien met een heilige wijn.'

Hij dacht aan Eva, aan hoe graag hij zou willen dat ze dit hoorde – Daisy op deze manier hoorde praten. Met hem. 'Kun je het voor me opschrijven?' vroeg hij. 'Het hele gedicht?'

'Natuurlijk,' zei ze.

Bij Eva's huis was er niemand beneden, maar Mark hoorde haar boven zijn hoofd rondlopen om Theo in bed te leggen. Hij ging met Daisy naar de woonkamer. Daisy ging in een grote leunstoel zitten. Ze leunde achterover, haar benen voor zich uitgestrekt. Langzaam duwde ze met haar tenen haar sandalen uit. 'Ik zou het vreselijk vinden om drieënveertig te zijn,' zei ze abrupt.

Hij lachte en keek naar haar, half vrouw, half meisje. 'Je moet het zo zeggen, Dees: "Ik zal het vreselijk vinden om drieënveertig te zijn."Want één ding is zeker, de dag dat jij ook drieënveertig wordt zal komen. Dat staat vast.'

'Ach ja. Dat denk jij misschien, maar ik niet.'

Mark liep rusteloos door de kamer, pakte dingen op, bekeek ze – de symbolen van Eva's leven met John. Sommige daarvan herkende hij. Sommige had ze al toen zij getrouwd waren: een houten maasbal, een glazen kistje met de knopen van het uniform uit de Burgeroorlog van een achterachteroom. Hij bleef staan voor een schilderij aan de muur. Het was een landschapje met dikke, lichte vegen verf. Je zou het willen opeten of erin verdwijnen, dacht hij.

'Ik wil niet ouder worden dan ongeveer vijfentwintig,' zei Daisy.

'Maar al het mooie gebeurt daarna,' zei hij afwezig.

‘Ja, ja. Zoals scheiden en bedriegen en doodgaan en algehele ellende.’

Hij keek naar haar. Ze had het terloops gezegd, sarcastisch, maar ze had het gezegd. Is dat wat ze dacht? Is dat wat zijn leven en dat van Eva haar hadden laten geloven? En dat van John ook, nam hij aan, de manier waarop hij dood was gegaan.

Hij wilde dat niet denken. Hij wilde niet dat zij dat dacht.

‘Nee,’ zei hij. Hij wilde die visie corrigeren. ‘Het mooie. Zoals trouwen en kinderen krijgen en echt goed worden in het werk dat je kiest. En het werk kiezen op zich.’

Ze bewoog in haar stoel en keek naar hem. Haar handen lagen gevouwen op haar buik. Ze haalde haar schouders op en zei: ‘Ja, en dán scheiden en bedriegen en al dat andere gedoe.’

‘Bovendien,’ zei hij alsof hij diep in gedachten verzonken was, ‘is het waarschijnlijk zo dat aardiger worden ook wat later komt. Waarschijnlijk na je vijfentwintigste. In elk geval lang, heel lang na je veertiende.’

‘Grappig hoor, pap. En ik ben vijftien, voor degenen die dat soort dingen niet bijhouden.’

‘Vijftien.’

‘Weet je nog? Je hebt me een armband gegeven?’

Hij wist het nog. Vaag. Hij kwam tegenover haar zitten. Tussen hen in stond een kleine, vierkante tafel met drie stapels boeken erop. Er stonden ook een paar Matchbox-autootjes. Mark pakte er een op. Een cabrio. ‘En, hoe is het om vijftien te zijn?’ vroeg hij.

‘Dat moet je toch gemerkt hebben, pap.’

‘Ik geloof van niet. Hoe is het?’

‘Vijftien. Vijftien is klote. Ik hoop dat ik nooit meer vijftien hoef te zijn.’

Hij zette het autootje neer. ‘Weinig kans.’

‘Godzijdank.’ Ze ging een beetje rechter op zitten en krabde aan haar been. Ze keek fronsend. ‘Maar ik vraag me af in wat voor werk ik echt goed zal zijn.’

‘Misschien een boekwinkel runnen. Eva zegt dat je daar goed in bent.’

Ze trok een gezicht. 'Dat is iets van mama.'

'Misschien word je... actrice. Je was geweldig vanavond, als meesteres.'

Ze keek hem aan. Haar gezicht klaarde ondeugend op, haar donkere wenkbrauwen trokken haar ogen wijd open. 'Misschien word ik gewoon meesteres.'

Hij lachte. Daisy. Dit was leuk, zo met haar.

Toen ze Eva op de trap hoorden, keek Mark naar Daisy's gezicht. Het veranderde – leek zich te sluiten – en hij voelde medelijden met Eva, met wat dit zei over haar verhouding met Daisy. Voordat Eva binnen was, stond Daisy op. Ze liep langs haar moeder toen die de kamer binnenkwam. 'Nacht, mam,' zei ze.

'Oké, liefje,' antwoordde Eva. Ze leek verstrooid. Het zou haar dus niet zijn opgevallen.

Ze kwam binnen en zakte op de bank aan de andere kant. 'Jezus!' zei ze. Daisy was de trap op gestommeld.

'Voel je je beter?' vroeg Mark.

'O! Ja.' Ze fronste haar wenkbrauwen. 'Je bedoelt over Daisy op het feestje?'

Hij knikte.

'Ja. Ik was eigenlijk alleen boos op Duncan en Maria. Ik bedoel, vond jij het niet smakeloos?'

'Ik zweer het, Eva, echt niet. Daisy leek uitstekend op haar gemak. Ze deed er net gek over.'

'In welk opzicht?'

'Ze maakte er een grapje over. Maar niet op een... smakeloze manier.'

'Je klonk net zoals Duncan.'

'Bewaar me.' Hij keek haar aan. Ze had de ketting nog om. 'Hoe dan ook, gefeliciteerd met je verjaardag.'

'Ja.' Ze klonk moe. 'Dank je wel.' Ze ademde diep in en langzaam weer uit. 'Het was een leuk feestje, hè?'

'Op de smakeloze gedeelten na.'

Ze lachte snuivend. Toen zuchtte ze. 'Ben ik zo'n stijve prent? Ik wil haar alleen maar beschermen.'

'Waartegen? Niemand op dat feestje zou Daisy kwaad doen. Het is een veilige plek voor haar om te spelen wat ze wil spelen. En ze was aan het spelen. Ze heeft het weggestopt samen met het kostuum. Net als de verkleedpartijtjes toen ze klein was.'

'Je hebt gelijk. Ik weet het. Misschien was ik alleen kwaad omdat het leek...' Eva haalde haar schouders op. 'Ik weet het niet. Of ze opeens een leven had. Buiten mij om als het ware. Ik heb het ook bij Em gevoeld, deze zomer, toen ik met haar rondsleepte. Dat ze van die levens gaan hebben. Dat ze weggaan. Dat ze uitvliegen, terwijl ik vastzit. Mijn leven lijkt zo... gestold.' Ze lachte treurig. 'Ja, ja, gefeliciteerd met je verjaardag! Ik. Voel. Me. Oud.' Haar hoofd wiebelde een beetje bij elk woord. De ketting glinsterde.

'Jij niet, Eva.'

'Nou, dank je wel. Dat is lief van je.'

'Nee, ik meen het. Je bent nog steeds...'

Ze gooide haar handen in de lucht. 'Nog steeds!' riep ze uit met een lachje. 'Zie je wel? Hoor wat je zegt. *Nog steeds.* Je bedoelt *na al die tijd. Op je oude dag.* Nog steeds.'

'Neu,' zei hij.

'Wat neu?'

'Neu, dat is niet wat ik bedoel.'

'Oké dan,' zei ze. 'Sorry. Ik plaag je maar een beetje.'

'Ik bedoel dat ik je wil, Eva.'

Haar mond ging een beetje open. Hij stak snel zijn hand uit om hem over de hare te leggen die in haar schoot lagen. Hij was zich bewust van de warmte, en van zijn vingertoppen die haar been aanraakten door de losse stof van haar rok heen. Hij schoof naar haar toe op de bank. Hij legde zijn andere hand tegen haar wang. Hij hoorde haar scherp inademen. Ze steunde met haar hoofd tegen zijn hand. Ze deed haar ogen dicht.

Onder zijn andere hand keerden haar handen zich omhoog en omvatten zijn vingers. Een traan welde op in haar ooghoek. Hij veegde hem weg met zijn duim. Hij boog zich naar haar toe, kuste haar wang en legde toen zijn lippen zacht op haar mond.

'Aaah!'

Er ging een schok door Eva's lichaam en Mark keek om.

Daisy stond in de deuropening, ze leek de hele ruimte te vullen. Ze droeg een lang T-shirt met de opdruk OMDAT IK HET ZEG. Haar benen en voeten waren bloot. Haar gezicht vertoonde woede en geschoktheid. Ze had een papier in haar hand.

Niemand sprak. Mark en Eva zaten ongeveer dertig centimeter van elkaar op de bank en raakten elkaar niet meer aan.

'Dees...' begon hij.

Ze schudde haar hoofd. 'Laat maar!' zei ze. 'Jezus! Ik wilde je dit geven.' Ze verfrommelde het papier en gooide het naar hem toe. Hij voelde het tegen zijn gezicht tikken. Het viel op de grond en Daisy was weg.

Ze bleven een hele tijd stil zitten zonder elkaar aan te kijken. Toen stond Eva op. 'Ik denk dat ik hier onmiddellijk iets aan moet doen.' Haar gezicht was vertrokken en opeens bleek.

'Waarschijnlijk wel, ja,' zei hij. 'Ja.'

Ze liep naar de deur en draaide zich toen om. 'Ga maar liever weg, Mark,' zei ze. 'Ik moet alleen zijn... met Daisy. Ik ben bang dat dit niet makkelijk wordt.'

'Goed,' zei hij.

Ze verdween om de hoek en hij hoorde haar langzaam de trap oplopen. Even later, toen hij Daisy's stem hoorde, beschuldigend en hard, en Eva's kalmere, gedempte antwoord, bukte hij zich, pakte het papier dat zijn dochter naar hem toe had gegooid en ging weg.

Hij liet zijn raampje open tijdens het rijden. De nachtlucht voelde koel aan zijn gezicht. De maan reed hoog boven de bergen mee aan zijn linkerkant. Er brandde maar in een paar huizen licht, maar de Mexicanen waren nog verzameld in de drive-in bij de kruising bij Calistoga.

Op het pad naar zijn huis vluchtten de prairiehazen de wijngaarden in voor zijn koplampen uit. Toen hij thuiskwam, liet hij de honden naar buiten en de deur open. Hij trok het papier dat Daisy naar hem toe had gegooid uit zijn zak en legde het op het keukeneiland en streek het glad. Hij zag dat het het gedicht was dat ze had voorgedragen in de auto, haar gezicht lief en geconcentreerd.

Je gedachten hebben niet elke dag woorden
Ze komen slechts eenmaal
Als symbolische esoterische slokjes
Van de communiewijn

Die terwijl je proeft zo ongekunsteld lijkt,
Zo makkelijk zo te zijn
Je kunt de prijs ervan niet begrijpen
Noch zijn zeldzaamheid.

Daaronder had ze er nog een opgeschreven:

Kon al het verdriet dat ik nog krijg
Maar vandaag komen
Ik ben zo gelukkig dat ik denk
Dat het lachend zou weglopen!

Kon alle vreugde die ik zal hebben
Maar vandaag komen
Het kan nooit zo groot zijn
Als wat me nu overkomt.

HOOFDSTUK ACHT

De zomer was voorbij. Emily kwam uit Frankrijk terug als een ander mens – haar haar danste kort om haar gezicht, felrode lippenstift tekende haar mond. Ze was ook afgevallen. Haar lichte neiging tot molligheid was weg. Ze leek op Eva, vond Daisy: klein, volmaakt en mooi.

Ze maakte het kort na haar thuiskomst uit met Noah, en Daisy dacht even dat dat kon betekenen dat zij en Emily weer dichter bij elkaar zouden komen, maar dat gebeurde niet. Emily wilde liever haar vriendinnen zien, klasgenoten die ook over een week of twee naar de universiteit zouden gaan. Ze ging met hen winkelen, ze maakte lijsten met Eva, ze pakte in – en toen was ze weg.

Een paar dagen nadat ze weg was gegaan zaten ze op een avond aan tafel, Eva, Theo en Daisy. Eva keek de tafel rond en zei: 'En nu zijn we met z'n drieën.' Daisy schrok. Wat betekende dat? Eva glimlachte, maar ze zag er niet gelukkig uit.

Daisy sloeg haar ogen neer en ging weer verder met spaghetti om haar vork draaien.

Toen ze weer naar school gingen, begonnen de bladeren in de wijngaarden net te verkleuren. Daisy herinnerde zich de vorige herfst, toen John nog leefde, en zij zo hoopvol aan de middelbare school was begonnen. Ze had zich in de dagen vlak voor het dit jaar allemaal begon voorgenomen en beloofd dat ze een nieuwe start zou maken, dat ze haar best zou doen, dat ze het hem, en zichzelf, schuldig was om het in elk geval te proberen.

En dat deed ze ook, in het begin. Ze gaf zich op voor het koor, ze zei tegen de basketbalcoach dat ze zou spelen voor het schoolteam. Ze leverde een gedicht in bij het literaire tijdschrift in de hoop dat ze in de redactie kon komen. Het was een gedicht dat ze die zomer had geschreven, 's avonds laat in haar kamer na een dag dat Eva haar streng had toegesproken in de winkel om een fout die ze had gemaakt en later wilde dat ze vriendelijk en spraakzaam was als er iemand die ze kende binnenkwam. Het was getiteld 'Ik'.

> Als een hond die je leert in de goot te poepen
> Heb je mij getraind, je brave dochter, om nooit
> Een woord te zeggen. Gehoorzame zwijgende. Ik.
>
> Als er bezoek komt, haal je me uit een hoek,
> Dwingt me om op te zitten als een hond
> Een glimlach. Geef poot. Ik.

Ze kwam in de redactie en ging naar de eerste vergadering. Ze ging naar koor en kreeg de bladmuziek. Maar tijdens haar tweede week op school noemde een jongen uit de bovenbouw haar 'Lange' in de rij in de kantine, en ze hoorde anderen lachen. Ze voelde haar lengte, haar onaantrekkelijkheid en haar onhandigheid als een zware last die op haar schouders drukte. Ze stapte uit de rij en ging buiten alleen aan een tafel zitten. Ze besloot in sociaal opzicht alle hoop te laten varen. Alle verwachting. Ze zou aan haar werk, en alleen aan haar werk denken.

En inderdaad ging ze op in haar schoolwerk zoals ze nog nooit had gedaan. Voor Latijn maakte ze vaak drie vertalingen – een letterlijke, een vrije, gebaseerd op de letterlijke, en nog een in het metrum van het origineel. Toen ze een onvoldoende kreeg voor een geometrieopdracht – ze hadden twee problemen op te lossen en ze had er een fout – hing ze het cijfer boven haar bed zodat het elke ochtend het eerste zou zijn wat ze zag om haar eraan te herinneren dat ze nog harder moest werken.

Bij Engels waren ze overgestapt van Emily Dickinson naar moderne dichters, en Daisy werd helemaal gegrepen door Sylvia Plath, aangetrokken door haar grimmige woede. 'Papa, papa, schoft, ik ben klaar met je.' Waarom dit Daisy aansprak? Ze wist het niet.

Ze werkte nog steeds in de winkel, in de weekenden en bij speciale gelegenheden – vooral leesbeurten, waarvoor Daisy de stoelen klaarzette en boeken aan de schrijver gaf om te signeren. Ze stal nog steeds geld, maar niet meer zo vaak en kleinere hoeveelheden dan eerst.

Ze dacht aan Duncan, aan hoe hij haar betrapt had en aan zijn dreigement om haar te verraden. Maar ze dacht ook aan haar moeders verjaardag en aan hoe hij tegen haar was geweest die avond, alsof hij haar aardig vond, alsof het niet gaf wat ze in de winkel had gedaan. Hoe dan ook, de weken gingen voorbij en er gebeurde niets, en ze ging ervan uit dat hij het helemaal vergeten was.

Maar toen ze op een middag halverwege oktober door Oak Street liep op haar ingewikkelde route van school naar huis – ingewikkeld om te zorgen dat niemand naast haar kwam lopen of probeerde haar aan te spreken – merkte ze dat er een auto naast haar door de straat reed, in hetzelfde tempo als zij. Ze keek opzij. Het was Duncan. Hij stuurde met één hand, zijn lichaam was over de voorbank naar haar toe gebogen. Toen ze zich omkeerde, riep hij zacht haar naam. Onmiddellijk klemde ze haar boeken nog steviger tegen haar borst.

Maar haar eerste heldere gedachte was dat ze het jammer vond dat ze geen lippenstift op had, of een mooier topje aan. En met die reactie daagde onbewust het besef – besef van waarom hij daar was, en wat hij aan het doen was toen hij haar naam uitsprak en haar naar zich toe riep. Ze had het niet onder woorden kunnen brengen, ze wist niet zeker wat het allemaal betekende, maar ze begreep dat hij opzettelijk was gekomen, dat hij aan haar had gedacht en haar had uitverkoren.

Jaren later, toen ze het probeerde uit te leggen aan dokter Gerard, zei ze dat het was alsof haar onderbewuste geest alles wist waar haar bewuste geest nog geen notie van had; en dat was het moment waarop ze met elkaar begonnen te communiceren.

Dit zou allemaal traag en bijna achterlijk lijken bij ieder ander – iemand als Emily bijvoorbeeld. Iemand die iets begreep van haar eigen seksuele waarde, van haar belang voor anderen. Maar niemand had ooit seksuele aandacht aan Daisy besteed. Ze was heel lang een onbevallig meisje geweest, een onhandig meisje, een stil meisje, en haar vermogen om dat soort belang in zichzelf te herkennen was niet ontwikkeld. Daarnaast was Duncan natuurlijk een volwassene, en ook nog eens een moeilijke, snijdend kritische, sarcastische volwassene. En hij was de man van Gracie, die een instituut was in haar familie.

Maar zodra ze hem zag, wist ze dat hij aan haar had gedacht de afgelopen weken, de afgelopen maanden. Ze wist dat hij dit nauwkeurig had gepland, dit moment. Ze liep naar de auto en boog zich naar het raam.

'Stap in,' zei hij. 'Ik geef je een lift.' Hij hing over de voorbank, zijn gezicht geheven om tegen haar te praten. Hij zag er jonger uit dan anders vanuit deze hoek.

'Maar ik wil geen lift.' Hoe kon ze dat zeggen? Tegen een volwassene. Tegen een vriend van haar moeder.

'Stap toch maar in,' zei hij. Hij klonk niet beledigd of verbaasd.

Daisy haalde haar schouders op en ging rechtop staan. Ze deed het portier open en stapte in de auto. Ze legde haar boeken op de bank tussen hen in. Haar adem ging snel en ze had een licht gevoel in haar hoofd.

Hij reed door Main Street en toen de vallei in, tussen de wijngaarden.

'Waar gaan we heen?' vroeg ze ten slotte.

'Ik wilde je laten zien waar ik aan werk. Mijn atelier.' Zijn stem droop van zijn gebruikelijke sarcasme. Ze bedacht opeens dat dit sarcasme, misschien veel van zijn sarcasme – waar ze altijd bang voor was geweest – tegen hemzelf gericht was.

'En als ik dat niet wil zien?'

'Dan laat ik het je toch zien. Want je zou het moeten willen zien. Je moet overal nieuwsgierig naar zijn. Als je nu niet nieuwsgierig bent, kun je jezelf net zo goed neerschieten en er een eind aan maken. Dan ben je toch al dood.' Hij sloeg rechtsaf Silverado Road in. Ze reden een tijdje zwijgend verder.

'En verder wilde ik over onze afspraak praten.' Hij zei het zonder haar aan te kijken.

Maar zij keek naar hem. Hij droeg een gestreken wit overhemd. Je zag de plooien in de stof waar het gevouwen was geweest. De manchetten waren omgeslagen en hij had lichtbruine haartjes op zijn polsen en handen die glinsterden in de zon. 'We hebben geen afspraak,' zei ze.

'Nou, eigenlijk.' Hij glimlachte naar haar, maar zijn ogen waren flets in zijn gezicht. 'De afspraak die we nog moeten maken. De afspraak waarbij ik jouw vergrijp deze zomer niet aan je moeder meld in ruil voor het een of ander.'

'Het kan me niet schelen of je het meldt.' Ze geloofde het echt toen ze het zei. Ze keek uit het raam naar de geelbruine eiken, de koperrode wijnstokken. Het zou een opluchting zijn. Eva zou tegen haar schreeuwen. Zij zou tegen Eva schreeuwen. Het zou voorbij zijn.

Wat? Wat zou voorbij zijn?

'O jawel, dat kan je wel schelen,' zei hij. 'Heel veel zelfs.' En opeens geloofde ze dat ook. Dat het haar kon schelen, dat het ondraaglijk zou zijn als Eva het ontdekte.

Dit alles verwarde Daisy en vermengde zich met de verwarring die ze voelde over Duncan en wat hij misschien van haar wilde. Wat zij misschien van hem wilde. Ze had het allemaal niet kunnen uitleggen. Als iemand haar had gevraagd: 'Waarom ging je met hem mee?' had ze het niet geweten. Als iemand had gevraagd: 'Wat dacht je dat er zou gebeuren?' had ze het niet kunnen zeggen.

'Wat voor gevoel had je?' vroeg dokter Gerard.

'Gevoel?'

'Ja. Je emotionele toestand toen jullie in de auto zaten.'

'Ik was opgewonden.'

'En het soort opwinding? Angstig?'

'Nee. Helemaal niet.'

'Waarom niet? Er was alle reden om angstig te zijn, of niet soms? Inclusief vanwege het feit dat hij je had zien stelen uit je moeders winkel.'

Daisy schudde haar hoofd. 'Dat deed er allemaal niet toe. Ik had het gevoel dat ik de situatie in de hand had. Vanaf het moment dat ik hem zag, ook al wist ik eigenlijk niet waar het om ging, voelde ik dat ik de leiding had.'

'En was dat een goed gevoel?'

'Wat denk je? Het was geweldig.'

Zijn atelier lag aan een onverharde weg bij Yountville. Het was een grote garage, bijna een hangar, achter een klein, vervallen boerenhuis.

Het erf tussen het huis en de garage stond vol oude wijnbouwmachines, groen of fel oranje, maar nu gebutst en vol roest en onttakeld, her en der waren stukken weggerukt om bij andere onderdelen te kunnen en alles was blijven slingeren. Alsof, dacht Daisy, de machines dieren waren die aangevallen waren door jakhalzen of wolven, woeste schepsels die van hun prooi verjaagd waren.

Duncan reed naar de zijkant van de garage die niet zichtbaar was vanuit het huis en parkeerde. 'Stap uit,' zei hij en deed zijn portier open.

Ze stapte uit en liep achter hem aan naar de zijdeur. Hij deed hem van het slot. Hij deed een stap achteruit en zij stapte de drempel over.

Na het felle licht buiten, na de chaos van kleur en verval op het erf, leek de enorme ruimte zwijgend en stil, hij leek een soort vrede en ordelijkheid te bevatten. Het rook er naar hout en heel oppervlakkig, vaag, naar iets scherps en schoons, iets chemisch. Bleek licht viel naar binnen door daklichten. De lucht was koel. Ze stapte verder naar binnen.

Midden in de ruimte stond een hoge houten kast, de laden waren eruit. Hij was licht gebogen, misschien een weerspiegeling van de vormen van een cello, of een vrouwenlichaam. Het hout was roodblond en vrijwel nerfloos. Gereedschap en onbewerkt hout lagen op een lange werktafel erachter. Langs de zijmuur was een bureau – eigenlijk gewoon nog een lange tafel – met papieren en tekeninstrumenten erop, en er stond een ergonomische stoel bij. Tegen de andere zijmuur stond een kampeerbed. De betonnen vloer was schoongeveegd. Achter in de ruimte stonden nog een paar meubelstukken – twee tafels met krullerige poten, een bewerkt soort bureau – en daarachter, langs de achtermuur waren schotten van vloer tot plafond, waar stukken hout schots en scheef tussenin leunden.

Hij liep achter haar. Zijn hand drukte in haar taille op een manier waarop ze nog nooit was aangeraakt. 'Betreed mijn salon,' zei hij.

Als ze er later aan terugdacht, als ze erover praatte met dokter Gerard, kon ze zich niet herinneren hoe veel keer ze samen in Duncans atelier waren geweest die herfst en winter. Vijftien? Dertig? De keren smolten samen in haar herinnering. Maar die eerste dag stond haar altijd helder en duidelijk voor de geest.

Hij liet haar zijn werk zien, kennelijk niet zozeer omdat hij wilde dat zij het mooi vond – wat ze wel vond, zonder dat het haar iets kon schelen: het was tenslotte maar meubilair – maar alsof hij wilde dat zij hem zag, hem begreep, als iemand met een leven buiten de familiekring waarin ze hem tot dan toe kende. Hij praatte erover – over de soorten hout die hij gebruikte, de compactheid en kleur, het gevoel dat hij wilde krijgen als hij iets sculptureels maakte in de gebruiksvoorwerpen. Daisy stelde een paar vragen, maar hij praatte voornamelijk. Het was alsof hij dit had gerepeteerd. En zijn stem veranderde terwijl hij over zijn werk praatte. Hij werd jonger, zou ze hebben gezegd. Pas later realiseerde ze zich dat hij die rare, zware nadrukkelijkheid, het sarcasme had laten vallen.

Tijdens het praten vulde hij een ketel bij het fonteintje bij de deur en zette hem op een tweepits elektrische kookplaat die op een tafeltje naast zijn bureau stond. Toen de ketel begon te zingen, zweeg hij en zette een pot thee. Hij schonk een beker voor haar in, ging toen in zijn bureaustoel zitten en schommelde zacht naar voren en naar achteren terwijl hij haar vragen begon te stellen over haarzelf. Zijn stem was weer veranderd.

Hij vroeg naar school: vond ze het leuk? Had ze vrienden?

Hij zei dat zo verachtelijk dat het haar geen moeite kostte eerlijk te zeggen dat ze die niet had. Dat Emily de enige was met wie ze bevriend was – ze dacht daarbij aan de paar keer dat ze iemand had meegevraagd na school, of dat iemand haar had meegevraagd, en hoe gedwongen, hoe ongemakkelijk hun gesprekken waren geweest.

Hij wilde weten of ze ooit een afspraakje had gehad, en toen was het haar beurt om verachtelijk te zijn.

'Een afspraakje?' vroeg ze. 'Is dat een woord uit de Middeleeuwen?'

Hij glimlachte. 'Ik veronderstel dus dat jullie rechtstreeks overstappen op neuken.'

Ze gaf geen antwoord. Ze schrok van het woord uit zijn mond.

'Heb je wel eens met iemand geneukt, Daisy?' Hij had zijn stoel naar voren gereden en zat maar een meter van haar af.

'Dat gaat je niets aan.' Ze zat dwars op zijn kampeerbed met haar rug tegen de muur en de warme mok thee in haar handen.

'Natuurlijk niet. Maar ik ben benieuwd. Meer dan benieuwd.' Hij grinnikte. 'Belust, zou ik zeggen, naar informatie hierover.'

Ze zweeg. 'Nee,' zei ze ten slotte.

'Aha,' zei hij. 'Dus je kennis over seks is beperkt.'

'Mijn kennis niet nee.'

'Maar je ervaring met dat grote genot wel.'

Ze gaf geen antwoord. Ze dacht aan een van de dingen die Emily erover had gezegd, dat het niet zo leuk was als je zou denken. En aan Noah, in zijn Speedo.

'Behalve natuurlijk, wellicht, jezelf aanraken. Jezelf genot bezorgen.'

Weer gaf ze geen antwoord, hoewel ze dacht dat ze zichzelf voelde blozen.

Hij keek naar haar met een bijna onzichtbare glimlach om zijn lippen.

Ze ontmoette zijn blik en ondanks zichzelf glimlachte ze terug. Vond ze dit prettig? Zo praten met Duncan? Dat moest wel. Dat ze zijn interesse voor haar prettig vond, dat ze de macht die ze naar haar gevoel had in deze situatie prettig vond. En ze wist dat ze het gevoel van het geheel prettig vond – wat het ook was – als een groot en geheim avontuur waar ze aan begon, iets wat Emily of Eva zich niet konden voorstellen, of iemand die ze kende op school.

'Ik vraag me af waarom je het geld hebt gestolen, Daisy,' zei hij.

Ze was even geschokt als wanneer hij haar geslagen zou hebben. Na een poosje bracht ze uit: 'Dat gaat je echt helemaal niets aan.'

'Dat ben ik met je eens.' Hij haalde zijn schouders op en draaide zijn stoel een beetje om zijn mok op de grond te zetten. 'Maar ik heb het je toevallig zien doen. Dat is mijn dilemma, Daisy. Dat ik nu moet besluiten wat ik daarmee ga doen. En wat ik ook doe, ik wil dat het jou helpt.' Hij boog zich naar haar toe met zijn ellebogen op zijn knieën. Zijn witte overhemd was losgeknoopt bij de hals. Ze kon zien waar zijn borsthaar begon, onder aan zijn keel. 'Ik heb alleen het idee dat ik als ik begreep wat je van plan was, dat ik dan meer kans had dit op een... sympathieke manier af te handelen.' Hij stak zijn handen op. 'Dus?'

Opeens dacht Daisy aan John, aan hoe hij haar net zo open en vriendelijk dingen vroeg. Maar Duncan was niet vriendelijk. Of wel?

'Ik weet het niet,' herhaalde ze, en toen voelde ze een brok in haar keel en haar ogen vulden zich met tranen. Ze maakte een stom geluid, een gorgeltje.

'Daisy,' zei hij. Hij kwam naar voren en gleed naast haar op het bed, legde zijn arm om haar heen, pakte haar mok thee en zette die ook op de grond. Ze begon openlijk te huilen. Hij hield haar vast en streelde haar rug terwijl zij tegen zijn schouder snikte. Ze huilde een hele tijd. Later toen ze probeerde uit te leggen waarom ze huilde, dacht ze dat het kwam doordat ze zijn aandacht had, doordat ze zich zo gekend voelde. En natuurlijk doordat ze vastgehouden werd.

Langzaam bedaarde het huilen. Ze zat in elkaar gezakt tegen hem aan neer te kijken op zijn overhemd, zijn broek, haar eigen handen in haar schoot, en werd steeds gegeneerder en verwarder over hoe ze dit moment moest afronden, wat ze moest zeggen.

En toen tilde hij haar gezicht op – ze verzette zich een beetje, ze wist dat haar gezicht nu lelijk was, vlekkerig en besmeurd – en kuste haar, eerst zo zacht dat het alleen een onderdeel van het troosten leek te zijn, en Daisy ontspande zich en liet het toe. Maar toen likte hij haar! Hij likte haar tranen af, hij kuste en likte haar gezicht, haar ogen, en toen haar mond weer, trok aan haar geopende lippen met de zijne. Hij smaakte naar zout, naar haar zoute tranen. Zijn mond was zacht en teder op de hare, verlokte de hare. Daisy kuste hem terug.

Maar toen werd het opeens te hard. Daisy rukte zich los en ze zaten elkaar aan te kijken. Ze zaten langer dan een minuut zo. Daisy huilde niet meer. Ze was zich bewust van zijn hand op haar rug, van hoe hij rook, een geur die nog op haar gezicht hing, van het geluid van hun gezamenlijke ademhaling in de stille ruimte. Toen hij haar opnieuw begon te kussen, nu weer teder, reageerde ze weer. En toen voelde ze zijn hand naar haar benen gaan, ze grijpen, eraan trekken. Hij trok haar tegen zich aan, hij trok haar naar beneden en toen lagen ze naast elkaar.

Ze verstijfde.

'Wees maar niet bang,' zei hij. 'Er gebeurt niets.' Zijn arm lag onder haar hoofd en langzaam ontspande ze zich. Hij streelde haar haar, hij veegde haar gezicht af. Ze deed haar ogen dicht. Na een poosje krulde ze zich tegen hem aan.

Hij bleef zijn vrije hand bewegen, over haar haar, zacht over de welving van haar oor. Hij streelde haar hals. Dat vond Daisy een heerlijk gevoel. Hij draaide haar gezicht naar zich toe en kuste haar weer. Toen ze de druk beantwoordde, ging zijn hand naar haar lippen en zijn vingers drukten ze en streelden ze. Ze opende haar mond en een van zijn vingers kwam zacht tegen de binnenkant, het natte gedeelte van haar onderlip. Ze zuchtte.

'Voelt prettig, hè?'

Ze knikte, zijn vinger lag tegen haar tanden. Ze raakte zijn vinger aan met haar tong. Ook zijn huid smaakte zout.

'Dat is ook de bedoeling, Daisy. Alles is de bedoeling.' Zijn hand streelde haar hals en de harde botrichel boven haar borst. Toen legde hij hem op haar borst en zijn vingers begonnen cirkeltjes te draaien over haar blouse waar haar tepel was. Haar huid leek samen te trekken en zijn aanraking werd lichter. Hij sloot zijn duim en wijsvinger eromheen, met een licht knijpende, rollende beweging.

'Vind je dit prettig, Daisy?'

'Ja,' zei ze. Haar keel was droog.

'Knoop je blouse open,' zei hij. Zijn stem klonk vlak.

Ze bleef stil liggen. 'Dat kan ik niet,' zei ze ten slotte. Ze schudde haar hoofd.

'Natuurlijk wel, Daisy. Er gebeurt niets dat je niet wil.' Hij streelde haar tepel weer door de blouse. 'Je vindt dit prettig,' zei hij. Maar het was een soort vraag.

Ze knikte.

'Ik wil je zien, Daisy. Ik wil kijken naar mijn hand die dit met je doet. Ik wil dat jij het ziet, hoe het eruitziet.' Hij hield op. 'Nee?'

Hij kuste haar weer, en Daisy, die dankbaar was voor de verandering, kuste hem terug. Toen ze ophielden, bleven ze een poosje tegenover elkaar liggen. Daisy had nog nooit van zo dichtbij naar een mannengezicht gekeken. Ze zag de vorm van een ster in de irissen van Duncans ogen.

'Knoop je blouse open, Daisy,' zei hij.

Na een poosje schudde ze haar hoofd.

'Zal ik het dan doen?' vroeg hij. 'Wil je dat ik degene ben die het doet?'

Ze knikte. Dat was wat ze wilde, begreep ze opeens. Dat hij alles deed, en dat zij alleen maar daar hoefde te liggen en dat hij haar aanraakte en ze geen enkel besluit hoefde te nemen of ergens verantwoordelijk voor hoefde te zijn.

Hij knoopte langzaam haar blouse open en schoof de stof opzij. Daisy sloot haar ogen. Haar beha had een sluiting aan de voorkant, en ze voelde hoe hij eraan frummelde. 'Help me, Daisy,' fluisterde hij. Toen voelde ze tussen haar borsten en maakte de sluiting los. Hij schoof haar beha opzij. Ze voelde de koele lucht op haar borsten.

'Wat prachtig, Daisy,' zei hij, en zijn warme vingers begonnen hun spel op haar huid. Ze voelde haar tepel weer hard worden toen hij er zacht in kneep. Hij kneep harder. Het deed een beetje pijn en Daisy maakte een geluidje.

Hij schoof naar beneden en Daisy voelde zijn mond nat en warm op haar borst. Hij kuste haar, hij likte haar, en toen sloot zijn mond zich over haar tepel en begon hij te zuigen, eerst zacht maar langzamerhand nam hij haar dieper in zijn mond met een gestaag wiegende beweging die Daisy in haar onderlichaam, in haar buik voelde. Hij bleef haar een hele tijd liggen zuigen en kussen. Daisy bewoog haar lichaam zacht op zijn ritme, het voelde zo geweldig, ze voelde het zo diep in zich. Hij keerde haar om – of misschien keerde ze zelf om, dat wist ze niet zeker – en nam haar andere borst, haar andere tepel in zijn mond. Daisy sloot haar ogen.

Toen hij ophield, schoof hij weer naar boven, zijn gezicht dicht bij het hare, maar hij bleef haar borsten aanraken. Zijn ogen keken naar zijn eigen handen en zij keek ook naar beneden. Zijn duimen bewogen heen en weer over haar tepels. Hij trok er zachtjes aan tot ze langer waren dan ze ooit voor mogelijk had gehouden, en ze kreunde. Hij kuste haar mond weer en kwam toen op haar liggen. Haar lichaam beantwoordde zijn gewicht. Ze bewoog dwingend tegen hem aan.

Na een minuut of twee kwam hij overeind op een elleboog. 'Daisy,' zei hij op conversatietoon. Ze deed haar ogen open en keek naar hem op. 'Je bent hier zo geweldig goed in.' Hij glimlachte en zij glimlachte terug. 'Wil je dat ik je genot bezorg zoals je dat bij jezelf doet?'

'Ja,' fluisterde ze.

Hij rolde van haar af en ging weer naast haar liggen, op een elleboog. 'Doe je broek open,' zei hij.

Glimlachend keek Daisy in zijn ogen, maar deed niets.

'Alsjeblieft,' vroeg hij.

Ze schraapte haar keel. 'Heel erg alsjeblieft,' zei ze.

'Ja, heel erg alsjeblieft.' Hij likte zijn vinger en raakte haar tepel weer licht aan. Ze voelde hem samentrekken.

Ze glimlachte en stak een hand naar beneden, en zijn hand was daar, onder de hare, gleed onder haar vingers terwijl ze de knopen op haar venusheuvel een voor een loswerkte. Toen ze klaar was, spreidde ze haar benen een beetje en zijn hand vond de plek waar ze zichzelf altijd aanraakte en begon eromheen te cirkelen, eerst langzaam en toen, bijna meteen, omdat hij haar nood voelde, harder en sneller.

Daisy spande haar lichaam, richtte zich helemaal op zijn aanraking, concentreerde zich alleen daarop, en toen kromde ze zich als een boog en met een schreeuw kwam ze klaar, en omdat hij maar cirkels bleef trekken, bleef zij klaarkomen, tegen zijn vingers duwend en hijgend.

Toen zij kalmeerde, kalmeerde zijn hand ook. Samen lagen ze daar. Daisy's ademhaling vertraagde langzaam. Ze opende haar ogen en keek naar Duncans gezicht. Hij glimlachte ontspannen. Ze glimlachte terug. Toen schoof hij zijn hand, zijn vingers, langzaam in het natte vlees tussen haar benen en weer omhoog – een streling, op en neer.

'Dat was snel,' zei hij.

'Ja.'

'Adembenemend, zelfs.'

Ze lachte.

'Vind je dit prettig?' vroeg hij. Zijn hand bewoog langzaam op en neer, in haar en dan weer omhoog naar haar clitoris.

'Ja.'

'Je bent erg nat.'

'Ja.' Ze bewoog een beetje mee.

'Dat is voor mij, weet je.'

Ze fronste en schudde haar hoofd.

'Zodat ik in je kan komen.' Zijn vingers waren een stukje in haar.

Ze lag plotseling roerloos en zwijgend.

'Ik zal niet in je komen, Daisy. Wees maar niet bang.' Zijn hand bleef bewegen, ze voelde zijn vingers weer in haar komen en weer naar buiten gaan.

'Je schaamhaar voelt raar,' zei hij op gesprekstoon. 'Je haar.'

'Ik heb het geschoren.'

Hij hield zijn hand stil. 'Je hebt het geschoren!' Hij grinnikte. 'Waarom?'

'Ik vond het vreselijk. Ik vond dat het er vreselijk uitzag.'

Zijn hand gleed weer naar beneden naar waar ze nat was. 'Je moet het niet vreselijk vinden.'

'Maar dat vind ik wel.'

'Het is mooi, Daisy.' Zijn vingers rustten in haar.

Ze schudde haar hoofd.

'Wel waar,' zei hij. 'Er is niets mooiers.'

'Laat eens zien,' zei hij. Zijn vingers kwamen uit haar en zijn hand gleed omhoog en weg.

Ze zei niets.

'Ik zal het doen,' zei hij.

Ze gaf geen antwoord.

'Ik zal degene zijn die het doet.'

Nu was Daisy bang. Waarvoor? Ze geloofde hem dat hij niet in haar zou komen. Was ze bang omdat hij naar haar zou kijken? Maar ze wilde het ook. Op dat moment voelde ze dat dat was wat ze het liefst wilde.

Hij reikte over haar heen en schoof haar spijkerbroek een beetje naar beneden over haar andere heup, en schoof hem toen naar beneden aan de kant van zijn eigen lichaam. Langzaam werkte hij hem naar beneden tot halverwege haar heupen, en toen kwam hij overeind. Haar lichaam voelde koud. Ze kruiste haar armen over haar borsten. Hij stond aan het voeteneind van het bed. Hij boog voorover en trok haar spijkerbroek en haar onderbroekje naar beneden. Ze hoorde ze op de grond ploffen.

Hij knielde bij het voeteneind van het bed. Hij hield haar voeten vast.

'Doe je benen wijd, Daisy.' Zijn stem klonk gespannen. Dat vond ze prettig – opwindend zelfs. Niemand had ooit zo tegen haar gesproken. 'Alsjeblieft,' zei hij.

Ze spreidde ze een klein eindje, en hij verplaatste zich zodat hij tussen haar voeten knielde en ze allebei aanraakte.

Ze keek naar zijn gezicht. Ze hoorde zijn ademhaling. Hij keek strak naar haar. Hij kwam naar voren op zijn knieën tussen haar benen en raakte haar weer aan. Met zijn hand op haar, zijn vingers weer op en neer glijdend, keek hij op naar haar en glimlachte. 'Je bent mooi, Daisy. Weet je dat?'

Ze trok haar schouders op.

'Echt waar. Echt waar, Daisy.' Nu greep hij haar knieën en duwde ze omhoog naar haar borst. Daisy stribbelde niet tegen. 'Houd je knieën vast, Daisy,' zei hij. 'Houd je knieën omhoog.'

Ze deed wat hij zei en greep haar knieën.

'Uit elkaar,' zei hij.

Ze bewoog niet.

Hij keek op naar haar gezicht en glimlachte weer. 'Heel erg alsjeblieft.' Zijn stem was streng.

Daisy spreidde langzaam haar benen en voelde haar eigen vlees ook opengaan.

Hij legde zijn wijsvinger op haar en ze hoorde het natte geluid dat dat maakte. 'Voel eens hoe heerlijk je bent,' zei hij.

'Voel je dat?' vroeg hij. 'Voel je je heerlijk?'

Zijn vingers cirkelden weer om haar heen, maar veel zachter en langzamer. Daisy hield haar knieën wijd en wiegde zichzelf langzaam heen en weer.

'Voel je je heerlijk?'

'Ja!' fluisterde Daisy.

'Doe jezelf verder open,' zei hij. 'Daisy!'

Daisy had deze keer langer nodig, maar het voelde geweldig. Toen ze klaarkwam, hield hij zijn vingers stil en drukte stevig op haar terwijl ze kronkelde, en hij liet zijn hand daar liggen toen ze klaar was.

Ze hijgde en had haar knieën laten vallen. Ze lag daar, opengespreid en uitgeput.

En toen duwden zijn handen haar dijen weer omhoog en voelde ze zijn mond.

HOOFDSTUK NEGEN

De dag na haar verjaarsfeestje had Eva Mark opgebeld en een afspraak met hem gemaakt. Ze vond dat ze moesten praten over wat er tussen hen gebeurd was, over de kus – al wist ze niet precies wat ze wilde zeggen. En ze wilde hem vertellen hoe haar gesprek met Daisy gelopen was. Ze spraken af op een avond de volgende week. Zij stelde voor om naar het café van de Auberge du Soleil te gaan. Ze had het idee dat het daar zo toeristisch was dat ze niet snel iemand tegen zouden komen die ze kenden.

Zodra ze opgehangen had, realiseerde ze zich hoe belachelijk die zorg was. Mark was het laatste jaar zo vaak bij haar thuis geweest, ze hadden zoveel dingen samen gedaan, dat iedereen die geïnteresseerd was dat allemaal allang had kunnen opmerken als hij had gewild. Er was toch al genoeg om over te roddelen, als je daarop uit was.

Toen bedacht ze dat ze de Auberge voor zichzelf had gekozen – dat zij misschien een openbare gelegenheid wilde. Want deze ontmoeting gaf Eva een ander gevoel dan alle andere – en de reden daarvoor was natuurlijk dat hij haar had gekust. Aan de andere kant dacht ze helemaal niet dat er iets zou gebeuren tussen hen. Dat was volkomen onmogelijk, en dat had ze Daisy de avond na het feestje ook verzekerd.

Maar wat was er dan precies anders? Ze wist het niet.

Zij was er als eerste en ging buiten zitten op het balkon dat om de buitenkant van het ronde café liep. Het had een spectaculair uitzicht over de brede, donker wordende vallei – dat was waar de toeristen op afkwamen. Dikke stammen van een oude blauwe druif kronkelden zich om de palen vanaf de grond en reikten naar het dak. Vanuit de vakantiehuisjes die verstopt lagen tussen de bomen onder aan de heuvel hoorde je de geluiden van een feestje – de stemmen en de muziek stegen gedempt op, er klonk gelach en af en toe een raar gekwaak. Links beneden Eva was iemand langzaam baantjes aan het trekken in het blauwverlichte zwembad.

Ze bestelde wijn en mineraalwater. Ze merkte dat ze opgewonden was, opgewonden om uit te zijn, om Mark te ontmoeten. Dat was het verschil, begreep ze opeens: het was in haar. En het kwam, erkende ze nu voor zichzelf, doordat ze toen hij haar de avond van haar verjaarsfeest had aangeraakt seksueel opgewonden was geraakt. Op dat moment was ze daar verward en verdrietig om geworden, maar ze had het direct erna aan Daisy uit moeten leggen, en tijdens het praten had ze zich gerealiseerd dat ze het evenzeer aan zichzelf als aan Daisy uitlegde; en wat ze zei klopte, dacht ze.

Ze had Daisy verteld dat er natuurlijk een oude, diepe band was tussen haar en Mark. Ze waren tenslotte getrouwd geweest. Ze hadden samen kinderen gekregen, van wie ze allebei hielden. (Daisy's gezicht had daarbij verachtelijk gekeken. Ze zat in een hoek op haar bed met een kussen tegen zich aan geklemd. Ze had niet gewild dat Eva met haar praatte, zelfs niet dat ze in haar kamer kwam. Ze had tegen haar geschreeuwd toen ze klopte, ga weg, laat me alleen, maar Eva was toch binnengekomen, en Daisy was snel over haar bed naar achteren gekropen waar haar moeder haar niet aan kon raken.)

Eva had op het voeteneind van het bed gezeten en niet eens geprobeerd dichterbij te komen. Alleen maar gepraat. Beneden had ze Mark het huis uit horen gaan, en daarna zijn auto horen starten en wegrijden.

Ze vertelde Daisy dat het vanzelfsprekend was dat Mark haar had willen troosten, haar vast wilde houden omdat ze verdrietig was – en heel even wist ze dat ze hier de boel verkeerd voorstelde: tenslotte waren haar tranen pas gekomen nadat hij haar had vastgehouden. Maar ze had het idee dat het ook zo had kunnen gaan als ze zei. En naarmate Eva verder praatte geloofde ze steeds meer dat het inderdaad zo gegaan was. Het leek redelijk en terecht dat het op die manier gegaan was.

Ze vertelde Daisy dat het natuurlijk oude gevoelens in Mark wekte als hij haar zo vasthield. In haar ook. Maar dat die gevoelens niet echt waren, het waren geen gevoelens van nu. Het waren geen gevoelens waar zij en Mark iets mee zouden doen. En vooral, het waren geen gevoelens die iets te maken hadden met John.

Daarop veranderde Daisy's gezicht. Ze leek geschrokken dat Eva Johns naam gebruikte in deze context. Ze keek zelfs bijna bang, en Eva voelde dat ze bij de kern was gekomen van wat het meisje verwarde: een soort verraad aan John waarover ze gerustgesteld moest worden.

Ze zei tegen Daisy dat ze haar en Mark moest proberen te beschouwen als heel oude vrienden, als dat lukte. Vrienden die erg veel van elkaar hielden, maar die geen minnaars waren. Die geen minnaars zouden worden, dat kon ze Daisy wel beloven.

Daisy had daar gezeten zonder naar Eva te kijken. Ze kauwde op haar knokkels en wiegde een beetje over het kussen dat ze vasthield.

Eva's vinger volgde het patroon van het borduursel op Daisy's sprei toen ze weer begon te praten. 'Dus waar jij net op stuitte, was... een restant. Het was als een oud, overgebleven stukje van wat we ooit voelden en dat eigenlijk te voorschijn kwam uit medelijden.' Ze keek op naar haar dochter. Daisy's gezicht was afgewend, haar lange, woeste haar verborg haar gezichtsuitdrukking voor Eva. 'Kun je dat niet zien, Dees? Die gevoelens – die gaan nooit helemaal weg.'

Daisy draaide haar hoofd traag, alsof de lucht waar ze het doorheen bewoog dik was. Ze leek opeens uitgeput. Ze draaide zich om en strekte zich uit met haar gezicht naar de muur. Haar lichaam leek enorm, eindeloos lang in Eva's ogen. 'Vast wel,' zei ze uiteindelijk.

Eva wist dat ze haar niet moest aanraken. 'Niet vast wel, Dees. Maar wat ik zei. Precies wat ik zei. Daar kun je van op aan.'

Het meisje keek snel over haar schouder.

'Ik meen het, Daisy. Het is een soort belofte. Oké?'

Er klonk een geritsel, een geschuif. Daisy zuchtte.

'Oké, Dees?' Eva gaf niet toe aan de impuls om Daisy's been aan te raken dat nu vlak bij haar lag. Het was gladgeschoren. Ze had niet geweten dat Daisy haar benen al schoor. Op de een of andere manier werd ze daar verdrietig van, het idee dat het meisje die overgang, die stap naar vrouw zijn in haar eentje had gemaakt.

'Ja. Oké.'

'Oké,' zei Eva. Ze liet haar stem opgewekt klinken. 'Oké, dan. Ik ga al. Ik ben al weg.' Bij de deur bleef ze staan en zei: 'Ik houd van je, liefje.'

Er viel een stilte. Toen zei Daisy weer: 'Oké.'

Eva ging weg.

Ze had gelogen tegen Daisy, dacht Eva nu. Het gevoel tussen haar en Mark was niet een restant. Mark had gezegd dat hij haar wilde. En toen hij haar aanraakte, had zij hem gewild.

De zon begon onder te gaan achter de bergkam, en in de vallei beneden gingen lichten aan. Er reed een regelmatige stroom verkeer over Silverado Road. Eva nam een slokje van haar wijn, een chardonnay.

Maar wat betekende dat eigenlijk, als ze hem wilde? Wilde ze met hem naar bed?

Dat was niet wat ze gevoeld had.

Wat ze had gewild was zijn aanraking, zijn kus – alleen maar door hem vastgehouden worden. Dat was wat ze het meest miste, in haar alleen-zijn. Aangeraakt worden. Vastgehouden worden.

Dus misschien had ze toch niet echt gelogen tegen Daisy. Ze leunde achterover in haar stoel. In elk geval was haar belofte goed. Ze zou niet met Mark naar bed gaan. Dat zou gekkenwerk zijn, het tegenovergestelde van troost: een manier om zichzelf weer open te stellen voor pijn. Tenslotte beschouwde ze hem als niet in staat tot trouw, tot loyaliteit. Ze had hem in de jaren sinds ze uit elkaar waren geobserveerd, ze had de stroom vrouwen die zijn leven in en uit liepen gezien. Ze hoorde de verhalen, van vrienden, van de meisjes.

Nee, in die richting lag rampspoed.

Hoewel ze niets tegen een flirt zou hebben, als ze die kon verbergen voor de kinderen. Ze zou er niets op tegen hebben hem te gebruiken om zichzelf te troosten – zoals, dacht ze, hij haar ooit had gebruikt.

O, kom op, Eva. Dat is niet wat er is gebeurd. Dat was de verbittering aan het woord. Hij had van haar gehouden. Ze geloofde dat hij van haar had gehouden. Hij was alleen niet in staat geweest om trouw te zijn, dat was alles.

Ze glimlachte. Dat was alles, dacht ze.

Ze nam weer een slok en liet de wijn door haar mond rollen voordat ze hem doorslikte. Aan het tafeltje naast haar stapten de twee stellen die hotels hadden zitten vergelijken nu over op restaurants – Terra, Tra Vigne, Mustards. Niemand had het over boekwinkels. En boekwinkels dan, wilde ze zeggen. Ze glimlachte weer. Ze kon het antwoord voorspellen. Hoezo boekwinkels?

Ze waren van middelbare leeftijd of ouder. Welgesteld. Een van de mannen kalend, de andere grijs, allebei droegen ze dure, nonchalante, vale truien, zoals die Andy Williams altijd aan had op de televisie. De vrouwen hadden een duidelijke, subtiele kleuring in hun haar. Ze waren zorgvuldig opgemaakt. Ze hadden felrode lippen. Dat deed Eva denken aan Daisy in haar hintskostuum vorige week op haar verjaarsfeestje, haar grote, donkere wond van een mond. Ze gebaarde naar de serveerster en wees op haar bijna lege glas dat ze er nog een wilde.

Mark liet haar schrikken toen hij haar schouder aanraakte. Ze had naar de lucht zitten kijken die nog lichtblauw was hoog boven de donkere vallei. Hij ging zitten met iets gretigs, iets opens en jongensachtigs in zijn gezicht. Toen de serveerster kwam, bestelde hij ook wijn. Eva keek hoe ze met elkaar praatten, hoe de serveerster op hem reageerde, zoals vrouwen altijd deden. Toen ze weg was, boog hij zich naar voren met zijn ellebogen op de tafel. Hij vroeg haar hoe het die avond met Daisy was gegaan.

Ze bracht verslag uit van het gesprek. Ze liet weg dat ze beloofd had nooit met hem naar bed te gaan en niet weer iets met hem te beginnen.

'Dat heb je goed gedaan,' zei hij.

'Tja. Dank je wel.'

'En dat vond ze verder oké? Ze leek zo kwaad toen ze... toen ze naar boven ging.'

'Ach, je kent Dees toch. Ze vond het zo oké als ze ooit iets oké zal vinden.'

De serveerster kwam hun wijn brengen. Ze keek hoe hij zijn glas ronddraaide en controleerde hoe de vloeistof aan de zijkanten bleef hangen, een gedachteloze gewoonte inmiddels. Ze praatten nog wat over Daisy, over zijn gevoel dat ze zich meer ontspande bij hem naarmate ze moeilijker was geworden voor Eva. Ze praatten over Emily, die over een paar dagen thuiskwam en hun allebei had geschreven die zomer – enthousiaste, lichtelijk neerbuigende brieven. 'Ach ja,' zei Eva, 'wat weten wij tenslotte van de wereld? Boerenkinkels die we zijn.' Hij praatte over het rijpen van de druiven, de voorbereidingen voor het persen. Ze praatten over de fatwa tegen Salman Rushdie, over hoe zijn leven nu moest zijn. Hij vertelde haar een George Bush-grap. Ze praatten over haar verjaardagsfeestje, over Gracie en Duncan.

Hij zei: 'Het voelt net als vroeger, Eva, zo te zitten praten.'

Hij zei: 'Het is fijn om zo tegenover je te zitten.'

Het was helemaal donker. De dure stellen waren naar een van hun restaurants vertrokken. De enige andere mensen die er nog waren, zaten aan de andere kant van het balkon.

Toen ze weggingen, zei hij: 'Zullen we dit nog eens doen? Zal ik je bellen?'

En ze zei geen nee. Ze zei niet: 'Nee, ik denk van niet.'

Ze zei: 'Ik weet het niet. Ik moet er even over nadenken. Ik zal jou bellen.'

En toen ze bij haar auto op het parkeerterrein stonden, liet ze toe dat hij haar vasthield en haar weer zachtjes kuste.

Ze belde hem, maar ze wachtte meer dan anderhalve maand, de anderhalve maand waarin Emily terug was gekomen uit Frankrijk en weer was vertrokken naar Wesleyan. Waarin Daisy weer naar school was en probeerde er een beter jaar van te maken dan het vorige – ze schreef zich in voor dingen en deed ze ook echt. Ze kreeg het zelfs vaak te druk met extra activiteiten. Anderhalve maand waarin Mark een keer langskwam om de meisjes samen op te halen, en Daisy een paar keer alleen, een keer samen met Theo. Waarin Emily lange brieven naar huis schreef die klonken alsof ze iemand anders was – opeens ouder. Opeens nieuwsgierig. Brieven die Eva voorlas tijdens het eten aan Daisy en Theo. Waarin ze nog twee keer uit was geweest met Elliott, de man met wie ze 'ging'. Anderhalve maand waarin ze Elliott ook toestemming had gegeven haar te kussen, maar alleen omdat het zo hoorde. Ze wist dat hij ervan uit zou gaan dat haar koelheid met John te maken had, en dat liet ze hem geloven. Tenslotte had het ook grotendeels te maken met John. Maar ze wist ook dat het anders had gevoeld toen Mark haar vasthield; en dat ze zich vrij zou hebben gevoeld om hartstochtelijker te reageren als ze zich bij Elliott zo had gevoeld als ze bij Mark deed.

Toen ze Mark weer belde, was het inmiddels half oktober. Ze was de avond tevoren uitgeweest met Elliott en had dat die ochtend in de boekwinkel aan Gracie – die even langs was gekomen voordat ze verderop in de straat naar haar eigen kantoor ging – beschreven als 'een heerlijke avond'.

En dat was het ook geweest. Ze vond Elliott elke keer dat ze hem zag aardiger. Hij had een zachte stem en was intelligent, met een soort trage, warme humor. Hij scheen net zo te genieten van kleine menselijke dingetjes als zij – iets wat een kind zei tegen iemand als je op straat liep, iets wat een van zijn patiënten hem had verteld – hij was psychiater. Zijn kinderen waren al volwassen, en ze vond dat hij leuk over ze praatte, ze vond het leuk dat hij zo trots op ze was en dat ze zo te horen een volwassen genegenheid voor hem hadden. Ze zat graag tegenover hem aan een restauranttafel met een glad wit tafelkleed en zwaar bestek. Ze vond dat hij er leuk uitzag, een beetje vaderlijk, een beetje gezet, bijna helemaal kaal, maar groot en stevig en aantrekkelijk. Hij had mooie handen – mooier, beter verzorgd dan de hare.

Gracie trok een gezicht. 'O, "een heerlijke avond",' imiteerde ze met een trillend oudevrouwenstemmetje. 'Je klink als een of andere douairière uit New England. Hou toch op.'

'Ik ben een douairière uit New England.'

'Wat een gelul,' zei Gracie. Ze bladerde in een groot salontafelboek over inrichting. Ze keek op naar Eva. 'Wat is een douairière eigenlijk precies?'

'O dat betekent een weduwe met geld. Een oud wijf met poen. Misschien is douarie een ander woord voor geld. Douarie, dinarie. Ik zal het opzoeken.'

'Nee, laat maar. De etymologie kan me geen bal schelen. Praat alleen niet meer zo.'

'Maar dat is gewoon wie ik ben, Gracie. Ik ben niet zoals jij. Ik kan dit niet doen op de manier waarop jij het zou doen.'

'O, liefje. Ik bedoel er echt niets mee. Als Duncan doodging, denk ik dat ik nooit meer uit zou gaan.'

'Maar Duncan gaat nooit dood.'

Gracie grinnikte. 'De schoft. Vast niet. Hij is te vals om dood te gaan.'

Toen Gracie weg was, maakte Eva de winkel klaar voor de dag – ze ruimde planken op en legde de stapels boeken op de tafels recht. Ze zocht douairière op: zoals ze al had gedacht. Hoewel het voornamelijk werd gezegd van dames van adellijken huize. Gravin Eva. Om tien uur kwam Callie binnen en ging Eva naar haar kantoor om de klanten te bellen over hun bestellingen die de vorige dag binnen waren gekomen.

Nu en dan dacht ze die dag aan Elliott, die ze aardig vond maar naar wie ze niet verlangde, en aan Mark, naar wie ze misschien wel verlangde, maar met wie ze nooit meer iets wilde beginnen.

Was dat het? Was dat wat ze voelde? Ze wist het niet. Ze had het idee dat ze het moest weten, dat ze het allemaal duidelijk moest krijgen. Misschien móést ze Mark nog eens zien.

Maar al toen ze het dacht wist ze dat dit verdacht was. Wat ze wilde was zijn aandacht, zijn verlangen naar haar. Waarom? Omdat het een goed gevoel gaf als er iemand naar je verlangde. Ook al was dat verlangen iets wat hij gul rondstrooide, het was prettig als het zich op jou richtte. Als ze met Mark flirtte en maakte dat hij weer seksueel aan haar dacht, voelde ze zich weer levend. Misschien was dat wat ze nu nodig had. Misschien hoorde dat bij het herstellen van Johns dood, zich sexy voelen bij iemand die niet gevaarlijk was, iemand uit haar verleden. Iemand met wie ze niet naar bed zou gaan.

Of was ze misschien Mark aan het straffen? Een soort verlate wraak voor de pijn die hij haar jaren geleden had bezorgd, nu ze wat macht over hem leek te hebben?

Misschien kon ze best met hem naar bed. Of niet? Beelden van verschillende keren dat ze met elkaar gevreeën hadden kwamen snel in haar op, en ze probeerde ze weg te krijgen door zich bezig te houden met een paar tekorten die ze in de boeken tegenkwam.

Ze lunchte met een vertegenwoordiger die haar altijd aan het lachen maakte. Toen ze terugkwam, vertelde ze Callie drie nieuwe moppen, een over een pratend paard, een over een eend die druiven bestelde in een café en een over een vergeetachtige oude man in een hoerenkast.

Om vier uur kwam Daisy binnen. Eva zat in haar kantoor, maar ze hoorde de stem van haar dochter door de stemmen van Callie en Nancy heen terwijl de twee oudsten zich klaarmaakten om te vertrekken. Ze kwam naar buiten om Daisy te begroeten en afscheid te nemen van de twee vrouwen.

Daisy was vriendelijk en gemakkelijk zolang de anderen er nog waren, maar zodra die weg waren, viel de lichte kilte die hun verhouding nu tekende tussen hen in. Haar gezicht werd stil en somber, ondoorgrondelijk, toen Eva met haar doornam wat er gedaan moest worden. 'Ik ben in het kantoor als het te druk wordt,' zei ze.

'Ja,' antwoordde Daisy die al in elkaar gezakt op de kruk achter de toonbank hing. Ze keek niet naar Eva. Ze vouwde een stuk papier steeds weer op.

Eva zat in het kantoor achter de computer en de kolommen amberkleurige cijfers gloeiden op het scherm. Wat een ellendige toestand met Daisy! Het was alsof het meisje haar Johns dood verweet. Sindsdien kon ze niets meer goed doen. Niet toen ze verzonken was in verdriet. Niet toen ze een beetje bij begon te komen. En al zeker niet uitgaan met Elliott of dat gedoe dat ze had gezien met Mark. Er was nooit een moment van luchthartigheid of vanzelfsprekendheid tussen hen. Ze kon zich niet meer heugen wanneer Daisy voor het laatst had gelachen waar zij bij was.

Ze stond op en ging naar de deur. Toen ze de gang in stapte, zag ze dat Daisy iets deed met de kassa.

'Dees,' zei ze.

Het meisje schrok op en keerde zich om. De la sloeg dicht.

'Ik wilde je niet laten schrikken,' zei Eva en liep naar de toonbank. Daisy bekeek haar oplettend, alert.

'Ik weet twee goeie moppen,' zei Eva.

'O! Cool,' zei Daisy, bijna buiten adem leek het. Ze ging weer op de kruk zitten. Ze was een en al aandacht en glimlachte – glimlachte! – toen Eva van wal stak. Bij allebei de clous lachte ze hard.

'Stom zijn ze, hè?' vroeg Eva met een grijns naar haar dochter. Wat was ze eigenlijk prachtig als haar gezicht opklaarde.

'Stom is niet erg,' zei Daisy. 'Voor een mop tenminste.'

'Ja, zo is het toch? De stomheid is een deel van de pret.' En toen, omdat dit moment haar gelukkig had gemaakt en omdat ze niet te ver wilde gaan, ging ze rechtop staan. 'Weer aan het werk,' zei ze.

Maar in haar kantoor was ze rusteloos, te afgeleid door de warme verrassing van Daisy's reactie om zich te kunnen concentreren.

Ze belde Mark. Hij zat in zijn auto, dat kon ze horen. Zijn stem werd zachter in reactie op de hare, hij zei haar naam.

'Ik heb net onze sombere jongste dochter niet een maar twee moppen verteld, en ze heeft om allebei gelachen.'

'Jezus, dat zijn moppen die ik ook wil kennen.'

Ze vroeg of hij die avond tijd had. Aan de aarzeling in zijn stem voordat hij zei: 'Natuurlijk,' wist ze dat dat niet zo was.

'Je hoeft geen afspraken af te zeggen voor mij,' zei ze. 'Maandag dan?'

'Maakt mij niet uit.'

'Maandag dan. Komt mij eigenlijk ook beter uit. Een borrel na het eten? Net als anders?'

Zondagavond kwam Daisy hevig verontwaardigd naar beneden in een badhanddoek. Er was geen warm water.

Eva zat te lezen. Ze was nog maar sinds kort weer in staat om te lezen, hele boeken – dat had ze bijna een jaar lang niet gekund. Nu keek ze ernaar uit. Naar het boek, dat in de woonkamer op haar lag te wachten nadat ze Theo naar bed had gebracht. Dat naast haar bed lag te wachten. De kring licht die op de witte lakens viel, de subtiele geur van het papier, de inkt, de ordening van de woorden op de bladzijde. Nog één hoofdstuk, en dan misschien nog een. Iets willen wat ze zo gemakkelijk kon krijgen. Toen het weg was geweest, was ze niet in staat geweest het te missen – ze ging te veel op in haar verdriet. Maar nu het terug was, was ze deze oude liefde – boeken, de woorden – dankbaar dat ze terug waren, dat ze haar herinnerden aan de mogelijkheid van genot, van verlangen. De mogelijkheid uit haar eigen leven te stappen in andere.

Ze legde haar vinger op de bladzij en keek naar Daisy. 'Tja, dat kan gebeuren. Dit is geen hotel. Het is een oud, versleten huis.'

'Maar kun je het niet repareren?'

'Ik denk van wel en ik zal het proberen, als je me iets minder behandelt als een bediende.'

'O, jezus, mam.'

'En ook iets minder zo, Daisy.'

'O, goed dan.' Daisy gooide haar haar achter haar schouders. Ze legde een nieuwe, kunstmatig lieve uitdrukking op haar gezicht. 'Lieve moeder, liefste moeder,' zei ze, 'zou ik u misschien mogen vragen of u alstublieft iets kunt doen aan het feit dat er alleen koud water komt uit de warmwaterkraan?'

Eva stond op. 'Ja, liefste dochter van me. Maar ook al krijg ik het weer aan de praat, het zal een poosje duren voor het weer warm is, dus je kunt beter wat kleren of een pyjama aandoen terwijl je wacht.'

Eva ging naar de dienkeuken naast de gang tussen de woonkamer en de keuken. Ze haalde lucifers en een zaklantaarn uit de laden. Ze liep de trap naar de kelder af. Hij was onafgewerkt, vol spinnenwebben en donker, een plek die ze allemaal vermeden. De ketel stond achterin. Ze knielde ernaast en deed de klep open. Toen ze zich erover boog kon ze zien dat de waakvlam inderdaad uit was. Ze legde de zaklantaarn zo neer dat de straal in het gat scheen. Ze stak een hand naar binnen, drukte de gasknop in en hield er een lucifer bij. Met een enthousiast plofje floepte de waakvlam aan; en een paar seconden later sprong nog enthousiaster ook het gas aan.

Eva dekte de opening weer af en wilde net opstaan toen ze de lijmval achter de ketel zag. Het was een van de vele die her en der in de kelder lagen. In de meeste lagen alleen maar insecten en gruis. Maar in deze val was een muis doodgegaan – maanden geleden zo te zien. In elk geval was het vlees allang door beestjes opgegeten. Het skelet lag op zijn zij opgekruld op de doorzichtige lijm. Eva pakte de val voorzichtig op, zonder het plaksel aan te raken, en bekeek hem van dichtbij.

Het was volmaakt – de fijne miniatuurbotjes van de pootjes, de uitgeholde, klokvormige broosheid van de lege witte ribbenkast, het schedeltje, de tandjes kleiner dan de kleinste rijstkorreltjes. Ze werd getroffen – en kreeg opeens zelfs tranen in haar ogen – door de extravagantie, de verspilling: zoveel schoonheid verspild aan dit kleine dode schepseltje, dat nutteloos of nog minder was voor haar. Ze dacht aan John, aan zijn botten. Hoe die hadden gevoeld toen ze ze had uitgestrooid, hier en daar brokjes in de gruizige as, die haar herinnerden aan zijn uiteindelijke breekbaarheid, aan de manier waarop hij zo snel en achteloos was vernietigd, het bot dat wie hij was had beschut maar dat zo makkelijk in stukjes was geslagen. Precies zulke stukjes als ze langs het pad op de berg van St. Helena had gegooid toen ze zijn as uitstrooide.

Over twee weken zou hij een jaar dood zijn. Misschien waren hij en de muis tegelijk gestorven. Ze had niet gedacht dat ze zijn dood zo zou markeren. Dat leek haar morbide, gruwelijk. Ze kon hem zich beter levend herinneren, elke dag – zoals ze ook deed, dacht ze – dan een hele heisa maken van de dag dat hij gestorven was.

Maar opeens, toen ze het kleine, witte blad met de dode muis vasthield, kreeg ze het gevoel dat ze hem had verraden. Dat ze op de verkeerde weg was, met Mark, met het eerste begin van gevoelens voor hem die ze zichzelf had toegestaan. Zelfs de manier waarop ze eraan dacht, de manier waarop ze het afgrensde in haar hoofd, leek verkeerd, respectloos voor wat ze had gehad met John.

Ze stelde zich voor hoe ze de muis mee naar boven zou nemen naar John, zoals ze gedaan zou hebben als hij nog leefde, en hoe ze zich er samen over verwonderd zouden hebben. Een kleine Yorick, had hij misschien gezegd. Yorick-ini. En dan zou John ongetwijfeld de halve passage uit zijn hoofd hebben gereciteerd.

Toen ze naar boven ging, gooide ze de lijmval weg, en legde er keukenpapier bovenop in de vuilnisbak zodat Daisy of Theo hem niet zouden zien en ervan walgen of schrikken. Ze waste haar handen. Ze ging naar boven naar Johns studeerkamer en zocht de passage met Yorick op.

Zittend aan zijn bureau las ze: 'Hier zaten die lippen, die ik, hoe dikwijls weet ik niet, gekust heb. Waar zijn uw grappen nu? uw sprongen? uw liedjes? uw kostelijke kwinkslagen, die de gehele tafel steeds deden schateren?' Ze hield de tranen tegen. Goedkoop, vond ze. Toen las ze: 'Ga nu eens naar de kleedkamer van de edele vrouwe, om haar te vertellen dat, al blanket zij zich een duim dik, haar toekomstig gelaat zo is; breng haar daarmee eens aan 't lachen.'

Een beeld van haar moeder, haar gezicht doorgroefd en verbitterd door de lijnen van de ouderdom doemde in haar hoofd op – haar moeder zoals ze haar sherryglas met een tik neerzette en sprak: 'Zoals ik al zei, liefje, de dood.'

Toen ze die maandagavond het huis uit ging om Mark te ontmoeten, wilde ze niet gaan. Ze had er spijt van dat ze hem had gebeld. Ze zag het als zwak van haar kant, verkeerd – het verlangen om te flirten, vastgehouden te worden, bewonderd, of, op Marks manier, bemind te worden. De herinnering aan John moest genoeg voor haar zijn vond ze. Zijn nagedachtenis. Er was werkelijk van haar gehouden. John had van haar gehouden. En ze had geleerd hoe ze van hem moest houden.

Toen ze tegenover Mark zat, voelde ze zich afstandelijk en droevig. Hij zag er geweldig uit. Hij had als een gek gewerkt aan het eind van het persen, zei hij, en ze herinnerde zich hoe dol hij altijd was geweest op dit seizoen, de onafgebroken drukte, de opwinding. Zijn handen om zijn glas waren donker van het vuil.

Hun gesprek sprong meer van de hak op de tak dan anders. De energie om te flirten, om aantrekkelijk gevonden te worden was gedoofd in Eva. Ze merkte dat ze bedacht hoe laat het al was, nadacht over hoe lang ze nog moest blijven, ernaar uitkeek thuis aan te komen, nog een poosje te lezen en te gaan slapen. Wellicht ook dromen, dacht ze.

Mark vroeg haar naar de moppen, en eerst wist ze niet waar hij op doelde. Maar toen vertelde ze ze, inclusief die ene die ze niet aan Daisy had verteld, over de oude man in de hoerenkast.

Hij lachte. Ze bleven een hele tijd zwijgend zitten. Het leek of ze niets meer te zeggen hadden. Eva wilde net zeggen dat ze naar huis moest, ze wilde een smoes verzinnen over Daisy die hulp nodig had bij haar huiswerk, toen hij zei: 'Vergelijk je mij soms met andere mannen die je kent? Ik bedoel, als je hier met mij zit?'

'Andere mannen die ik ken?'

'Die vent met wie je gaat, bijvoorbeeld.'

Ze trok een gezicht. 'Zo, de tamtam werkt goed.'

Hij haalde zijn schouders op. 'Gracie,' zei hij. 'Onze vriendin.'

Gracie. Ze knikte. 'Ach, ik zou geloof ik niet willen zeggen dat ik met hem ga. Dat lijkt een meer... een grotere betrokkenheid in te houden dan waar ik op het ogenblik aan denk.' Ze zag zijn gezicht veranderen, een spanning week. 'Maar ik neem aan dat ik ooit wel heb nagedacht over de verschillen tussen de mannen die ik heb gekend, waaronder jij. Dat is toch niet meer dan menselijk? Maar ik geloof niet dat ik dat heb gedaan terwijl ik bij jou was, als je dat bedoelt.'

'Nee, dat is niet wat ik bedoel.'

'Wat bedoel je dan?'

'Ik weet het niet.' Ze zaten vanavond binnen in het café. Het was koel en donker buiten, de hoge ramen achter hem waren zwart. 'Ik denk... wat je wilt. Waarom je me hebt gebeld. Waarom we hier zijn.'

Eva schaamde zich, geneerde zich. Maar hij had het recht om haar dit te vragen, omdat zij ook niet had geweten wat ze deed toen ze hem belde. Ze zocht moeizaam naar een reactie, een antwoord dat hem niet zou kwetsen.

'O, Mark, ik weet het niet,' zei ze. 'Omdat ik menselijk ben. Omdat ik alleen ben en soms is dat moeilijk.' Hij boog voorover en wilde haar aanraken, maar ze ging verder. 'Omdat je aardig bent geweest en... attent, en ik had het gevoel dat ik dat nodig had. Geen eenduidige antwoorden.'

'Nee.' Hij keek strak naar haar gezicht.

Ze was vergeten hoe mooi hij kon zijn, hoe heerlijk het kon zijn alleen al naar hem te kijken. 'Ik denk dat ik weg moet.'

'Ik wilde dat je bleef.' Zijn handen kwamen over de tafel en sloten zich over de hare.

'Nee, echt, ik moet weg.' Ze trok haar handen onder de zijne vandaan en gebaarde naar de serveerster.

Er viel een stilte tussen hen. Eva keek weg van hem, uit het donkere raam. Kaarsen flakkerden op de lege tafels buiten. 'Ik heb het gevoel dat ik je mijn excuses moet aanbieden,' zei ze.

'Waarom?'

Eva wist niet hoe ze het moest formuleren. Omdat ik mezelf verkeerd heb begrepen? Omdat ik jouw genegenheid heb gebruikt om mezelf te troosten? Omdat ik je gebruikt heb? 'Ik ben zo... labiel geweest, geloof ik. Niet mezelf. Ik denk eigenlijk dat ik maar heel langzaam weer mezelf aan het worden ben. Ik heb zo'n beetje... om me heen geslagen. Ik wist niet wat ik wilde.'

'Nou, dat is toch niet zo gek, gezien de omstandigheden?'

'Nee, vast niet. Maar het stoort me als ik het me realiseer.'

'Je bent erg streng voor jezelf.'

'Niet streng genoeg, dat verzeker ik je.'

Hij glimlachte naar haar. 'Eva. Je bent altijd te streng voor jezelf.'

'Ach, dat is dan kennelijk hoe ik moet zijn.'

De serveerster legde de rekening neer in een leren omslag. Ze grabbelden er allebei naar en streden erom, maar Eva stond erop te betalen. Tenslotte had zij hem uitgenodigd, zei ze. En ze was niet eens prettig gezelschap geweest.

Ze voelde een drang om weg te zijn, bijna een fysieke noodzaak. Ze liet te veel geld achter als fooi omdat ze niet wilde wachten op wisselgeld. Ze stond op. Zonder te praten liepen ze door het café en de foyer met het gigantische boeket lelies naar het parkeerterrein. Eva liep net voor Mark uit. Bij haar auto keerde ze zich om om afscheid te nemen. Mark stak zijn armen uit en zij stapte in zijn omhelzing – voor de laatste keer, zei ze tegen zichzelf. Het voelde zo vertrouwd, zo heerlijk, zijn lange, gespierde lichaam, zijn geur. Ze had het gevoel dat ze hun jeugd samen vasthield, hun begin, hun verwachtingen en vervolgens alles wat dat had bedorven. Ze had het gevoel dat ze haar verleden vasthield, iets waar ze al afscheid van had genomen, met veel moeite, en waar ze nu onverwacht opnieuw afscheid van moest nemen.

Hij kuste haar, en zij kuste hem terug, maar toen hij haar harder tegen zich aan drukte, trok ze zich een beetje terug. Met haar handen nog om zijn nek, boog ze haar hoofd en legde haar voorhoofd tegen zijn borst. Zijn handen gleden op en neer over haar rug.

'Dit is alles wat ik wil, Mark,' zei ze even later, en toen deed ze een stap bij hem vandaan en bukte zich om haar portier open te doen.

Ze keek niet naar hem toen ze achteruitreed, toen ze schakelde en naar het hek bij de ingang van het parkeerterrein reed. Maar ze kon het niet laten in haar achteruitkijkspiegel te kijken voordat ze de oprit op draaide, en hij stond daar nog waar ze hem had achtergelaten, zijn gezicht en zijn overhemd bleke vegen in het schemerige licht.

Terwijl ze langzaam over de kronkelige oprit reed, werd ze overweldigd door een gevoel van verlies, een gevoel waar John bij hoorde, en op een bepaalde manier zijzelf ook. Het zou niet zo moeilijk moeten zijn, elke keer weer, dacht ze. Het is te moeilijk. Ze liet het gas los en stopte bij de weg en wachtte, terwijl de richtingaanwijzer gelijkmatig knipperde, tot ze de tranen die in haar keel en ogen opwelden terug had gedwongen, tot ze weer helder kon zien en de weg naar huis kon inslaan.

HOOFDSTUK TIEN

Duncan had overal een mening over.

(Pas na Duncan, jaren na Duncan, toen Daisy relaties begon te krijgen met mensen van haar eigen leeftijd, studenten, realiseerde ze zich hoe ongebruikelijk dat was. Ze lag naast een nieuwe minnaar en hoorde hen praten, hoorde hen hun verhalen vertellen – over hoe ze een keer 's zomers van huis weg waren gelopen, over hoe hun broer was omgekomen bij een auto-ongeluk op de middelbare school en het gezin nooit meer hetzelfde was, hoe hun moeder zwaar aan de drank was gegaan en ze eindelijk als gezin hadden ingegrepen – en ze miste Duncan: zijn blanco verleden en zijn eindeloze meningen. Ik ben niet geïnteresseerd in verhalen, dacht ze vaak. Ik zou jou een verhaal kunnen vertellen. En hoe zit het met jouw meningen?)

Duncan vond dat het probleem met hedendaagse politici was dat ze niet geloofden dat er een permanent en diep kwaad in de wereld school. Daarom waren ze niet in staat het leven te begrijpen of er een duister plezier in te scheppen, ze hadden geen esprit. Kennedy was de laatste president met werkelijk esprit, zei hij, en dat kwam doordat hij katholiek was en de krachten van het kwaad begreep.

Duncan was van mening dat de Napa-vallei absurd en aanstellerig was geworden. Dat hij alles vertegenwoordigde wat slecht was en slechter zou worden in Amerika wat betreft de verhouding tussen rijkdom en ras. Uiteindelijk zou alles zo duur worden dat geen normaal mens zich de wijn nog zou kunnen veroorloven, en de Mexicanen zouden nog steeds in de krakkemikkige huisjes wonen en slecht bier drinken, en iedereen zou nog steeds doen of dat allemaal prima was omdat het een ander soort was dan de blanken die druiven kweekten.

Duncan vond haar smaak in films idioot. Hij vond dat de enige hedendaagse regisseurs die films maakten die de moeite waard waren Robert Altman, Alan Rudolph en de gebroeders Coen waren, en af en toe iets van Woody Allen. Ze moest hem niet aan komen zetten met Bergman. (Dat had ze ook niet kunnen doen, want ze had nooit een van zijn films gezien.) Bergman, zei hij, die oplichter, die zijn kunst gebruikte om te moraliseren, simplistisch te moraliseren over goed en kwaad.

Duncan dacht dat het gebruik van computers pas wijdverspreid zou worden als de technici die verliefd waren op wat ze hadden gecreëerd, zouden ophouden met doordrammen dat ieder ander er ook verliefd op moest worden. 'We zijn Amerikanen,' zei hij. 'We willen iets wat we aan kunnen zetten en dat het dan doet. Net als de auto. Net als het elektrische licht. We willen de complexiteit niet hoeven bewonderen of erbij betrokken zijn. We willen niet begrijpen hoe. Amerikanen houden zich niet bezig met het hoe. We willen gewoon op het knopje drukken en gelukkig zijn.'

Duncan was van mening dat Amerikaanse meisjes kleurloos waren. Saai. Omdat ze geen cultuur hadden, hadden ze geen diepe seksualiteit. Hij had Daisy gered van dit lot. Hij zou een verhaal zijn waar ze later interessant om zou worden gevonden.

'Ja, ja, en aan wie in de hele wijde wereld zou ik dit speciale verhaal ooit vertellen?'

'Ik beloof het je, Daisy, het zal gebeuren.' Opeens glimlachte hij. 'En als je over me spreekt,' – ze hoorde dat hij iemand imiteerde, iemand citeerde – 'wees dan mild.'

Dit alles en nog veel meer absorbeerde Daisy in de loop van die herfst, terwijl ze tegelijkertijd van Duncan alles leerde over haar eigen lichaam en hoe het genot kon voelen. Want ze was naar hem toe blijven komen.

Hoewel ze na die eerste keer niet had geweten dat ze dat zou doen. Die middag in de auto op de terugweg naar St. Helena, had hij gezegd: 'Zo, nu staan we quitte, Dees.'

Ze wist niet zeker wat hij bedoelde. Ze was verbijsterd over wat ze hadden gedaan, wat zij had gedaan.

En nu zei hij dit. Was het afgelopen, nu al? Was dat alles wat hij wilde? Hield het hier op? Was dit hoe het werkte bij grotemensenseks?

Natuurlijk wist ze dat het eigenlijk niet eens seks was – hij had zijn penis niet in haar gestoken; ze had niet eens zijn penis gezien – maar misschien waren dat de regels.

Ze zei op onverschillige toon, hoopte ze: 'Oké.' Ze keek opzij uit het raampje naar de helling die oprees aan de oostkant van Silverado Road, naar de opritten die naar boven liepen, de huizen die je kon zien door de bomen en de struiken.

'Natuurlijk,' zei hij na een poosje, 'als je dit nog een keer zou willen doen, een drupje thee drinken, zeg maar, ben ik bereid. Wat denk je ervan?'

Ze keek hem aan. Zijn gezicht was prettig leeg, ondoorgrondelijk. Ze haalde haar schouders op. 'Maakt me niet uit,' zei ze.

Toen grinnikte hij. 'Leugenaar,' zei hij. 'Hete bliksem.'

Ondanks zichzelf glimlachte ze even. 'En?' zei ze een minuut later. 'Wat vind jij?'

'Waarvan?'

Daisy keek weer uit het raampje. 'Of we het moeten doen.'

'Ik vind dat we het moeten doen, Dees.'

Haar hart bonkte hevig.

'Jij niet?'

Ze haalde weer haar schouders op.

'Toe nou, Daisy. Ik zal je slaaf zijn. Ieder tienermeisje zou een slaaf moeten hebben, vind je niet? Ik zal mijn handen overal leggen waar je het prettig vindt. Ik zal mijn mond overal leggen waar je het prettig vindt. Ik zal naar je kijken en je gewoonweg aanbidden. Alle onderdelen van je.'

Ze hield haar gezicht van hem afgewend, maar ze voelde zichzelf blozen.

'Je vond het toch prettig, Daisy?' Zijn stem klonk opeens ernstig, en ze keek hem aan.

'Ja,' zei ze. 'Ik vond het heerlijk.'

'Zou je het nog eens willen doen?'

'Ja,' zei ze, en had een raar, zwaar, gezwollen gevoel tussen haar benen, in haar onderbuik.

'Mooi.' En toen ze een hele tijd niets meer zei, vroeg hij: 'Is er een probleem?'

Ze zei: 'En Gracie dan?'

Dat was niet wat ze bedoelde, niet echt. Hoewel ze gezegd zou hebben dat ze van Gracie hield, gaf ze niet echt om haar in verband met wat er net was gebeurd met Duncan. Ze bedoelde iets anders, iets over wat alle andere volwassenen zouden denken, iets over hoe illegaal dit was. Ze wilde dat hij dit erkende, dat hij het voor haar verklaarde, hoewel ze de woorden om het te vragen niet had kunnen vinden.

'Ach, we moeten het maar niet aan Gracie vertellen, vind ik.' Ze zag zijn mond een beetje vertrekken. Hij keek haar aan. 'Net als we Eva niet vertellen van je ontvreemding.'

'Dat is niet wat ik bedoelde,' zei ze. En toen: 'Het is trouwens niet hetzelfde.'

'Maar in een bepaald opzicht ook weer wel. Jij steelt van Eva wat van Eva is, omdat je daar behoefte aan hebt, om je eigen persoonlijke redenen, en ik steel van Gracie wat van haar is om mijn eigen persoonlijke redenen, zou ik zeggen. Zit het niet zo?'

Ze antwoordde niet. Je hoefde Duncan niet altijd antwoord te geven, begon ze te ontdekken.

'Heeft Eva het eigenlijk gemerkt?' vroeg hij.

Ze schudde haar hoofd. 'Nee,' zei ze aarzelend.

'En ik kan je beloven dat Gracie het ook niet zal merken.'

'Maar...' Ze zocht naar wat ze precies van hem wilde weten.

'Wat?'

'Hou je niet van Gracie?'

'Liefde,' zei hij. 'Ik geloof niet erg in liefde. We zien wat liefde met je doet. "Love is all you need". "Love is in the air".' Hij keek naar haar. 'We zijn het daar niet mee eens, hè Daisy? We begrijpen dat liefde een idee is, een enorm vet uitvergroot westers idee. Cultureel bepaald.' Zijn stem spotte met zijn eigen woorden. En toen citeerde hij iets, iets wat Daisy jaren later met een schok zou herkennen toen ze zich voorbereidde op de auditie voor een toneelstuk. 'De mensen zijn van tijd tot tijd gestorven en door wormen gegeten, maar niet van liefde.'

Daisy wachtte even en zei toen: 'Maar houd je van Gracie?' Ze wist dat ze hem dit eigenlijk over haarzelf vroeg, maar dit leek de vorm die de vraag moest krijgen.

‘Ach, natuurlijk, ik ben verslingerd aan Gracie. Gracie maakt voor eeuwig en altijd deel uit van mijn leven en van wie ik ben, tot de dood ons scheidt.’

Opeens voelde Daisy tranen opkomen. Ze boog haar hoofd. Ze waren nu in de stad. Ze verzamelde haar boeken, haar huiswerk op de bank naast zich. Ze zag hem door een waas.

‘Maar de vraag is natuurlijk, hoe zit het dan met jou, toch?’

Zijn stem was verrassend vriendelijk, maar ze keek hem niet aan.

‘Ik aanbid je, Daisy. Ik verlang naar je. Ik denk de hele tijd aan je lichaam en je mond en je benen. Ik heb er... vaak aan gedacht. Aan precies doen wat we vanmiddag hebben gedaan.’ Ze waren nu van Main Street afgeslagen. Hij reed een half blok voorbij Kearney en ging toen naar de kant. Hij zette de auto in zijn vrij en keerde zich naar haar toe. ‘Daisy,’ zei hij. ‘Ik ben blij. Ik ben blij dat je het zo fijn vond. Dat je het nog een keer wilt doen. Dus nu zal ik eraan denken hoe prachtig je kortgeknipte poesje is, en hoe je smaakt, en hoe het voelt als ik mijn vinger in je steek en naar je kijk als je jezelf open houdt voor me. En aan hoe je eruitzag in Gracies oude badpak met je meterslange benen. Dat was fantastisch, Daisy. En aan hoe je eruitzag toen je, als een verrukkelijke giraf, door de straat liep met je schoolboeken in je armen en je haar als een waterval achter je aan. En hoe je eruitzag toen je je heen en weer gooide op mijn bed.’ Hij stak zijn hand uit en streelde haar haar.

Ze glimlachte naar hem.

‘Grom,’ zei hij en trok er een beetje aan met zijn vingers. Het deed pijn.

Hij liet zijn hand zakken. ‘Ga maar snel, Dees. Je bent vast te laat voor het eten.’

Ze verzamelde haar boeken en keek weer naar hem. ‘Wanneer?’ vroeg ze.

‘Heerlijke Daisy.’ Hij glimlachte. ‘Wanneer je maar wilt. Wanneer je maar kunt. Ik sta tot je beschikking.’

‘Ik kan donderdag.’

‘Goed dan, donderdag,’ zei hij. ‘Ik tref je onderweg naar huis van school. Dan houden we een verrukkelijk rendez-vous-tje.’

Toen ze het portier achter zich sloot, bukte ze zich en keek naar hem, hopend op een teken. Hij keek de andere kant op maar hij voelde haar blik. Hij keek om en maakte een bijtende beweging naar haar.

De volgende dag legde ze een briefje in het postvak van mevrouw Loomis waarin ze zich terugtrok uit het koor, dat op donderdagmiddag oefende. Haar moeder had haar nodig, stond in het briefje. Ze begon iets te schrijven dat direct verband hield met Johns dood, maar zodra ze daarmee begon, werd ze overspoeld door schaamte. Ze kraste de woorden door en zette er alleen haar naam onder.

De volgende anderhalve maand kreeg Daisy het voor elkaar Duncan meestal twee keer per week te zien, soms drie keer als ze haar pianoles ook oversloeg. Ze loog nu voortdurend tegen Eva – ze loog over naschoolse activiteiten, over koor en muziek en sport. Ze loog tegen Mark dat Eva haar nodig had in de winkel. Ze loog tegen haar pianoleraar over conflicten, dingen die ertussen waren gekomen. Maar natuurlijk, zei ze, zou Eva hem gewoon doorbetalen.

De wereld vernauwde zich voor haar, en Duncans atelier werd het centrum, de plek waar ze het meest het gevoel had dat ze leefde. Ze droomde ervan, seksuele dromen over hoe het licht binnenviel door de dakramen, over de ordelijkheid en de rust. In deze dromen kwam de ruimte soms uit op andere kamers, andere ruimtes, met iets mysterieus en wijds dat haar aansprak en opwond.

Ze voelde zich omgeven door Duncans aandacht voor haar lichaam. Ze hield van zijn absolutisme. Ze hield van hoe hij eruitzag, de donkere, nuchtere ogen die nooit mee leken te doen met de moppen die hij vertelde of zijn sarcasme. Ze hield van de fijne lijntjes die zijn bleke huid doorgroefden, de manchetten van zijn overhemden omgeslagen over zijn pezige onderarmen. Ze hield van zijn zachte, bruine haar, glanzend op zijn kruin en grijzend bij zijn oren.

Ze had het gevoel dat hij haar een nieuwe versie van haarzelf gaf, een versie die ze steeds meer met zich meenam haar werkelijke leven in. Ze voelde zich op een bepaalde manier verheven; ze voelde zich verheven boven de dagelijkse lelijkheid van school. Ze was minder bang, minder verlegen. Ze zag dat er een uitweg zou zijn. Niet dat Duncan die zou vormen – dat begreep ze – maar dat ze in staat zou zijn te ontsnappen. Hoe, had ze niet kunnen zeggen, maar ze wist het zeker.

En ze hield van de vreemde seks, die zo weinig van haar vroeg.

'Ga je verkleden,' zei Eva.

'Waarom? Ik zie er toch goed uit.' Ze legde haar boeken op het keukeneiland en pakte een kaasstokje uit de blauwe mok die Eva had neergezet.

Eva keek naar haar. Daisy droeg een spijkerbroek en een trui. 'We krijgen bezoek,' zei Eva. 'Waarom trek je niet een keer een rok aan?'

'O, shit!' Een of andere schrijver, dacht ze. Een boeken-iemand. Een saai iemand. 'Wie?'

'Gracie en Duncan.'

'Gracie en Duncan?' vroeg ze dwaas. Ze had het niet geweten. Hij had niets gezegd. Ze was nog maar een kwartier geleden bij hem vandaan gekomen.

'Nou ja, het is toch bezoek, Dees. Gewoon... iets anders dan een spijkerbroek. Oké?'

Ze kon het niet geloven. Ze was woedend. Ze voelde zich erin geluisd. Ze ging de steile achtertrap op naar de eerste verdieping. In haar eigen kamer ging ze op haar bed liggen en liet de tranen uit haar ogen druppen. Ze legde haar hand op haar gezicht. Die rook naar hem, naar haarzelf. Ze dacht aan wat ze hadden gedaan, nog geen uur geleden. Hij had naast haar op het bed gezeten, van haar weggebogen, zijn gezicht tussen haar benen. Hij had zijn vingers overal in haar en ze gingen naar binnen en naar buiten terwijl hij zijn gezicht langzaam heen en weer draaide in haar natheid, alsof hij zichzelf ermee wilde insmeren. Ze was duizelig geweest en had gelachen toen ze klaarkwam. En toen had ze gewild, zoals ze nu steeds vaker wilde, dat zij hem mocht aanraken, en dat hij in haar kwam, iets waarvan hij meer dan eens had gezegd dat hij het niet zou doen.

Op de terugweg had ze hem eindelijk gevraagd waarom niet.

Hij had naar haar geglimlacht. 'Dat hoort niet bij het spelletje, Daisy.'

'Het is geen spelletje.'

'In die zin dat er regels zijn en dat je er plezier aan beleeft zou je het zo kunnen beschouwen.'

'Nou, je zou het zo kunnen beschouwen, maar dat betekent nog niet dat het ook zo is.'

Hij lachte. 'We zullen het er de volgende keer over hebben. Ik zal het op de agenda zetten.'

'Als je het niet met me wil doen, zal ik alles vertellen. Ik zal iedereen vertellen dat je me verleid hebt. Dat je me gebruikt hebt. Dat je me bedorven hebt.' Daisy maakte een grapje maar tijdens het praten voelde ze de woede in haar stem, in haarzelf sluipen. Maar waar was ze boos om? Ze wist het niet.

'Daisy.' Hij schudde zijn hoofd. 'Je bent niet precies een nymfje. Je torent boven me uit, ik beef in jouw schaduw. Ik zal iedereen vertellen dat ik bang voor je was, dat je me gedwongen hebt.'

'Grappig hoor.' Ze verzamelde haar boeken en legde haar vingers op de deurknop. Ze zei: 'Weet je, als jij het niet wilt doen, vind ik wel iemand anders, een of andere sukkel van school die het wil doen.' Ze geloofde het opeens – zij, die nog nooit een vriendje had gehad.

'Loze dreigementen, Daisy. Saai. Beneden je waardigheid.'

'Het is waar.' Ze had het portier zo hard ze kon dichtgeslagen toen ze uitstapte.

Daisy kwam pas beneden toen ze geroepen werd, lang nadat ze Gracie joehoe had horen roepen in de hal, lang nadat ze luidruchtig naar de dienkeuken waren gedromd om drankjes in te schenken, lang nadat ze in de woonkamer waren gaan zitten. Van boven luisterde ze naar het onderlinge spel van hun stemmen. Die van Duncan maar een enkele keer hoorbaar naast die van de twee vrouwen. Die van Theo klonk af en toe op, dringend in een roep om aandacht.

Ze voelde een kalmte over zich neerdalen terwijl ze bezig was. Ze verkleedde zich inderdaad en trok een rechte rok en een trui aan die ze van Eva had gekregen, een lichtblauwe sweater met een V-hals. Ze maakte ook haar ogen op en deed felrode lippenstift die ze uit Emily's kamer haalde op. En trok op het laatste moment een panty en schoenen met hakken aan. Ze droeg normaal geen hakken omdat ze er zo lang van werd. De laatste keer dat ze ze gedragen had, was op Johns begrafenis.

Toen ze klaar was, wachtte ze in haar kamer tot Theo naar boven werd gestuurd om haar te halen. Ze zaten al in de eetkamer toen ze naar beneden kwam. Ze bleef in de deuropening staan.

Eva keek als eerste op. 'Liefje, je ziet er geweldig uit!' zei ze.

Daisy wilde net dank je wel zeggen – luchtig, koninklijk – toen Duncan zei: 'Ik vond haar mooier in Gracies badpak, met een grote stok in haar hand.'

Ze keek hem aan. De glimlach die ze kende van hun uren samen speelde openlijk op zijn gezicht. Ze dacht aan zijn mond en zijn tanden, die haar minnekoosden.

Gracie en Eva vielen onmiddellijk over hem heen. 'O, jezus, hou toch eens op,' zei Gracie, en bijna gelijktijdig zei Eva: 'Kun je het dan nooit netjes houden, Duncan?'

Daisy keek strak naar hem. Ze stond heel rechtop, zich bewust van haar lengte, van haar lange benen, van haar borsten in de trui. Ze zei: 'En ik heb liever dat je niet over me praat in de derde persoon als ik recht voor je sta.'

'Goed zo, Dees!' riep Gracie uit. Duncan grijnsde alleen maar.

Aan tafel, terwijl ze elkaar over en weer dingen aangaven, kwam het gesprek op zout – hoeveel goed voor je was, of het een aangeleerde gewoonte was of een primitieve. Eva zette Theo het eten voor dat hij lekker vond. Duncan legde uit hoe belangrijk zout was in verschillende culturen. Het religieuze gebruik ervan. De heidense Romeinse gewoonte om een week na de geboorte zout in een baby's mond te doen om de demonen te verjagen.

'Het is een zuiveraar, het staat voor alles wat heilig en rein is, waarschijnlijk omdat het werd gebruikt om eten houdbaar te maken, om het onbedorven te houden als het ware.' Hij glimlachte zijn vage, scheve glimlachje. 'Daarom is Buffalo, waar ik ben opgegroeid, zo'n schoon stadje. Het liep op zout. Ze sloegen bergen zout op om in de winter te verspreiden. Tussen de kou en het zout was er geen zonde in Buffalo.' Hij stak een wijsvinger op. 'Ergo "het zout der aarde". Buffaloërs. Ik.'

'Ik wist niet dat je in Buffalo opgegroeid bent,' zei Eva.

'Iemand moest het doen.'

'Maar jij – dat zou ik nooit gedacht hebben.'

'Ach, ik heb er een goede neus voor de hypocrisie van het leven aan overgehouden. Van zout. Van religie in het algemeen.'

Het gesprek ging verder over religie. Eva praatte over de primitieve aantrekkingskracht ervan, en vertelde dat ze bij het horen van een gezang kon hunkeren naar geloof, naar betekenis in het leven.

Duncan zei dat ze sentimenteel was. Dat er geen betekenis van het leven was. Dat het een teken van onvolwassenheid was om daarnaar te zoeken.

Eva zei dat als zij onvolwassen was (hij glimlachte en begon zijn hoofd te schudden) hij dat ook was. Dat zijn belangstelling voor fictie, voor verhalen, volkomen parallel was, een parallelle zoektocht naar een vorm voor dingen.

Hij dacht even na, kauwde en slikte. 'Ik zou dat kunnen toegeven,' zei hij, 'maar Handke is een van mijn favoriete schrijvers.'

Eva zei dat ze Handke niet kon uitstaan.

'Zie je nou wel,' zei hij. 'Ik denk dat we allemaal wel kunnen raden waarom.'

'Ach, ja. Het is alleen maar: "Er gebeurt dit, en dan dit en dan dit." En het... leidt allemaal nergens toe. Het slaat allemaal nergens op.'

Hij glimlachte. 'In tegenstelling tot het leven,' zei hij.

'Maar het leven is niet zo. Het leven slaat wel ergens op.'

Zijn glimlach verdiepte zich.

'Het is niet zo,' zei ze hartstochtelijk, en Daisy wist dat ze eigenlijk over John praatte, over zijn dood. 'Je ziet het overal,' zei ze. 'De vorm van het leven, de toevalligheden, de manier waarop het zin krijgt.'

'Ik moet zeggen dat dat me totaal ontgaan is,' zei hij.

Eva draaide zich naar Gracie. 'Hoe kun je het verdragen?' vroeg ze.

Gracie zei: 'O, het is altijd zo geweest met Duncan.' Ze pakte haar wijnglas en kantelde het een paar seconden heen en weer. Toen nam ze een slokje. 'Het is het gevolg van zijn voortdurende behoefte om dingen te verwerpen. Hij haalt altijd alles onderuit. Nietwaar, liefje?'

Daisy keek hoe Gracie een wellustig gezicht trok, haar lippen tuitte en in de lucht naar Duncan kuste.

'Ik ben hier aan het argumenteren, verdomme!' zei Eva. 'Opletten, Gracie.'

'O, Eva, jij bent altijd aan het argumenteren.'

Er viel een korte stilte terwijl Eva hierover nadacht. 'Tja, misschien wel,' zei ze. 'Maar hij ook.'

Gracie lachte en zette haar glas neer. 'Jongens en meisjes,' zei ze. Ze klapte in haar handen. 'Time-out.'

Theo grinnikte. 'Time-out,' echode hij.

Daisy vond Duncan in dit gesprek niet aardig. Ze vond het niet leuk dat hij met Eva flirtte, plagerig deed, naar Gracie glimlachte. Wat er gebeurd was tussen hem en haar maakte geen deel uit van dit alles, had er niets aan veranderd. En dat had het wel moeten doen.

Daisy voelde zich op haar plaats gezet, dat was het. Ze voelde zich gekleineerd. Een kind. Als Theo. Ze wilde hun vertellen, aan deze tafel, met hun flirterige nepgesprek dat zij en Duncan minnaars waren. Dat hij net zo goed van haar was als van Gracie.

Maar dat was niet waar. En ze wist dat het niet waar was.

Maar er moest toch een manier zijn – of niet? – waarop hij wel van haar was, misschien nog meer dan van Gracie? Zou hij dat van zijn kant niet op de een of andere manier moeten laten blijken? Een signaal naar haar?

Had hij haar niet op z'n minst moeten vertellen dat hij kwam eten?

Zodra het dessert achter de rug was, trok ze zich terug. Huiswerk zei ze. Eva glimlachte naar haar, goedkeurend, en vroeg haar Theo mee naar boven te nemen en hem uit te kleden en in bed te leggen.

Daisy bracht haar schaaltje naar de gootsteen. Ze keek niet naar Duncan toen ze wegliep. Ze ging met Theo de achtertrap op en hielp hem in zijn pyjama en keek hoe hij zijn tanden poetste. Toen hij lag, ging ze naast hem liggen en las hem een boek voor, een verhaal over een stout poesje dat zijn moeder geen kus wilde geven. Hij leunde tegen haar aan, zijn lichaam leek hitte en energie uit te stralen. Hij lachte en wees de plaatjes aan, en Daisy bleef lang met hem over het verhaaltje praten. Toen klapte ze het boek dicht en deed het licht uit. Ze schoof naar beneden en lag naast hem in het vage licht dat van beneden kwam.

Toen Theo's ademhaling veranderde, stond ze op en ging naar haar eigen kamer. Ze kleedde zich om. Ze maakte haar huiswerk met de deur open, het geluid van hun stemmen kwam naar boven drijven.

Daisy hoorde hen weggaan, Gracies stem hard in de hal, de doffe bonk van de voordeur. Ze wist dat ze eigenlijk naar beneden moest gaan om te helpen opruimen, maar ze deed het niet. Ze wachtte tot Eva haar riep. En zelfs toen riep ze terug: 'Wat?' alsof ze niet wist wat er van haar verwacht werd. Ze wilde zorgen dat haar moeder het moest vragen. Ze voelde hoe gemeen dat was, maar het voelde ook als iets wat ze moest doen.

Haar voeten waren bloot en de tegels van de keuken voelden koel aan. Eva liep rond op haar snelle, kwikzilverige manier. Ze had een schort voorgedaan, een ouderwets schort, katoen met een bloemenpatroon en een zigzag sierzoom erlangs, die ze van haar moeder had gekregen. Ze had er drie of vier, en Daisy deed een la rechts van de gootsteen open en haalde er een voor haarzelf uit. Ze deed hem voor, strikte hem op de rug en toen, terwijl Eva de restjes begon weg te bergen, liep ze geruisloos heen en weer naar de eetkamer en haalde het serviesgoed dat ze op de aanrecht bij de gootsteen zette. Servies en glazen en kandelaars en servetten en bestek.

Ze werkten zwijgend, maar zonder spanning. Ze hadden het inmiddels honderden keren gedaan. Eva zag er moe uit, ze werkte snel door.

Daisy was trager, ze dacht aan Duncan. Duncan zoals hij met haar was geweest vandaag en zoals hij aan tafel was. Duncan en Gracie en haar verwarring daarover. Terwijl ze zich over het keukeneiland in het midden van de keuken boog om het schoon te vegen vroeg ze: 'Waarom denk jij dat Gracie en Duncan getrouwd zijn?' Ze hoopte dat haar stem achteloos klonk.

Eva keek naar Daisy vanaf de gootsteen. 'O, de gewone redenen, denk ik,' zei ze met een glimlach.

Die glimlach, en de veronderstelling in haar moeders opmerking dat ze iets gemeenschappelijk hadden, misschien iets gemeenschappelijk vrouwelijks, irriteerde Daisy. 'Wat betekent dat, "de gewone redenen"? Er is niets gewoons aan hoe zij zijn.'

'Oké. Ik begrijp wat je bedoelt. Het was flauw van me. Ze zijn een vreemde combinatie.'

'En waarom zijn ze dan getrouwd? Jij kende haar daarvoor al.'

'Ik kende hen allebei daarvoor al.' Eva hield op met wat ze aan het doen was en keerde zich naar Daisy. 'Ik heb ze aan elkaar voorgesteld. En ik geef toe, ik had me nooit kunnen voorstellen wat er zou gebeuren – dat zij ooit iets met elkaar zouden krijgen. Laat staan trouwen.'

'Maar dat hebben ze wel gedaan! Dus?'

'Ik weet het echt niet, Dees.' Ze fronste haar wenkbrauwen. 'Ik denk dat elk huwelijk eigenlijk een soort mysterie is. Waarom het werkt als het werkt, waarom het dat niet doet als het dat niet doet.' Ze keerde zich weer naar de gootsteen. Die stond vol sop. 'Ik heb bedacht dat Duncan graag... de stoute jongen is. Ik vind hem soms ontzettend aardig, maar hij kan zo... gewoon kinderachtig gemeen zijn.'

'Je meent het.'

Eva keek haar scherp aan. 'Is hij onaardig tegen jou geweest, liefje?'

Daisy haalde haar schouders op.

'Weet je, als hij onaardig is, moet je hem gewoon negeren. Hij is net als iedereens gemene grote broer. Hij moet gewoon een pak slaag hebben, in wezen.'

Er viel een stilte terwijl ze doorwerkten. Daisy droogde het servies dat Eva haar gaf, en zette het weg. Na een poosje zei Eva: 'Ik weet het niet. Ik denk dat één theorie zou kunnen zijn dat Gracie tegen de tijd dat ze Duncan leerde kennen wist dat ze nooit kinderen zou krijgen.' Ze keek naar Daisy. 'Dat dat afgelopen was voor haar, snap je?'

Daisy knikte.

'Dus in zekere zin is hij zo'n beetje haar kind. Ze verwent hem. Ze geniet van dat stoutejongensachtige, die onbehouwenheid.' Ze trok de stop uit de gootsteen. Terwijl het water wegliep, liet ze de afvalvernietiger in de gootsteen een lange, donderend lawaaiige minuut draaien. Toen het ophield, zei ze: 'Maar ik denk dat zelfs Gracie haar grenzen heeft. Of haar momenten in elk geval.'

'Hoe bedoel je?'

'Ach... gewoon, je weet wel, die gemeenheid. Die kan erg scherp, erg persoonlijk worden. Hij heeft een soort lijst van dingen over Gracie. Die hij gebruikt. Die hij kan gebruiken. Weet je wel, haar gewicht, haar lengte, haar lawaaiigheid, de manier waarop ze haar geld verdient, die hij niet goed vindt, natuurlijk. Haar... kwabbige armen, nota bene. Dingen die ze draagt. Maakt niet uit, geniepig. En als ze dan reageert of boos wordt – als ze gaat huilen bijvoorbeeld – is hij daar ongelofelijk minachtend over.'

'Jasses.' Daisy stelt het zich voor, Gracie die huilt en Duncan die glimlachend iets sarcastisch zegt.

'Jasses ja.'

'Dus waarom blijft ze dan bij zo iemand?'

Eva haalde haar schouders op. 'In eerste instantie denk ik omdat ze in een roes was.'

'In een roes?'

'Dronken. Dronken van liefde. Wild van verlangen.' Ze keek Daisy weer aan, bijna speculatief. 'Ze vond het heerlijk met hem naar bed te gaan. Hij schijnt een geweldige minnaar te zijn.' Er gleed een halve glimlach over haar gezicht. Ze genoot ervan dit aan Daisy te vertellen. 'Verbaast je dat?'

Daisy haalde haar schouders op en zei niets, hoewel ze woedend was op Eva omdat ze dit zei. Omdat ze dit wist. Omdat ze haar vroeg erop te reageren.

'Maar na een poosje, toen dat niet zoveel gewicht meer in de schaal legde, is ze een keer bij hem weggegaan. Dat was een jaar of twee geleden. Ze heeft toen een paar dagen bij ons gelogeerd. Weet je dat niet meer?'

Daisy schudde haar hoofd.

'Ze had het helemaal gehad. Ze begon zelfs uit te kijken naar een huurhuis. Hij mocht het huis van haar hebben. En het gekke was dat ze opgelucht was. Ze was er eigenlijk helemaal niet verdrietig om. O, ze zou vast een paar keer gehuild hebben als ze permanent uit elkaar waren gegaan, maar ze zei dat ze zich zo opgelucht voelde. Ik weet nog dat ze het uitdrukte als eronderuit.'

'Maar ze zijn weer bij elkaar gekomen.'

'Ja, inderdaad.'

'Hoe kwam dat dan, als het zo geweldig was om van hem af te zijn?'

'Ach, ik denk doordat Duncan helemaal instortte. Hij kwam achter haar aan, hij achtervolgde haar. Hij huilde. Hij zei dat hij niet zonder haar kon leven.' Ze spoelde de pan die ze afgewassen had af en pakte een theedoek. 'Ik weet eigenlijk niet wat hij heeft gezegd. Ik geloof niet dat hij haar beloofd heeft dat hij het nooit meer zou doen. Hoe kon hij ook? Hij wist dat hij het toch zou doen. Maar hij maakte haar duidelijk dat ze alles voor hem betekende. Dat zijn leven ondraaglijk zou zijn zonder haar. En natuurlijk is dat erg krachtig. Dat sleept je door een hoop nare momenten, die wetenschap. Zodat ik nu denk dat zij, ook als het moeilijk gaat tussen hen, begrijpt dat het alleen zijn duistere kant, zijn perversiteit is. Dat hij nergens zou zijn zonder haar.'

Ze werkten een paar minuten zwijgend door en borgen de laatste kookspullen op. Toen Daisy haar theedoek door de ring aan de muur haalde, zei ze: 'En Gracie heeft je dat allemaal verteld?'

'Ja. Ik geloof... ach, ze was er zo enthousiast over. En ik ben haar oudste vriendin.' Er klonk iets verontschuldigends in Eva's stem. Ze verdedigde Gracie, verdedigde dat ze had gepraat over de intiemste details van haar huwelijk. 'En ook denk ik dat ze het gevoel had dat ik er recht op had om te horen waarom ze terugging, nadat ik had moeten aanhoren hoe verschrikkelijk hij was, dat ze hem nooit meer wilde, dat het helemaal afgelopen was, enzovoort.'

Ze leunde met haar rug tegen het aanrecht en sloeg haar armen over elkaar. Ze fronste haar wenkbrauwen. 'Het is een rare drijfkracht, eentje die mij nooit heeft aangesproken, om zo'n moeilijke minnaar te hebben. En ik denk dat je zo dankbaar bent, zo verbijsterd door de momenten dat het niet moeilijk is. Ik denk dat mensen die op die manier van iemand houden, zoals Gracie, de intimiteit dieper voelen omdat hij zo moeilijk te krijgen is en maar zo zelden. Het is als een soort *intermittent reinforcement.*'

'En wat mag dat wel betekenen, intermittent reinforcement?' Daisy had er een hekel aan als Eva dat deed, dingen zo zeggen dat ze lekker uitgebreid iets uit te leggen had.

'O, dat is behaviorisme, de studie naar hoe gedrag ontstaat. En de theorie is – of misschien is het al bewezen – hoe dan ook, het idee is dat mensen als je ze elke keer beloont voor een bepaald gedrag minder betrouwbaar worden in dat gedrag, ze begrijpen dat ze het niet de hele tijd hoeven te doen omdat ze weten dat de beloning volgt, elke keer als ze besluiten het te doen, dus dan leren ze het minder goed aan – dat gedrag. Terwijl als de beloning onvoorspelbaar is – soms krijgen ze hem wel, soms niet – dan zijn ze geïnteresseerder, geconcentreerder in hun gedrag, gretiger, consequenter.'

'Dus Gracie houdt van Duncan omdat hij maar heel af en toe geweldig voor haar is.'

'Ja, ik denk eigenlijk dat het zo zit.'

'Dat verklaart niet waarom hij van haar houdt, als dat überhaupt zo is. Wat ik betwijfel.'

'O, daar twijfel ik niet aan,' zei Eva, met een in Daisy's ogen zelfvoldaan glimlachje. 'Geen seconde.'

Het volgende weekend werkte Daisy beide dagen in de boekwinkel. Zondag pakte ze twintig dollar, een vijfje, vijf eentjes en een tientje. Die avond zat ze het na het eten in de deuropening van haar kast weer eens na te tellen toen Theo haar naam roepend haar kamer binnen kwam stormen.

Heel even keken ze elkaar alleen maar aan. Theo hing nog aan de deurknop en zwaaide een beetje heen en weer; Daisy zat met gekruiste benen in de deuropening van haar kast, de biljetten om haar heen uitgespreid. Toen fluisterde Daisy fel: 'Doe de deur dicht!'

'Wat ben je aan het doen, Daisy?' vroeg hij.

'Doe verdomme de deur dicht!' zei ze.

'Waarom heb je al dat geld?' vroeg hij.

'Jezus,' antwoordde ze. 'Doe de déúr dicht, Theo!'

Hij deed hem dicht en kwam bij de kast staan. 'Je hebt veel te veel geld.'

Daisy schoof nu het geld terug in de doos en deed het deksel dicht. 'Nou ja, het is een geheimpje. Ik ben aan het sparen.'

'Maar hoe kom je aan al dat geld?'

'Ik ben groot, Theo. Er zijn een heleboel manieren waarop grote kinderen aan geld kunnen komen.' Daisy ging op haar knieën zitten en zette de schoenendoos op zijn plaats achter in de kast.

Na een tijdje zei Theo: 'Ik kan ook aan geld komen. Ik ben ook groot.'

'O ja?' vroeg ze. 'En hoe dan? Hoe kun jij aan geld komen?'

'Ik kan altijd aan geld komen.' Hij dacht even na, en toen klaarde zijn gezicht op. 'Ik kan geld krijgen van mijn papa.'

'Echt waar?' Daisy deed de kastdeur dicht. Ze liep naar haar bed en liet zich erop vallen. Theo kwam ernaast staan, vlak naast haar hoofd.

'Ja, echt waar.'

Daisy gaf geen antwoord. Ze keek naar hem, naar zijn mooie gezichtje, zijn volmaakte mond, de lange wimpers.

'Want John gaat me een hele hoop geld geven als ik hem zie.'

'Echt waar?' Opeens voelde Daisy een zelfzuchtige valsheid opkomen die iets te maken had met het feit dat Theo haar gezien had, had gezien dat ze het geld had. Ze tilde haar hoofd op en ging steunend op haar elleboog op haar zij op het bed liggen om Theo aan te kijken. 'Wanneer denk je dat je hem ziet?'

'Ik denk als ik een klein beetje groter ben, dan.'

'En hoeveel groter moet je zijn?'

'O, zo'n stuk.' Hij stak zijn hand zo ver boven zijn hoofd als hij maar kon reiken.

'Dus als je... zeg maar tien bent. Als je tien bent dan zie je John en dan geeft hij je geld. Bergen geld.'

Maar er was geen twijfel op Theo's gezicht. 'Ja. Zo ongeveer tien.'

'En zal ik John dan ook zien? Of jij alleen?'

Theo keek verward, maar dat duurde maar een paar seconden. 'Ja. Dan zien we allebei John.'

'Weet je hoe oud ik dan ben?' vroeg ze.

'Hoe oud?'

'Dan ben ik een groot mens. Dan ben ik tweeëntwintig.'

'O,' zei hij.

'Dus als ik op mijn tweeëntwintigste trouw, komt John op mijn bruiloft.'

Theo fronste. 'Maar met wie trouw je dan, Daisy?'

'O, laten we zeggen... met Duncan. John zou wel graag op die bruiloft komen, denk je niet?'

Theo keek ongemakkelijk. 'Maar. Je trouwt toch niet met... Duncan.'

'Waarom niet?'

'Ik weet dat je niet met Duncan kunt trouwen, want hij is te groot, hij is een te groot mens voor jou.'

'Maar tegen die tijd ben ik ook een groot mens.'

'Maar hij is grotemenser.'

'Kijk, we doen gewoon een beetje alsof. We doen of ik met Duncan trouw, en we doen of John op mijn bruiloft komt, oké?' Daisy's stem klonk vriendelijk, verlokkend.

Theo's mond ging even open. Je kon zijn kleine, gelijkmatige tandjes zien. Ten slotte zei hij: 'Maar John komt echt.'

'Dus ik trouw met Duncan, oké?'

Theo keek naar haar. Toen begreep hij het. Hij glimlachte. Zijn gezicht ontspande opgelucht. 'Het is een grapje, hè Daisy? Het is een grapje over Duncan.'

'Oké,' zei Daisy. Ze liet zich weer op haar rug vallen en staarde naar het plafond.

Theo draaide zich om en liep naar de deur.

'Theo!' zei ze.

'Wat?' Hij bleef staan en keek om.

'Niets vertellen over het geld.' Haar stem klonk zacht. 'Het is een geheimpje. Als je het verklapt, vermoord ik je.'

'Oké,' zei hij vrolijk, en ging weg.

HOOFDSTUK ELF

Daisy was al laat, maar dat leek Duncan niet te kunnen schelen. Hij liep langzaam rond, rommelde tussen tekeningen op zoek naar die ene die hij mee naar huis wilde nemen om er daar verder aan te werken en ging vervolgens op zoek naar zijn sleutels. Het viel haar ook op dat hij erger mank liep dan anders – iets waarvan ze was gaan vermoeden dat hij het af en toe expres deed.

Daisy stond bij de open deur. Het was bijna donker buiten en ze had al tien minuten in de boekwinkel moeten zijn. Er was een lezing vanavond, en ze had beloofd te komen helpen. Eva zou zenuwachtig zijn en dus behoorlijk kwaad als ze bij aankomst ontdekte dat er niets gedaan was – de stoelen niet klaargezet, de boeken niet uitgepakt en uitgestald voor het signeren. Daisy hoopte dat Callie er misschien aan begonnen was toen duidelijk werd dat ze te laat kwam – als Callie niet te veel andere dingen te doen had.

'Kóm nou,' zei ze tegen Duncan, ook al wist ze dat dat niet verstandig was. Dat hij hoe langer hoe valser zou worden naarmate ze hem meer opjoeg.

Hij keek op en glimlachte, de glimlach waarvan je zou hebben gedacht dat hij open en vriendelijk was als je niet beter wist. 'Ah, het ongeduld van de jeugd.'

'Het ongeduld van de telaatkomer.' Ze stompte tegen de deurpost bij dat woord.

'Wat zal er niet op jou wachten, lieve meid? De hele wereld wacht.'

Ze trok een gezicht. De avondlucht was kil. In gedachten zag ze de boekwinkel, de etalageruit waar het licht doorheen straalde in de donkere straat, de eerste paar klanten die al aankwamen voor de lezing en die ongemakkelijk ronddraaiden en een stoel kozen – als er stoelen waren om te kiezen.

'Ik wacht in de auto,' zei ze. 'Ik kan het niet aanzien hoe jij zo eindeloos rondlummelt.'

Ze ging in de auto zitten met het portier dicht. Van hieraf kon ze het erf vol oude machines zien – krabachtige monstervormen in het vervagende licht. De laatste tijd was er twee keer iemand van de familie van wie Duncan de garage huurde op het erf geweest toen ze aankwamen. Een keer de man, een keer de vrouw. Ze waren allebei grijs, plomp en op leeftijd. Hij was bezig geweest met een van de machines toen ze langsreden, Daisy onderuitgezakt op haar stoel, Duncan joviaal zwaaiend. Maar de vrouw had haar weg over het rommelige erf onderbroken – van waar naar waar? Waarom? – en had van de gelegenheid gebruikgemaakt om hen eens goed te bekijken, haar ogen half dichtgeknepen en vals, terwijl ze langzaam het erf opreden, uit de auto stapten en naar de deur liepen. Duncan had zijn hand langs Daisy's rug naar beneden laten glijden en greep haar billen vast voordat hij de deur open deed. 'Dan heeft ze er tenminste wat aan,' zei hij, en toen zwaaide hij de deur open en Daisy liep snel langs hem heen. Dit had haar geïrriteerd.

Maar een hele hoop dingen irriteerden haar tegenwoordig. Er was iets veranderd tussen haar en Duncan, en Daisy kon maar een paar van de redenen bedenken. Wat Eva haar had verteld over Duncan en Gracie had daar beslist aan meegewerkt – dat hij Gracie nodig had, dat hij haar had gesmeekt hem terug te nemen. Maar wat belangrijker was, was dat Eva haar in dat gesprek duidelijk had gemaakt wat zíj van Duncan vond, dat hij niet helemaal volwassen was in haar ogen en dat zijn behoefte om te provoceren eerder kinderachtig was dan een teken van superioriteit zoals Daisy het had gezien, moest ze nu erkennen. Dus dat was er: de manier waarop haar minnaar kennelijk bestond in haar moeders verbeelding; de echo van haar moeders woorden en het beeld van haar gezicht, half geamuseerd, half minachtend, toen ze het over Duncan had.

En dan was er de seks, die nog steeds inhield dat hij haar aanraakte, kuste en in haar prikte. In haar prikte. Zo dacht ze er soms over. Daisy begon er genoeg van te krijgen. Soms voelde haar lichaam zo klaar voor contact, voor huid, voor iets wederzijds, een gespierd ander lichaam dat het hare ontmoette, dat ze de neiging had hem hard te slaan, hem te bijten, hem in de houdgreep te nemen zodat hij zich los moest worstelen.

Ze wist niet wat ze moest denken van hun affaire, als je het zo kon noemen. Ze wist niet wat hij aan hun soort seks had. Of waarom dit hun soort seks was.

Schaamde hij zich voor zijn lichaam? Daar had ze aan gedacht. Er moesten tenslotte wonden zijn. Littekens. Ze wist dat hij veel operaties had gehad, plus het ongeluk zelf, een auto-ongeluk, spectaculair en vlammend en zinloos, een dramatische gebeurtenis in zo'n domme autofilm. Het was de bedoeling geweest dat hij zo zou opstaan en weglopen, dat was het gedeelte van de afspraak dat mis ging. Misschien was zijn lichaam zo verwoest, zo lelijk dat hij zich schaamde het haar te laten zien – ze stelde zich paarse, uitpuilende striemen overal voor, weggeslagen stukken vlees waar de huid overheen dicht was genaaid, rare botvergroeiingen.

Of was hij impotent? Ze wist dat dat voorkwam bij oude mannen – hoewel ze altijd had gedacht dat het om echt oude mannen ging – mannen van zeventig, tachtig. En Duncan was drieënvijftig. Oud, maar niet echt oud. Maar misschien was dat het. Hij kon het niet. Of misschien kon hij het niet door het ongeluk. Misschien was daar beneden iets beschadigd.

Maar haar moeder had gezegd dat Gracie de seks met hem lekker vond.

Maar misschien was wat Gracie lekker vond precies hetzelfde als hij met Daisy deed – het likken, het zuigen, de fladderende vingers, de manier waarop hij overal in je kwam. Ze had zich hen voorgesteld, die grote, kwabbige Gracie uitgespreid als een soort gestrande walrus terwijl Duncan, keurig netjes en helemaal gekleed tussen haar benen lag en haar bewerkte. Eerst was ze een beetje jaloers geweest, maar toen helemaal niet meer – en ook dat moest veroorzaakt zijn door de veranderingen die er tussen hen waren gekomen.

Ze had hem bijna een week niet gezien na haar gesprek met Eva. Ze had daar niet echt een besluit over genomen. Het was niet dat ze hem nooit meer wilde zien of met hem vrijen. Het was niets absoluuts. Het was gewoon zo dat ze als ze pianoles had daarnaartoe ging. Als ze in de boekwinkel moest zijn, ging ze – geen leugens, geen excuses. De basketbaltraining begon die week, dus ze had het echt drukker dan anders. Ze keek niet uit naar Duncan, ze trof hem niet toevallig op straat. Als ze uit school kwam, vermeed ze de gewone route naar huis, de straten waar hij aan het eind van de schooldag zou rondzwerven, op zoek naar haar. In plaats daarvan bleef ze op Main Street en sloeg pas één blok van haar huis Kearney Street weer in. En ze genoot ervan midden door het centrum te lopen – met de etalages waar de eerste feestversieringen werden aangebracht, de twinkelende lichtjes in de donkere middagen.

Gisteravond had hij ten slotte gebeld. Hij wilde haar zien. Hij miste haar, zei hij, met een stem druipend van sarcasme.

Ze voelde onmiddellijk het genoegen dat ze schiep in het feit dat hij haar gekozen had weer opwellen, in haar macht over hem. 'Prima,' zei ze. 'Is morgen goed?'

Toen hij haar naar de boekwinkel reed, zat ze zwijgend, bijna trappelend, zo voelde ze het, van ongeduld in de auto.

'Heb je zo'n haast om bij me weg te komen?' vroeg hij.

Ze keek opzij. Hij glimlachte, maar wat een zielige opmerking. 'Bah!' zei ze hard en keerde zich van hem af. Draaide zich naar het raam.

'Helemaal gelijk,' zei hij. 'Zeuren verboden.'

Ze gaf geen antwoord. De heuvels reden naast hen mee, hier en daar flakkerden de lichten van een eenzaam huis achter de bladeren van de bomen.

Na een paar minuten zei hij op gewone toon: 'Ik wist niet dat deze lezing zo veel voor je betekende.'

'Het gaat niet om de lezing,' zei ze. 'Het gaat erom dat ik beloofd had dat ik er zou zijn.'

Hij zweeg een poosje. Toen zei hij: 'Dat is iets wat me niet was opgevallen aan jou, Daisy. Je stiptheid.'

Ze keek weer door de voorruit. 'Ach ja. Er zijn hopen dingen die je niet aan me opgevallen zijn.'

'Bijna niets, zou ik zeggen.'

'Bijna alles, zou ik zeggen.' Ze drukte de sigarettenaansteker in.

'Maar je spreekt graag tegen, Daisy. Dat is me wel opgevallen.'

'Ik spreek jou graag tegen omdat je altijd van die idiote dingen beweert.' De aansteker sprong naar buiten en ze drukte hem weer in.

'Daisy, is dat lief?'

'Wat maakt het uit? Ben jij lief voor mij geweest? Iemand die twee keer zo jong is als jij – jezus, meer dan drie keer zo jong! – verleiden, is dat lief?'

'Je had liever gewild dat ik je over had gelaten aan de tedere genade van een of andere puberige kluns die nauwelijks kan praten, laat staan lezen. Of denken. Of zorgen dat je klaarkomt.'

Daisy zei: 'Ja,' maar ze dacht erover na. De aansteker sprong weer naar buiten. Ze dacht er werkelijk over na. Ze wist dat hij gelijk had, dat zou ze niet gewild hebben, ze zou geen van de jongens die ze kende of zich kon voorstellen gewild hebben. Noah? Jezus, nee. Ze dacht aan hoe Emily seks met Noah had beschreven, hoe hij zodra hij in haar was haar helemaal vergat en tegen haar aan bonkte en in een paar seconden klaarkwam. Maar aan de andere kant wist ze niet zo zeker of ze het soort seks dat ze met Duncan had nog wilde. Hoewel ze zich niet kon voorstellen dat ze hem niet zou hebben, zijn aanraking, zijn aandacht voor haar, voor haar lichaam. Hij was het enige wat ze had, dacht ze.

Ze kwamen bij het stoplicht. 'Zet me hier maar af,' zei ze.

Hij stak zijn richtingaanwijzer uit en ging aan de kant staan. Hij keek haar aan. 'Zullen we nog een afspraak maken? Voor een tête-à-tête?'

'Ik heb een heleboel te doen tussen nu en Thanksgiving. Ik denk dat het beter kan wachten tot daarna.' Ze was al bezig haar boeken te verzamelen en uit te stappen. Ze sloot het portier en liep snel de straat in, zonder op te kijken toen hij haar voorbijreed.

Eva's gezicht stond zuinig en grimmig toen ze opkeek en Daisy zag aankomen, maar ze stond met mensen te praten die ze kende, mensen die voor de lezing kwamen, dus Daisy werd voorlopig gespaard. Het mineraalwater en de wijn en de koekjes stonden klaar. De stoelen waren opgesteld en sommige mensen gingen al zitten, hoewel anderen nog in boeken bladerden of in kleine groepjes stonden te praten. Callie zat aan de kassa en Daisy hief vragend haar handen: wat moet ik doen?

Callie wees op de signeertafel waar de boeken nog opgestapeld stonden op een steekwagentje en in dozen op de grond. Daisy werkte zich door de menigte heen en begon ze uit te pakken en vouwde de flap van de omslag op de titelpagina voordat ze ze op de tafel opstapelde, zodat ze vanzelf op die bladzij openvielen en de schrijfster ze kon signeren.

De schrijfster was er blijkbaar al – Daisy hoorde iemand zeggen dat ze er veel ouder uitzag dan op haar foto. Ze moest dus in Eva's kantoor zitten. Eva kleedde het kantoor altijd een beetje aan als er lezingen waren. Ze zette bloemen en water op haar bureau zodat de schrijvers daar prettig konden zitten als ze alleen wilden zijn voordat ze op moesten treden. Anderen hingen graag rond om met hun fans te praten. Daisy had meer met degenen die vluchtten, die pas verschenen op het moment dat ze geïntroduceerd werden.

Het boek dat Daisy steeds opensloeg heette *Maak zelf het leven dat je wilt leiden*. Getver. Ze had een hekel aan zelfhulpboeken, en ze was vergeten dat het daarover ging vanavond. Dat was haar straf voor het te laat komen, dacht ze.

Nu stond Eva bij de katheder voor de rijen stoelen. Ze wachtte glimlachend terwijl iedereen ging zitten en het langzamerhand stil werd. Ze deed wat aankondigingen – volgende lezingen, boeken die binnen waren gekomen. Daisy zag de schrijfster die de gang door was gekomen en bij de ingang van de ruimte stond te wachten tot Eva klaar was. Ze was in de vijftig, goed verzorgd. Haar haar zat keurig, haar make-up was perfect. Ze droeg een beige mantelpakje en veel sieraden.

Eva hield haar lovende introductie. Daisy keek naar het boek dat ze in haar handen had tijdens het luisteren. De foto van de schrijfster stond voorop. De vrouw keek de lezer aan met haar armen voor haar borst gevouwen. De foto was iets overbelicht, zodat alle duidelijke trekken van het gezicht uitgewist waren. De schrijfster – ze heette Joyce Garabedian – was niet jong en niet oud op deze foto, zou Daisy hebben gezegd. Misschien alleen afwezig. Of abstract, in elk geval. Een abstracte vrouw.

Nu zei Eva haar naam en ze liep naar de katheder. Ze knikte als dank voor het applaus. Toen het publiek stil was, begon ze te spreken.

Ze zou niet voorlezen, zei Joyce Garabedian. Ze vertelde liever haar verhaal, het verhaal achter hoe ze ertoe was gekomen haar boek te schrijven. Ze hield het omhoog alsof het publiek misschien niet wist over welk boek ze het had. Daisy, die langzamer was gaan werken omdat ze geen lawaai wilde maken, luisterde en keek intussen naar haar.

Joyce Garabedian beschreef haar leven zoals het was geweest. Een hoge baan als juriste die ze afschuwelijk vond; een man met een hoge baan die zelden thuis was, en als hij er was, bekritiseerde hij haar, hoe ze eruitzag, wat ze kookte, hoe ze het huis inrichtte en verzorgde. Ze beschreef het huis, een pretentieus appartement aan de Upper East Side van Manhattan. Ze zei: 'Maar waar het om gaat is dat ik niet wist dat ik mijn baan afschuwelijk vond. Of mijn huis. Of mijn man. Ik zou gezegd hebben dat alles geweldig ging. Fantastisch.' Ze glimlachte. 'Een klassiek voorbeeld van een onbewust leven.' Ze draaide zich een beetje om achter de katheder en sprak de andere kant van de zaal toe. 'En toen zat ik op een avond te eten met een vriendin, een vriendin die ernstig depressief was – wat ik voor mijn gevoel helemaal niet was. Ik bedoel, kijk naar wat ik allemaal voor elkaar kreeg, kijk naar hoe vol mijn leven was. Depressieve mensen zouden dat allemaal niet kunnen.' Ze trok haar schouders op en gebaarde tijdens het praten. De ringen flitsten aan haar vingers.

'En ik probeerde haar de positieve kant van dingen te laten zien, dus vroeg ik haar: "Maar wat maakt je gelukkig?" En ze kon geen antwoord geven. Ik was geschokt. Ze kon géén antwoord geven. Ze zei tegen me: "Ik weet het niet. Ik weet het werkelijk niet." En uiteindelijk haalde ze haar schouders op en draaide de vraag om. Ze zei tegen me: "Wat maakt jóú gelukkig?"'

Ze zweeg een hele tijd en keek met een half glimlachje de zaal rond. Toen ze verder ging, praatte ze langzaam. 'En dat deed het hem. Dat is wat alles veranderde. Die vier woorden. Wat. Maakt. Jou. Gelukkig. Want, lieve vrienden, dit was de harde waarheid.' Ze leunde voorover en liet haar stem dalen, een intieme stem: 'Ik wist het ook niet.'

Toen kwam ze weer overeind en keek het publiek rond. Daisy's handen, die gestaag door waren gegaan, boek open, flap erin, op de tafel leggen, lagen stil. Joyce Garabedian zei: 'Het eerlijke antwoord? Niets. Niets maakte me gelukkig. En opeens wist ik dat. Ik wist het. Maar natuurlijk deed ik voorlopig nog net alsof. "O, bepaalde dingen in mijn werk. Thuiskomen in mijn prachtige appartement." Ik kan me niet eens herinneren wat ik zei. Ik verzon een paar dingen. Maar de hele weg naar huis in de taxi die avond, de hele volgende dag, de volgende week, bleef ik mezelf die vraag stellen.

En mijn antwoord maakte me bang. Maakte me zo bang dat ik aan het lange proces van zelfonderzoek, zelfondervraging en uiteindelijk zelfverwezenlijking begon dat ik voor u heb vastgelegd in dit boek.' Ze hield het weer omhoog en legde het neer en keek weer op.

'En ik wil dat u daar begint. Wat maakt u gelukkig? Wat maakt u echt gelukkig?'

Daisy dacht aan haar eigen leven, aan geluk. Ze herinnerde zich het opstel waar ze een onvoldoende voor had gekregen in de lente, het opstel met de twee zinnen over geluk. Ze dacht aan John. Ze dacht aan Mark in het huis in de heuvels.

Joyce zei: 'Al hebt u maar een fragmentarisch antwoord voor uzelf, dan bent u verder dan ik toen was. Dan bent u er beter aan toe. Misschien hebt u kinderen, of houdt u van koken, of speelt u gitaar, of gaat u joggen tussen die heerlijke wijngaarden waar u woont.' Haar fonkelende hand wees naar het raam. 'Misschien maakt seks u gelukkig.' Ze glimlachte en haar wenkbrauwen gingen omhoog en er klonk overal gelach.

Waarom? Wat was daar grappig aan, vroeg Daisy zich af. Seks maakte haar inderdaad gelukkig – de momenten dat het begon, dat ze zichzelf openstelde, dat ze het wilde. En dan als het gebeurde, het gevoel dat ze erbij had.

Daarna werd dat minder, natuurlijk werd het minder. Was dat het grappige eraan? Daisy pakte weer een boek op.

'Wat dan ook,' zei Joyce Garabedian. 'Dat vertelt u waar u moet beginnen. Doe dat vaker. U moet het voeden, zeg ik in het boek. En ik vertel u hoe u dat moet doen, hoe u de dingen die u vreugde geven een centralere plaats in uw leven kunt geven. We kijken zelfs naar waar u over liegt om erachter te komen. Als u zegt: “O, mijn huis,” terwijl u heel goed weet dat dat niet waar is, nou, dan moet u daarnaar kijken. Wat die leugen betreft zijn er in mijn ogen twee mogelijkheden. De eerste is dat u vindt dat uw huis u gelukkig zou moeten maken. Het zou moeten. Daarin ligt het probleem. Want niets, lieve mensen, waarvan u vindt dat het u gelukkig zou moeten maken zal dat ooit doen. En de tweede mogelijkheid is dat u echt zou willen dat het dat deed, maar om diverse redenen doet het dat niet. En die redenen onderzoeken zal u helpen er te komen.’

‘Maar misschien zijn sommigen van u zoals ik, zoals ik was. Als u uzelf die vraag stelt, en u kijkt in de spiegel is het enige antwoord een grote dikke blanco blik. Wat maakt me gelukkig? Ik weet het niet. Niets. En vooral voor u, dames,’ ze hief haar vinger, ‘zal dit boek bijzonder behulpzaam zijn.’

Daisy wist het ook niet. Dat was waar. Ze wist niet wat haar gelukkig maakte. Maar het was iets wat wel zou komen, dacht ze, en dan zou ze het weten. Ze zou het onmiddellijk weten. Het zou in haar leven komen zoals Duncan in haar leven was gekomen. Op een dag zou ze opkijken en dan zou het er zijn. Alleen zou het echt zijn, het zou beter zijn dan Duncan. Duncan, doordat ze Duncan had, was ze dat gaan geloven, realiseerde ze zich met een schok. Dat dingen konden komen, dat dingen konden veranderen. Haar handen gingen weer verder, pakten Joyce Garabedians boek op. Haar leven was niet zoals dat van Joyce Garabedian, die het boek nu stevig aan het promoten was en een reeks stappen uitlegde die ze had genomen en die ze haar publiek aanraadde om het leven te ontdekken dat ze werkelijk wilden leiden.

Maar inmiddels had Daisy al afgehaakt. Dit had niets met haar te maken. Daisy’s leven zou anders worden. Bijzonder. Zonder stappen, zonder strategieën op deze goedkope manier. Wat had het tenslotte voor zin als je eraan moest werken?

Het publiek stelde nu vragen, en Daisy, die maar half luisterde, merkte hoe handig Joyce Garabedian hen steeds weer terugverwees naar het boek en hun maar een klein beetje vertelde van wat ze wilden weten, waarna ze het hele hoofdstuk noemde waarin alles uitgelegd werd.

Toen het afgelopen was, klonk er een langdurig applaus. Joyce Garabedian kon maar met moeite bij de signeertafel komen omdat zoveel mensen haar tegenhielden om iets te zeggen. Daisy trok de stoel voor haar naar achteren en bood haar een selectie pennen aan, maar ze had haar eigen pen, een chique zilveren met een echte kroontjespen. Daisy gaf haar de boeken aan en de vrouwen kwamen naar voren.

De rij voor het signeren was lang, en Joyce Garabedian praatte uitvoerig met veel van de mensen uit het publiek die tegenover haar kwamen staan en haar vertelden van hun problemen, hun verwachtingen. Het was laat toen Eva de deur achter de laatste klant sloot en de etalagelichten uitdeed. Callie was weggegaan om Joyce Garabedian en haar begeleider naar hun auto te brengen, dus Daisy en Eva waren alleen.

Daisy was al begonnen met opruimen – ze was begonnen zodra het laatste boek gesigneerd was, toen er nog veel mensen in de winkel waren – en nu kwam Eva haar helpen. Een poosje werkten ze zwijgend, zo ver van elkaar af als maar kon. Maar toen ze bij de stoelen kwamen en elkaar steeds passeerden in de gang, bleef Eva voor haar staan en zei: 'Ik ben zo woedend op je dat ik bijna niet kan praten.'

'Het spijt me dat ik te laat was,' zei Daisy. Haar stem was koud en Eva's gezicht vertrok. Ze liep weg.

Ze brachten elk nog een paar ladingen weg en toen hield Eva haar op de terugweg in de gang tegen. 'Waarom? Waarom was je zo laat?'

Daisy zette de stoelen neer. 'De training liep uit.'

Eva keek haar scherp aan. 'Daisy. Ik heb gebeld. Iemand vertelde me dat de training veel vroeger was afgelopen. Om vier uur of zo.'

'Ja, maar een paar van ons zijn nog een poos een balletje blijven gooien.' Ze veranderde van toon. 'Ik ben niet zo erg goed, mam. Als ik in het team wil, moet ik er echt aan werken.'

Eva zuchtte en Daisy wist dat het in orde was. Ze had gewonnen. 'Had je niet kunnen bellen?' vroeg Eva.

'Ik had het niet in de gaten, mam. Er is daar geen klok. En ik was helemaal zweterig dus ik moest douchen en me aankleden en toen wilde ik niet eens de tijd nemen om te bellen, omdat ik me zo aan het haasten was.' Ze tilde haar stoelen weer op. 'Het spijt me. Dat zei ik toch? Het spijt me.' Daisy realiseerde zich dat ze nota bene ongeduldig werd van Eva – Eva, tegen wie ze tenslotte uitvoerig aan het liegen was. Ongeduldig omdat Eva maar zo langzaam meeging in haar leugen, in haar vergeven. Maar dat ze erkende dat dat oneerlijk was, veranderde er niets aan – ze voelde het nu eenmaal zo.

Ze liepen zwijgend naar huis. Het was kil buiten, en Daisy hield haar hele lichaam stijf tegen de kou. De bioscoop was nog open – het baldakijn was verlicht – maar de rest van het plaatsje was even stil als anders om deze tijd op een doordeweekse avond. Toeristen en wijngaardbezitters zouden nog in de restaurants zitten, maar de winkels waren dicht en er was bijna geen verkeer.

Toen ze Kearney Street insloegen en bij hun huis kwamen, zei Eva abrupt: 'Soms kan ik het niet uitstaan.'

Daisy, die had lopen nadenken over geluk, over Duncan, over seks, schrok op. 'Wat niet?'

Eva zweeg even. 'Ik kan het niet uitstaan hoe moeilijk het is, hoe ingewikkeld – het leven – zonder John.' Toen zei ze hartstochtelijk: 'Ik vind het soms afschuwelijk om thuis te komen. Afschuwelijk.'

'Jezus, mam.' Daisy had het gevoel dat zij op de een of andere manier de schuld kreeg. Dat Eva dit niet tegen haar zou zeggen tenzij ze nog boos was. Dat haar moeders verdriet met haar te maken had, met alles wat ze niet voor haar kon doen, kon zijn. En het gevolg bij Daisy was de neiging om zich af te wenden. Ze kon gewoon niet haar moeders verdriet of verwarring bij die van haarzelf verdragen. Ze had niet de kracht om meer te dragen dan ze nu voor haar gevoel al deed.

'Doe even gewoon,' zei ze en liep voor haar moeder uit het pad op naar het verlichte huis.

Toen Emily voor Thanksgiving thuiskwam, reden Eva en Theo en Daisy met z'n allen naar het vliegveld om haar af te halen. Daisy had niet geweten wat ze zou voelen, hoe ze zou reageren, maar toen ze haar oudere zus zag, klein en mooi en zoekend tussen de andere passagiers die op hen af stroomden, riep ze Emily's naam en keek hoe ze zich omdraaide en haar zocht, en hoe haar gezicht opklaarde toen ze haar had gevonden. Daisy rende vooruit, voor de anderen uit, en zij en haar zusje omhelsden elkaar even en lieten elkaar toen lachend en onhandig en gegeneerd los zodat Eva en Theo aan de beurt konden komen.

Ze had Emily gemist, dat had ze wel geweten, maar als ze daar de afgelopen herfst aan dacht, had ze geconcludeerd dat ze haar nog meer gemist had toen ze er nog was, vanwege alles wat er veranderd was tussen hen. Als ze dacht aan de intimiteit met haar zus herinnerde ze zich de begintijd in het huis aan Kearney Street, toen ze nog een kamer deelden; of de jaren dat ze klein waren, in het huis op de heuvel. En misschien miste ze nog het meest degene die zijzelf in die tijd was, voordat ze zich onhandig en klunzig was gaan voelen, een gevoel dat sterker werd naarmate Emily mooier, eleganter en populairder werd.

Ze herinnerde zich met een diep, onverklaarbaar genoegen bepaalde spelletjes die ze gespeeld hadden in hun huis op de heuvel, uitvoerige fantasieverhalen waarin ze rollen speelden – de prinses en de boze stiefmoeder; het weesje en de vriendelijke, rijke dame. Bij een van die spelletjes verschoven ze de meubels en moesten de woonkamer door zien te komen zonder dat hun voeten de grond raakten – de grond, waar krokodillen of stinkdieren of draken woonden. Soms mochten ze van Eva met lakens een hut maken onder de eettafel. Ze haalden al hun poppen en gingen daar wonen, en vaak mochten ze van Eva zelfs daar eten. Dan zaten ze te eten in het schemerige licht in voor hun gevoel het diepste geheim, werelden verwijderd van hun gewone leven.

Emily had natuurlijk de leiding over dit alles. Zij zorgde dat het gebeurde. Aan zichzelf overgelaten zou Daisy gelezen hebben, of getekend, of later verhalen hebben geschreven of gedichten. En naarmate ze meer en meer aan zichzelf overgelaten werd na de verhuizing naar de stad – en Emily aan haar eigen leven begon – was dat wat Daisy had gedaan, tot John tussenbeide kwam. Maar ook toen nog, toen zij zelf zich had afgewend van Emily, toen ze Emily was gaan beschouwen als oppervlakkig, als bazig – ook toen nog had Daisy als Emily haar wenkte, zoals ze af en toe deed, gereageerd met een gretigheid die ze soms zielig vond van zichzelf.

Ze had geprobeerd zich die herfst voor te bereiden op Emily's thuiskomst. Ze wilde niet meer zo gretig zijn als Emily aandacht aan haar besteedde of haar op de een of andere manier in haar leven nodigde. En in zekere zin hield haar verhouding met Duncan verband met deze vastbeslotenheid. Die was als een harnas tegen haar zus. Het was een avontuur, een element in haar leven dat Emily nooit zou kunnen raden. Iets hieraan, aan deze ervaring waar Emily niets van wist, niets van kon weten, wond Daisy op en maakte dat ze zich op een bepaalde manier superieur voelde aan haar zus.

Toen ze in bed lag op Emily's eerste avond thuis dacht ze weer aan Emily's beschrijvingen van seks met Noah, en daarbij vergeleken leek haar ervaring met seks met Duncan meeslepend. Ze dacht aan de vreemde, prachtige beelden die haar hoofd vulden als hij met haar speelde en zij klaarkwam – regendruppels die glinsterden als zilveren munten in de lucht en maar bleven vallen op weidse groene weiden; of huizen waar ze doorheen liep en die zich openden, de ene na de andere onverwachte kamer, de ene nog lichter dan de andere. Ze dacht aan hoe open en vertrouwd haar eigen lichaam had gevoeld, al die gedeelten die haar eerst hadden beangstigd en tegengestaan maar die nu zo geladen waren met kracht.

Maar toen Emily haar donderdagavond vroeg of ze die zaterdag meeging om kerstinkopen te doen, zei Daisy ja zonder er zelfs maar over na te denken. Ja. Graag.

'Er is overal mega-uitverkoop,' zei Emily.

'Ja,' zei Daisy.

'Misschien kunnen we samen iets voor mama en voor Mark vinden.'

'Oké,' zei Daisy. 'Cool.' Ze realiseerde zich dat het haar niet kon schelen wat ze gingen doen. Alleen het idee dat ze weer door Emily gekozen was, was voldoende. Ze voelde zich net zoals toen Duncan in haar leven was gekomen, realiseerde ze zich: gered. Gered van zichzelf. Het gaf hetzelfde gevoel als de zware make-up die Maria haar had opgedaan op Eva's verjaardagsfeestje, en het zwarte badpak met de te ruime cups en de strasriem. Het idee van een ander ik, een andere manier van in de wereld staan. Het was nieuws. Nieuws over haarzelf. Ze herinnerde zich hoe iedereen die avond naar haar had gekeken, en hoe ze het kostuum aan had willen houden omdat ze opeens het gevoel had dat ze iedereen kon zijn die ze wilde zijn. Ze herinnerde zich hoe ze het gedicht had opgeschreven waar Mark haar om had gevraagd, en daarna, in een impuls, dat andere, dat haar gevoelens vertolkte, de gevoelens van nieuwheid en mogelijkheid en geluk.

En zo voelde ze zich weer, ze kon er niets aan doen, toen Emily haar vroeg om mee te gaan.

Ze stond zaterdag vroeg op. Het was koud buiten en het motregende, maar dat kon Daisy niet schelen. Ze ging naar beneden naar de keuken en deed de lampen aan. Eva had een half stokbrood op het keukeneiland laten liggen, en Daisy besloot opeens dat ze wentelteefjes ging maken. De boter walmde in de pan, het soppende brood siste. De keuken vulde zich met naar vanille ruikende rook.

Ze zette haar bord op het keukeneiland. Ze haalde de ahornsiroop uit de koelkast. Hij was koud en dik toen ze hem erop goot. Ze nam een hap en kauwde langzaam, het zoet en de kou deden pijn aan haar tanden. Ze wilde net nog een hap nemen toen Theo binnenkwam. Hij had zichzelf aangekleed, dat was duidelijk – niets zat op z'n plaats en zijn gulp stond nog open. Hij hield zijn portefeuille met twee handen tegen zijn borst. Het was een cadeautje van Eva, dat ze voor hem had gekocht vorige zomer toen hij het geld dat hij had gestolen had teruggegeven. Een beloning voor goed gedrag nadat hij een dief was geweest, veronderstelde Daisy. Ze had meesmuilend gekeken toen ze hem voor de eerste keer zag. En dat deed ze nu weer.

'Ga je boodschappen doen?' vroeg ze sarcastisch, met nadruk op het woord. Ze bedacht dat ze net zo klonk als Duncan.

Zijn hoofd ging enthousiast op en neer. 'Ik ga met jullie mee.'

Daisy schudde haar hoofd. 'Nee, ik ga met Emily. Emily en ik gaan samen.'

'Neehee, Daisy,' zei hij met treiterige nadruk. 'Emily heeft het tegen me gezegd en ik ga mee. Mama zei dat ik mocht.'

Daisy legde haar vork neer. Natuurlijk. Opeens begreep ze alles. Emily had hen inderdaad allebei gevraagd. Het was een project van Emily. Zíj was een project van Emily. Emily zou hen begeleiden, zij zou de leiding hebben over hun samenzijn. Zij zou vrienden vertellen over die dag en de tijd met hen als over een goede daad. Wat heb jij gedaan in de vakantie? O, ik heb mijn broertje en zusje meegenomen kerstinkopen doen, weet je wel, dingen kopen voor onze ouders.

Daisy stond op van het keukeneiland, ze had geen honger meer. Ze hield haar bord boven de gootsteen en keek hoe het halfopgegeten brood ervanaf gleed. Ze liet het water lopen en duwde al het eten in de afvalvernietiger. De machine brulde en gorgelde toen ze hem aanzette.

Theo was op een stoel geklommen. 'Ik heb honger,' kondigde hij aan toen Daisy het apparaat uit had gezet.

'Maak zelf maar iets!' zei ze en liep de keuken uit.

Ze lag in haar kamer te luisteren hoe de rest van het huis wakker werd. Ze hoorde Emily in hun badkamer douchen en daarna de lange stilte terwijl ze haar haar deed en bezig was met make-up. Ze hoorde Eva's radio in haar kamer, afgestemd op het nieuws. Ze hoorde hen praten toen ze naar beneden gingen naar de keuken. Er was nog iemand die wentelteefjes maakte, ze rook het.

Ze overdacht haar opties. Ze kon gewoon niet gaan, maar dan moest ze uitleggen waarom, en als ze de waarheid vertelde, zou dat kinderachtig klinken. 'Ik dacht dat we alleen met z'n tweetjes zouden gaan.' Zielig! Ze wilde niet zo dwaas en zo happig op Emily's aandacht lijken.

Want dat was ze natuurlijk, toch?

Maar dat zou ze niet toegeven.

Ze kon liegen, maar een leugen zou allerlei ingewikkelde toestanden geven. Als ze zei dat ze zich niet lekker voelde, zou Eva erbij betrokken worden – thermometers, niet naar buiten mogen. Als ze iets anders te doen had, moest ze weggaan en het gaan doen. Of verdwijnen en iets doen. Het leek de moeite niet waard. En ze moest toch ook kerstinkopen doen.

Toen Emily naar boven riep dat ze over tien minuten weggingen, brulde Daisy terug dat ze eraan kwam.

Eva ging vlak voor hen weg, op weg naar de winkel. Ze keek stralend naar hen toen ze hen gedag zei. 'Heel veel plezier,' zei ze – en Daisy kon zien dat Eva juist verrukt was over datgene wat haar zo verdrietig maakte: dat alle drie haar kinderen samen iets gingen doen.

In de auto op weg naar de outlet-winkels moest Theo steeds maar weer de berekening maken. Omdat hij vijf dollar in zijn portefeuille had en er een voor zichzelf over wilde houden, had hij vier dollar voor een cadeautje voor Eva. Emily was geduldig; Daisy zat zwijgend op de achterbank te kijken hoe de zilveren regen over de ramen striemde.

Ze gingen eerst naar het warenhuis om naar kleren te kijken. Emily dacht dat ze haar een blouse konden geven. Of misschien, toen ze langs een stapel in het gangpad kwamen, een trui. Ze hield er een omhoog die haar opgevallen was, kasjmier, met brede horizontale blauwwitte strepen. Hij kostte honderdtwintig dollar. 'We zouden hem allemaal samen kunnen kopen,' zei ze.

'Ik vind hem niet mooi,' zei Daisy.

'Maar mam wel, denk ik, en daar gaat het toch om?'

'Nou ja, ik kan het me niet veroorloven.'

'Wat is veroorloven?' vroeg Theo.

'Ik heb niet genoeg geld, sufferd,' zei ze. Ze keek hem aan. Hij had Emily's hand vast.

'Ik ben geen sufferd. Jij bent een sufferd.'

'Nou en?' Ze keerde zich naar Emily. 'Hoe dan ook, laten we het niet doen.'

'Jij bent de sufferd, want je hebt wel genoeg geld, Daisy.' Hij praatte harder.

Daisy werd opeens gespannen. 'Ik heb net gezegd van niet, Theo. Hou je mond nou maar.'

'Maar je hebt het wel.'

'Nee, ik heb het niet.' Ze keerde zich naar Emily. 'Laten we kijken bij huishouddingen,' zei ze.

'Huishouddingen! Wat een rotidee.'

'Nou, het is wel goedkoper.'

'Jezus. Ik heb je niet gevraagd mee te gaan winkelen zodat we krenterig konden zijn,' zei Emily. 'Jezus! Wat was je überhaupt van plan om voor Eva uit te geven?'

'Ik weet het niet. Daar heb ik niet over nagedacht.'

'Nou, wat je zei was "ik kan het me niet veroorloven." Dus je moet een idee hebben van wat je je wel kunt veroorloven.'

'Wat kan ik me veroorloven, Emily?' vroeg Theo. Emily had zijn portefeuille in haar tas gedaan voor de veiligheid. Toen hij hem in zijn handen had, haalde hij het geld er de hele tijd uit omdat hij het graag aanraakte, vast wilde houden.

'Dat hebben we je verteld, Theo. Je hebt vijf dollar en als je er vier uitgeeft voor Eva, heb je een dollar over, dus vier is wat je je kunt veroorloven.' Ze had Theo's hand gepakt. Daisy liep voor hen uit door de gangpaden, weg van de truien.

'Daisy heeft veel meer dan dat,' hoorde ze hem zeggen.

'Hou je mónd, Theo!' zei Daisy, zonder zich om te draaien. Een vrouw die haar voorbijliep keek haar vreemd aan – een kolossaal gek meisje dat tegen zichzelf praatte.

'Ze heeft honderden en honderden. Ik heb het gezien.'

'Honderden en honderden?' vroeg Emily plagend.

Daisy bleef staan en draaide zich om. Ze wachtte tot ze haar hadden ingehaald. 'Je liegt, Theo,' zei ze. Haar stem was laag en dreigend.

Emily trok een gezicht naar Daisy: laat hem maar praten. Geeft toch niets?

Maar Daisy wilde dat hij zijn mond hield. 'Hij fantaseert weer.'

'Ik fantaseer niet.'

'O nee? Je fantaseert altijd. Net zoals je fantaseert dat John leeft terwijl hij dood is.'

Emily zei: 'Schei uit, Daisy,' terwijl Theo zei: 'Hij is níét dood meer.'

'Ja ja, en ik heb een heleboel geld. "Honderden geld".'

'Ja, je hebt het heus.'

'Zie je wel?' zei Daisy tegen Emily, met haar hand omhoog. 'Zie je hoe gek hij is?'

Ze stonden nu voor de parfumtoonbank, en opeens schakelde Emily om. Parfum, stelde ze voor. Daisy, die graag een eind aan het gesprek wilde maken, ging onmiddellijk akkoord. Ze wisten welke Eva het liefste had, Cristalle. Waarom niet? En op het laatste moment, omdat de parfum goedkoper was geweest dan ze gedacht hadden, kochten ze ook een sjaal voor haar, het soort dat Eva vaak gebruikte als stola.

Toen ze thuiskwamen, liep Daisy rechtdoor naar de keuken. Ze stierf van de honger omdat ze het grootste deel van haar ontbijt had weggegooid. Ze stond voor de open koelkast toen ze hen boven haar hoofd hoorde, en ze wist onmiddellijk – omdat ze het zo duidelijk voor zich zag – dat ze in haar kamer waren en dat Theo Emily de schoenendoos met haar geld liet zien.

Ze rende met twee treden tegelijk de achtertrap op en toen ze bij de deuropening van haar kamer kwam, was het precies zoals ze zich had voorgesteld. De dubbele deuren van haar kast waren opengegooid en zij stonden erin, als op een toneel. Emily had de schoenendoos onder haar arm en in de andere hand een paar van de biljetten. Ze keken verwezen naar haar. Het woord flitste echt door Daisy's hoofd, zoals woorden dat soms deden. Verwezen. Onthutst. Theo keek bang. Ze stonden tegenover elkaar in de kamer, en ten slotte zei Emily: 'Er moet hier een paar honderd dollar in zitten, Daisy. Waar heb je die vandaan?'

In drie stappen was Daisy bij haar. 'Het is van mij. Geef hier.' Emily verzette zich niet. Ze stak haar de doos toe en hield het geld omhoog voor Daisy.

'Ik zei het toch, Daisy,' zei Theo. 'Ik zei toch dat je een hoop geld had.' Hij was nu niet bang meer. Hij was opgetogen. Daisy had hem niet geslagen, of geschreeuwd, en Emily deinsde niet terug. Hij was veilig. 'Ik zei het toch, Emily?' zei hij.

Daisy keerde zich naar hem toe. 'O ja, nou en?' zei ze. Haar stem was vlak en vals. 'Dit betekent niets. Het betekent niet dat je gelijk hebt over wat dan ook. Het verandert niets. John is nog steeds dood, ettertje. Je vader is dood, Theo. Dood.'

'Dat moet je niet zeggen.'

'Hij is dood.' Daisy's stem klonk schril. 'En hij komt nooit, nooit meer terug. Niet dit jaar, niet als je tien bent, nooit. Helemaal nooit.' Daisy was zo boos dat ze het geld naar hem toegooide en het fladderde overal over de vloer.

'Dat moet je niet zeggen,' jammerde Theo.

Nu gaat hij huilen, dacht Daisy. En Emily gaat hem troosten.

En ze keek toe hoe het gebeurde, toen zijn gezicht vertrok en het jammeren echt begon, toen Emily hem oppakte – hij was net een diertje, een aapje, dat zich aan haar vastklemde – en hem Daisy's kamer uit droeg.

Ze hoorde hen aan de andere kant van de gang in Theo's kamer, hun stemmen – die van Theo langzaam rustiger, die van Emily kalm en geruststellend. Ze stond een poosje te luisteren en toen ging ze op haar knieën zitten en begon rond te kruipen om het geld op te rapen. Ze deed het in de schoenendoos en deze keer deed ze de schoenendoos in de diepste la onder in haar ladenkast.

Het was nu stil in huis. De stemmen van Emily en Theo klonken af en toe mompelend op. Daisy ging op haar bed liggen en bijna onmiddellijk werd ze overvallen door de behoefte om te gaan slapen, een behoefte die zo sterk was dat ze er duizelig van werd, ook al lag ze al. Ze wilde er net aan toegeven, er diep in wegzakken, toen Emily terugkwam en naast haar bed ging staan.

Daisy kreunde. 'Ga weg,' zei ze.

'Waar heb je het vandaan, Dees?' Emily's stem klonk vriendelijk.

Daisy vermande zich, ze dwong zichzelf om antwoord te geven. 'De winkel,' zei ze.

'De boekwinkel?'

'Ja.'

'Eva's boekwinkel?'

'Is er nog een andere boekwinkel dan? Ja!'

'Is het wat je verdiend hebt? In Eva's winkel?'

Hier opende zich een uitweg voor Daisy, maar voor haar gevoel was het te laat, ze was te moe om daar gebruik van te maken. 'Nee, ik heb het niet verdiend,' zei ze zwaar. 'Ik heb het gepakt.'

Ze geloofde dat ze misschien even had geslapen, maar toen hoorde ze Emily fluisteren: 'Dus je hebt het gewoon gestolen?'

Daisy deed haar ogen open en keek naar haar mooie zus. Emily zat nu op de rand van het bed.

'Ja,' zei Daisy. Ze deed haar ogen weer dicht.

'En Eva weet het niet? Ze vermoedt niets?'

Daisy deed haar ogen open. Emily fronste oprecht, bezorgd. Bezorgd om haar. 'Nee,' zei Daisy. Haar ogen gingen dicht.

'We zouden het terug kunnen leggen,' fluisterde Emily.

Daisy gaf geen antwoord. Ze wist niet zeker of Emily het echt had gezegd.

'Heb je me gehoord, Daisy? We zouden het makkelijk terug kunnen leggen.'

Daisy kreunde.

'Vind je niet? Kom op, Daisy, wakker worden.'

Daisy hees zichzelf half overeind. Ze likte aan haar lippen. 'Wat heeft dat voor zin?' vroeg ze. 'Ze heeft niet eens gemerkt dat het weg was.'

Emily kauwde fronsend op haar vinger. Daisy voelde haar hoofd knikken, haar oogleden wilden dichtvallen.

'Je hebt het niet eens gebruikt,' zei Emily.

'Nee,' gaf Daisy toe. Ze ging rechter op zitten.

'Waarom heb je het eigenlijk gepakt als je het niet ergens aan uit wilde geven?'

'Ik wilde het hebben.' Ze schraapte haar keel. 'Ik wilde het hebben.'

'Maar waarom, Daisy?' Emily keek angstig. 'Je hebt genoeg geld.'

Heel even glimlachte Daisy bij de gedachte dat Emily net zo klonk als Theo, bij de gedachte dat iedereen vond dat ze genoeg had, en dat had ze natuurlijk ook, maar daar ging het niet om. 'Tja, waarom?' zei ze spottend.

En toen begon ze opeens te huilen. Het deed eerst pijn – haar keel voelde gezwollen en pijnlijk – en toen zakte het af. 'Ik weet het niet,' snotterde ze. 'Ik weet het niet.' En hoewel ze het over het geld had, leken op de een of andere manier alle andere dingen in haar leven – haar alleenzijn met Johns dood, het eenzame leven dat ze leidde op school, het geheim van de seks met Duncan, alle dingen waar ze niet met iemand anders over kon praten – al die dingen deel uit te maken van waarom ze huilde.

Emily stak een hand uit en wreef even onhandig over haar zusjes schouder. Toen zwaaide ze zichzelf opeens op het bed en ging naast Daisy liggen. Ze sloeg haar armen om haar heen in wat ze lang geleden de berengreep hadden genoemd. Ze lagen samen zoals toen ze kleine meisjes waren en hun wereld onder hen uit gleed en ze elkaar nodig hadden voor de veiligheid. En omdat ze wist dat er geen veiligheid meer was, zelfs niet hier, voegde Daisy die herinnering aan haar verdriet toe en verdiepte het.

HOOFDSTUK TWAALF

Mark was naar zijn ouderlijk huis in Nebraska gegaan voor Thanksgiving. Hij stond uit het raam boven het aanrecht te staren terwijl ze de afwas deden na het feestmaal. Drie van zijn broers waren er ook, in het huis van zijn moeder, met hun vrouwen en een paar van hun volwassen kinderen. Ze hadden vandaag met z'n veertienen aan tafel gezeten, en zijn moeder had alles uit de kast gehaald: het oude, versleten witte tafelkleed, de zware linnen servetten en haar zilveren bestek, en het hele scala aan traditionele gerechten, waaronder zoete aardappels met marshmallows en drie soorten pastei. Ze was die ochtend om vijf uur opgestaan, hij had het geluid gehoord in zijn halfslaap in wat nu de logeerkamer was, en ervoer het als een droom, een droom van zijn jongenstijd, als hij wakker werd van het geluid van zijn moeder die ontbijt voor hen allemaal maakte – het gerammel van pannen en borden in de verte, het gestage, lage gebrom van de radio die was afgestemd op het ochtendnieuws.

Zijn schoonzussen en broers liepen nu de eetkamer in en uit met serviesgoed en wat er over was van het eten. Mark had aangeboden af te wassen omdat hij geen zin had in het gebabbel van de anderen als ze elkaar passeerden tijdens het heen en weer lopen. Hier, tussen zijn getrouwde broers en hun vrouwen dacht hij weer aan Eva, aan Eva zoals hij de laatste keer met haar had gepraat ruim een maand geleden, op de parkeerplaats van de Auberge du Soleil – hoe zij toen tegen hem had gezegd dat dit het enige was wat ze wilde: hem aanraken, bij hem zijn. Maar toen was ze weggegaan, snel, en met enig hartzeer, dacht hij. Hartzeer dat waarschijnlijk veroorzaakt werd door wat moeilijk en tegenstrijdig voor haar was bij de erkenning daarvan tegenover hem en tegelijkertijd rouwen om John. Hij had haar weg zien lopen, had gekeken hoe de auto wegreed, de parkeerplaats af reed, uit het zicht verdween, zonder te weten wat hij moest doen, hoe hij haar moest helpen.

En daarna had hij haar niet meer gezien. Ze hadden elkaar een paar keer aan de telefoon gehad om af te spreken dat Daisy bij hem kwam, en een keer Daisy en Theo samen. En er was een probleem geweest waar Eva hem over had gebeld – het bleek dat Daisy pianolessen had overgeslagen zonder het haar te vertellen. Er zelfs over had gelogen. 'Daar zit ik nog het meeste mee,' had Eva gezegd. 'Die volkomen verzonnen verhalen over waar ze was, of wat ze aan het doen was. Nu heb ik het gevoel dat ik haar helemaal niet meer kan vertrouwen.' Ze had hem gevraagd Daisy op te halen bij het huis van de lerares op de avond dat ze bij hem zou zijn, gewoon om zeker te zijn dat ze er echt was geweest, dat ze de les had gehad. Maar tijdens al deze gesprekken hielden ze hun toon zakelijk – of ouderlijk in elk geval. Ze hadden het niet over de laatste keer dat ze samen waren of over wat Eva tegen hem had gezegd.

En toen drong natuurlijk het leven weer binnen; of liever gezegd, hij liet het toe. Eerst was er al het keiharde werken tijdens het persen en de oogst; en toen ging hij op een al lang geplande vakantie; en nu was hij hier in zijn ouderlijk huis, een afspraak die hij onmogelijk had kunnen afzeggen.

Hij had overigens wel overwogen de vakantie af te zeggen, maar had besloten van niet. En dat had alles te maken met Eva. Hij wilde haar tijd geven. Ze had tijd nodig, dat begreep hij. Maar hij kon wachten. Hij zou haar laten zien dat hij kon wachten. Het laatste wat hij wilde was dat ze het gevoel kreeg dat hij haar onder druk zette.

Hij keek weer op van de gootsteen en door het raam naar zijn neefjes en een van zijn nichtjes die trefbal speelden op de bevroren grond. Ze droegen gewatteerde felgekleurde jacks. Hun adem maakte wolkjes. Hun geschreeuw en gelach kwam binnen door het raam en overstemde de roddelachtige gesprekken tussen de volwassenen die zich van de keuken naar de eetkamer verplaatsten.

Achter de jongelui en hun spel kwamen de velden bijna tot de schutting achter in zijn moeders tuin. De eerste dag dat hij thuis was, was hij verbijsterd geweest – zoals altijd als hij net aankwam – door de platheid, het eenkleurige van deze velden, van het land in het algemeen. Tinten bruin, grijs en zwart strekten zich kilometers uit in alle richtingen vanaf de buitenkant van de stad. Het had die dag gesneeuwd, een dun laagje dat de volgende middag al weggesmolten was, maar voldoende om hem te doen denken aan de kou en de verlatenheid in de wintermaanden van zijn jeugd, als je alleen maar de lange, hopeloze witte vlakten zag, hier en daar onderbroken door boomrijen langs de beken of aan de grenzen van iemands land. Hoe hadden ze het verdragen? Hoe had hij het verdragen?

Hij had al vroeg geweten dat hij niet wilde blijven. Hij was ervandoor gegaan zodra hij kon, eerst na school een jaar werken in Californië en daarna naar de universiteit. Voordat hij wegging, had hij soms gedroomd van Californië zoals hij dacht dat het zou zijn – de warmte, het licht, de zee – maar de werkelijkheid ging alle fantasie te boven. Hij was verbijsterd door de aanraking van de lucht, door de weelderige vegetatie.

En in de begindagen van zijn leven daar – voordat de winkelcentra uit de grond schoten aan de rand van elk plaatsje, voordat de langgerekte golflijnen van goedkope huizen de lage hellingen bedekten – hadden de oogverblindende pastelkleurige steden en de slaperige dorpjes waar hij met vrienden doorheen reed iets lief ouderwets. Bovendien had hij natuurlijk geen geschiedenis in Californië. Hij voelde dat hij daar mogelijkheden had die het landschap zelf op de een of andere manier leek te bevestigen overal waar hij keek.

En ook al dacht hij niet meer helemaal op die manier aan Californië – of althans niet zo vaak – hij voelde soms nog steeds de omgekeerde verbijstering als hij naar huis kwam. Voordat zijn broers kwamen, had hij een paar dagen lang met zijn moeder in de auto gezeten om boodschappen te doen. Als je rondreed door het lege, dorre landschap, rook je af en toe een vleug van een varkensboerderij of, sterker nog, de stank van de afmesterij een paar kilometer verderop. Als dat gebeurde, keek hij naar zijn moeders gezicht en zag niets veranderen. Ze was er doodgewoon aan gewend – aan hoe het eruitzag, hoe het voelde, hoe het rook.

Er waren maar drie van zijn vijf broers gekomen voor de feestdag

– de andere twee woonden te ver weg, aan de oostkust. Van de drie die hier waren was er een – Bill – in de stad gebleven en hij had hun vaders houthandel overgenomen. De andere twee waren respectievelijk uit Lincoln en Chicago gekomen. Eric was advocaat, Robbie redacteur bij de *Herald Tribune.* Respectabele lieden, zeiden Bill en Mark voor de grap en zichzelf voerden ze op als boerenkinkels, kerels die met hun handen werkten. Hoewel zelfs Bill zoals Mark wist het grootste deel van zijn werk deed in het kantoor achter in de grote houthal, en dat werk bestond voornamelijk uit cijfers, getallen; en in de loop van de jaren waren ze allemaal gaan begrijpen dat Marks werk iets heel anders was dan het boerenwerk waar zij mee opgegroeid waren. Eric en Robbie waren behoorlijke wijnkenners en kozen merken die druiven kochten van Marks klanten. En Marks moeder had in haar 50+-blad gelezen dat een glas wijn per dag goed voor haar was en had aan hem gevraagd welke ze moest kopen.

Maar tijdens deze bezoeken vielen ze allemaal terug in de oude patronen, ze deden alsof er niets veranderd was. Of Bill en Mark hopeloos slecht leerden en de rest van hun leven lichamelijk werk zouden doen, of Robbie en Eric intellectueel ontsnapt waren, maar wel gebonden aan de tredmolen van overwerk, overpresteren. Mark deed hier gemakkelijk aan mee, hij kende zijn rol, maar het zat hem niet lekker, het bracht alle oude gevoelens van ontoereikendheid en tekortschieten die deel uit hadden gemaakt van hier opgroeien weer terug. Maar het was onmogelijk hier iets aan te doen. Het zou als schokkend en beledigend worden ervaren als hij zei: 'Weten jullie, ik heb hier genoeg van, ik heb er genoeg van om te doen of ik sloom ben, of ik alleen maar een beste brave jongen ben.' Daarom moest je weg, daarom zocht je een nieuwe plek om te wonen, een nieuwe verzameling voorwaarden waaronder je wilde leven.

Hij herinnerde zich hoe vreselijk Eva het had gevonden met hem mee naar huis te gaan, gedeeltelijk vanwege de manier waarop hij werd behandeld in de familie, en gedeeltelijk vanwege haar gevoeligheid voor de gesloten cirkel die hij en zijn broers en moeder vormden. Een keer toen ze nog getrouwd waren, was ze niet meegekomen voor de feestdagen, ze had hem alleen laten gaan met de meisjes. Zijn broers hadden hem geplaagd met zijn 'vrijgevochten' vrouw, dat hij al het werk moest doen terwijl zij vakantie vierde, dat hij onder de plak zat. (Toen ze scheidden, werd er niets gezegd. Het was niet eens alsof ze was gestorven; het was alsof ze gewoon nooit had bestaan.)

'De jongens', 'jullie, jongens', zoals zijn moeder hen noemde, waren er nu twee dagen met hun gezinnen, en zouden allemaal behalve Mark morgen vertrekken. Hun moeders vreugde om hun aanwezigheid was tastbaar, hoewel die voornamelijk de vorm van het aanbieden van voedsel aannam, zoals het altijd was geweest. Mark was als eerste aangekomen en had daardoor de volle omvang van haar inspanningen in zijn maagdelijke, onaangeroerde staat kunnen zien: de potten koekjes, de pasteien en een taart stonden klaar als snack, Rice Krispie-snoepjes, en iets wat zijn moeder tv-mix noemde – pretzels, noten en een paar gedroogde granen omgeschud met olie en Worcestershiresaus en dan geroosterd. Het eten dat ze had klaargemaakt voor de eerste avond dat ze allemaal samen aten – de vorige avond, de avond voor Thanksgiving – was een van hun lievelingsmaaltijden: gehaktbrood en aardappelpuree met jus, sperziebonen met amandelsnippers en maispuree. Ze waren allemaal mager, behalve Bill, die in deze wereld was gebleven en wiens stevige vrouw kookte zoals Marks moeder. Na het eten hadden de vier broers met hun stoelen achteruitgeschoven aan tafel gezeten, hun handen liefhebbend op hun opgezwollen maag, en hadden hun moeder koppen van de sterke koffie laten brengen die ze de hele avond door dronk, tot ze naar bed ging. De drie vrouwen, rusteloos en misschien verveeld, hadden opgeruimd en de familie aan hun oude gewoonten overgelaten.

Nu stond zijn moeder naast hem. Ze droogde het servies af en zette het terug op planken, in kasten en laden. Ze was een slanke vrouw, en tot een paar jaar geleden was ze mooi geweest, zou hij gezegd hebben. Maar toen had ze kanker gekregen – er was een borst verwijderd – en de ziekte en misschien de behandeling ook, hadden haar veranderd. Hij had haar niet gezien toen haar haar uitgevallen was en ze bijna vijftien kilo afgevallen was. Maar ook toen ze al gedeeltelijk hersteld was, was ze klein en oud geworden. Haar gezicht leek verschrompeld, haar huid hing in nieuwe lellen over een nieuwe leegte. Maar voornamelijk was er een soort vastbesloten energie die haar altijd had gekenmerkt verdwenen. Zelfs haar ogen, waar de energie uit had gestraald – hard en fel blauw – leken verbleekt. Tijdens deze drie dagen had hij soms naar haar gekeken als ze niet wist dat ze bekeken werd, en haar lichaam en haar gezicht leken hem leeg, als iets wat ze achter had gelaten.

Maar nu, geanimeerd door de aanwezigheid van haar zoons, plaagde ze de 'jongens' terwijl ze probeerden te helpen – flirterig, zoals ze altijd was geweest. Het viel hem op dat ze het heerlijk had gevonden om zoons te hebben. Wat zou ze hebben gedaan met een dochter? Met een Daisy, een Emily? Haar trucjes, haar manier van moederlijk zijn, alles was gericht op mannen. Vandaag had ze hen na het eten, toen ze niet meer konden, uitgescholden en hen vergeleken met hun vader. 'Dat was nog eens een man die wist waar hij het moest laten,' had ze vrolijk en plagerig gezegd.

Niemand had het gehad over de reeks hartaanvallen, de te vroege dood, haar lange weduwschap.

Hij keek naar haar. Ze was nu bezig een grote schaal af te drogen en luisterde glimlachend naar de twee jongere vrouwen in de keuken die een beetje op dezelfde toon als zij hun mannen bespotten om hun pogingen om te helpen – pogingen die de mannen zelf bewust minimaal, ontoereikend maakten, als onderdeel van de grap.

'O, je bedoelt dat deze borden víés zijn?' vroeg Linda met een stem die klonk als die van Goofy. 'Jee, uh-huh! Uh-huh!'

Opeens klonk er een harde klap.

Mark keek verward op en om zich heen. Zijn moeder stond met lege handen, haar mond geschrokken opengevallen.

En toen jammerde ze, een geluid van zo'n diepe pijn, zoveel verdriet, dat zijn handen als reactie uit het water kwamen.

Maar Linda was er al en hield haar vast, Kate knielde op de vloer en begon de stukken van de schaal die uit zijn moeders handen was gegleden en in hopeloos kleine scherven door de keuken verspreid lag, op te rapen.

'O nee!' riep zijn moeder zo diep bedroefd dat je zou denken dat ze een kind verloren had, of een minnaar. 'Nee, nee.'

Haar zoons waren naar de keukendeur gekomen en stonden net als Mark stom en hulpeloos te kijken naar dit verdriet dat zo peilloos klonk, en dat te maken moest hebben met hun vaders dood, met haar zorgen om zichzelf, met alles wat ze kwijt was geraakt of nooit had gehad; maar dat uit een deel van haar innerlijk kwam waar ze hen geen kennis van wilde laten nemen, hun geen toegang toe wilde geven.

En dus, toen het voorbij was, toen zijn moeder weer uit haar slaapkamer kwam, hersteld, weer opgewekt en haar lippen vers gestift, sprak niemand meer over de scène; en de volgende dag was het afscheid vrolijk, plagerig en vol verwijzingen naar volgend jaar.

Die avond, Marks laatste avond thuis, zaten hij en zijn moeder zwijgend bij elkaar. Hij vond dat het leek of ze leeggelopen was, maar misschien was ze gewoon moe. Ze aten de restjes van het Thanksgivingdiner met een schelpje aardappels dat ze die middag had gemaakt. De korsten van de restanten van de pasteien waren nu een beetje papperig, maar Mark at van allebei een dun plakje.

'Ik wilde je steeds al vragen naar de meisjes,' zei zijn moeder na het eten. Ze zaten in de woonkamer, hun koffiekopjes op bijzettafeltjes die ze naast hun stoelen had gezet. 'Ik wilde dat kinderen nog brieven schreven.'

'Je zult moeten bellen,' zei hij. 'Telefoon is wat kinderen begrijpen. Waarom bel je niet als je zin hebt en laat me weten hoeveel het kost? Ik stort het wel terug. Of laat het gewoon op mijn rekening zetten. Dat is dan mijn kerstcadeau voor jou.'

'O, maar ik ga niet zomaar opeens interlokale gesprekken voeren.' Ze glimlachte, maar haar stem was een beetje geïrriteerd, en beslist afwijzend. 'Daar ben ik te oud voor. In mijn boekje zijn interlokale gesprekken nog een luxe.'

'Je bent alleen maar zo oud als je je voelt, ma.'

Ze glimlachte. 'Zoals ik al zei, ik ben te oud.' De televisie stond aan de andere kant van de kamer en stond zacht. Een documentaire over de val van de Berlijnse Muur, met de beelden die ze al vele malen hadden gezien – de jonge mensen die erbovenop dansten, de menigte, de vreugde. Ze keken allebei een poosje. Toen zei ze: 'Maar gaat het goed met ze, met de meisjes?'

'Volgens mij gaat het geweldig. De ene is in sociaal opzicht een ster en de ander een mislukkeling, maar dat kan ieder moment omslaan. Daisy ontwikkelt zich snel. Ze is bijna een meter tachtig, weet je. Nou ja, een zevenenzeventig of zo.'

'Jeetje. Een zevenenzeventig! Dat zal moeilijk zijn voor een meisje van die leeftijd.'

'Ja, nu nog wel. Maar het ziet ernaar uit dat ze prachtig wordt. Mensen zullen omkijken als ze langskomt. Bij Emily gebeurt dat natuurlijk altijd, maar naar Daisy zal iedereen kijken, omdat ze ver, ver boven iedereen zal uitsteken.'

'En doen ze het allebei goed op school?' Dat betekende, althans gedeeltelijk, dat ze de gebruikelijke geruststelling wilde dat de meisjes zijn problemen niet hadden geërfd.

'Fantastisch. Daisy haalt bijna alleen negens en tienen, en Emily schijnt het prima te doen op Wesleyan. We zien haar cijfers pas als het semester afgelopen is.'

'Ze zullen wel heel streng oordelen daar, als je ziet hoe moeilijk het al is om toegelaten te worden. Ik heb gehoord dat het net zo erg is als Harvard of Yale of al die andere grote universiteiten.' En ze begon te vertellen over kinderen uit de buurt, de kleinkinderen van vrienden, de kinderen van Bill, de kinderen van Marks neven en nichten die vlakbij woonden en die ze allemaal veel beter kende, wist hij, dan zijn eigen kinderen – details over waar ze op school zaten, waar ze zich ingeschreven hadden, waar ze misschien toegelaten zouden worden.

Toen ze stopte, wachtte hij even en zei toen: 'Het lijkt beter te gaan met Eva.' Ze keek hem niet aan. Hij zei: 'Ze heeft het moeilijk gehad, het afgelopen jaar, maar nu lijkt het eindelijk goed te gaan.'

Waarom was hij over Eva begonnen? Om zijn moeder voor te bereiden? Om haar eraan te wennen dat ze Eva's naam zou horen, dat ze weer deel uit zou maken van zijn leven? Hij wist het eigenlijk niet, maar het deed er niet toe, want het was alsof hij niets gezegd had. Zijn moeder zei alleen: 'Hm,' en vroeg hem even later of hij nog koffie wilde.

Hij zei nee, hij had genoeg gehad.

Het was stil in huis op het gemompel van de tv na. De ramen waren zwart. Hij stelde zich voor hoe ze hier avond aan avond alleen zat.

Hij dacht aan het geluid dat ze had gemaakt toen ze het de vorige dag had uitgeschreeuwd, aan haar naamloze verdriet. Hij vroeg: 'Ben je gelukkig, mam? Het lijkt me... een beetje stil nu. Je leven.'

'Ach, ik weet niet of ik direct zou zeggen dat ik gelukkig ben. Maar ik ben tevreden,' zei ze.

De manier waarom ze het woord opdiepte en gebruikte klonk een beetje ingestudeerd, een beetje zelfvoldaan, en hij begreep dat ze het al eerder had gezegd, misschien meer dan eens. Dat ze het had gebruikt om de noodzaak om naar zichzelf en haar leven te kijken, om er iets aan te veranderen, opzij had geschoven.

Ze ging verder: 'Ik vind dat gedoe met geluk eigenlijk belachelijk. Ik ben tevreden met mijn lot, en ik hoop hier te kunnen blijven, tussen mijn vrienden en dierbaren, tot ze me naar buiten dragen.'

'Voeten naar voren.'

'Moet dat?' Ze glimlachte. 'Vooruit dan, voeten naar voren.' Na een lange stilte begon ze opeens te zingen, een oud liedje dat hij zich herinnerde uit zijn jeugd. Haar stem was dunnetjes, maar volledig zuiver – ze zong nog steeds in het kerkkoor – en ze genoot duidelijk van de woorden, van het verhaal dat in het lied werd verteld.

O als ik sterf
Doe me een lol
Begraaf me niet
Maar zet me op alcohol
Met aan mijn voeten
Een duif van sneeuwwitte pracht
Om de wereld te vertellen
Dat liefde mij hier bracht.

Ze bleven nog even zitten en toen stond ze op en begon hun kopjes op te ruimen.

Voordat hij naar Nebraska kwam, was hij in Santa Fe geweest. Dat was gewoonte geworden sinds hij en Eva waren gescheiden – zichzelf belonen voor het werk tijdens de oogst en voor de beproevingen van het aanstaande Thanksgivingbezoek thuis met een reisje naar een plaats waar hij nog nooit was geweest.

Eerst had hij Santa Fe leuk gevonden – om zijn exotisme, zijn schoonheid. Het leek of je in een ander land was, vond hij. Maar na de tweede dag voelde hij zich te zeer een onderdeel van de economie: een radertje in het wiel, een toerist, die geacht werd van de ene commerciële bestemming naar de andere te reizen. En in zijn ogen was er geen bestemming die niet commercieel was. Het was moeilijk te zien waar mensen woonden en zelfs of er überhaupt nog mensen in de stad woonden.

Hij vroeg zich af of dit ook de toekomst van Napa was – alleen bestemd voor bezichtigen en kopen. Op deze manier geconserveerd worden. Natuurlijk waren de plaatsjes in de vallei minder historisch en minder exotisch dan deze, en er woonden werkelijk mensen. Maar ze hadden steeds meer geld nodig om dat te doen. Veel geld. En hoewel dat geld dankzij de landbouwwetgeving in de wijngaarden bleef – zodat het tot in lengte van dagen gebruikt zou worden voor het boerenbedrijf – was het misschien ook het enige soort boerenbedrijf, dacht hij, dat een toeristische attractie kon zijn. Het had hem tijdens het persen een paar keer geïrriteerd als hij met een truck volgeladen met druiven en een platte wagen erachter stond te wachten in de lange files toeristenverkeer tot hij af kon slaan, zich ergerend aan de stijgende hitte en de tijdverspilling. En toch zou zijn werk zonder de toeristen minder waard zijn geweest. Veel minder.

Hij had een auto gehuurd in Santa Fe en toen hij geen zin meer had in de winkels en galerieën en kerken en restaurants bij het plaza, reed hij een paar keer een dag het omliggende land in en keek hoe het droge land golfde en veranderde. Hij was drie keer in een indiaanse pueblo gestopt en had rondgelopen en de kleine stenen en adobe huisjes bekeken die daar al eeuwen stonden, en gekeken naar wat er over was van die oude manier van leven. In een paar van die dorpen werd toegang geheven, maar eentje leek bijzonder vervallen; en hoewel er toch nog een paar families woonden, mocht hij blijkbaar overal onbeperkt rondlopen. Maar dit was uiteindelijk de pueblo waar hij zich het meest een indringer voelde, waar hij zich het sterkst bewust was van zijn onechte relatie met het leven waar hij naar keek – het leek zo verdronken in armoede, zo hulpeloos.

Hij had hier op een avond over gepraat met een barkeeper in Santa Fe. Hij zat in een duur restaurant waar de kelners allemaal blank waren en de loopjongens, de afruimers, Mexicaans en indiaans. 'Ja, ze werken anders,' zei de barkeeper over de pueblo's. Hij droeg een zwaar bewerkt jasje over zijn witte overhemd. 'Sommige, oké, je mag zoveel kijken als je wil voor vijf of tien piek, maar ze wonen hier niet eens meer, het is net een museum. Ze zijn nu verhuisd naar hun stukken grond, ze zitten daar in grote ranches met goed eten. Maar anderen zitten nog hier, ze wonen hier en verkopen zelfs dingen, en ze vragen er kapitalen voor.' Hij haalde zijn schouders op. 'Bij sommige kan je gratis binnenkomen en zoveel foto's maken als je wil; maar als je in de buurt van hun *kiva* komt, zit je in de problemen. En dan zijn er nog een paar die zo ongeorganiseerd zijn dat ze er niet eens aan denken om er geld voor te vragen. Alleen bedelen. Mag ik een borrel? Mag ik geld?' Hij sloeg zijn armen over elkaar en leunde achterover tegen de toonbank langs de muur. Achter hem, voor de antieke spiegel die langs de bar liep, stond een verzameling dure moutwhisky's waarvan Mark de meeste niet kende. 'Het zit overal,' zei hij.

Mark had Albuquerque leuker gevonden, althans wat hij ervan zag de dag die hij er doorbracht voordat hij het vliegtuig naar Lincoln nam. Daar woonden in elk geval mensen, een mengelmoes van mensen, en het supertoeristische gevoel heerste daar niet. Het deed hem weer denken aan de vallei, aan de vallei zoals die was geweest toen hij er kwam en hoe het er nu was. Het deed hem denken aan alles wat er te koop stond in Napa, aan alle grote discussies over de wijnmakerijen: moesten ze petten en T-shirts en potten mosterd gaan verkopen? Wat zou onzuiver zijn? Wat had voldoende te maken met het maken van wijn om er thuis te horen?

Hij was dankbaar dat hij alleen maar kweker was, dacht hij, een manager. Het leven was makkelijker als je je buiten die kwesties kon houden. Hij verkocht druiven. Hij verkocht zijn kennis van de grond, van landbouwmachines en opbindtechnieken en snoeien en irrigeren en de timing van dat alles. Hij hoefde niet na te denken over de toeristen, over de presentatie van wijn, over de kunst op de etiketten, over of schorten een met wijn gerelateerd product waren of niet. Hij stond daar allemaal buiten. Weliswaar had hij niet erg vaak meer vuil onder zijn nagels of in zijn huid gebrand, vuil dat je er niet af kon wassen, vuil dat zei: ik ben in de eerste plaats boer. Maar hij was boer. Dat was het enige waar hij ooit echt goed in was geweest. En hij was blij met zijn werk.

Dit bedacht Mark weer toen hij eind november na zijn reisje de lange vallei door reed in de motregen. Hij kwam langs de dure restaurants, de nieuwe, gigantische wijnmakerijen, en hij dacht erover na, over wat hij van zijn leven had gemaakt, wat hij had gedaan. Toen hij in de vallei kwam, waren er misschien vijfentwintig wijngaarden. Nu waren er minstens driehonderd, en hele series andere kleine particuliere ranches die hun eigen wijn maakten of druiven verkochten aan wijnmakerijen of een beetje van allebei. Hij had daaraan bijgedragen. Dat was zijn werk en hij had het goed gedaan. Maar de grond, die drie- of vierduizend dollar per hectare had gekost toen Eva en hij er kwamen, kostte nu veertig- of vijftigduizend dollar, en de prijzen zouden alleen nog maar stijgen. Zijn klanten, zelfs die met de kleinste ranches, waren rijk, en de meeste rijke mensen hadden iets dat hem niet aanstond, waar hij niet graag mee werd geconfronteerd.

Maar het werk was hetzelfde gebleven, en het plezier van het rondtrekken met de arbeiders, van zij aan zij met hen werken, was er nog steeds. Hij hield niet erg van de administratie en van het gevoel dat hij beschikbaar moest zijn als er een machine kapotging, of als iemand bezwaar had tegen het uitzicht op een irrigatievijver vanaf zijn achterterras; maar hij hield wel van zijn vermogen om dingen te herstellen, dingen te repareren. De grond, de machines, het gereedschap, de seizoensgebonden arbeidspatronen – die waren allemaal hetzelfde, allemaal vertrouwd en comfortabel voor hem.

Was hij gelukkig? Hij dacht aan wat zijn moeder had gezegd, dat ze tevreden was: de zelfvoldaanheid waarmee ze dat had verkondigd. Hij had haar op dat moment niet aardig gevonden, realiseerde hij zich nu. Ze had gezegd wat ze zei omdat ze niets wilde proberen, omdat ze altijd bang was geweest voor dingen proberen. Ze wilde nooit het risico lopen iets te veranderen. En daar hield haar gebrek aan reactie toen hij Eva's naam noemde waarschijnlijk verband mee. Door Eva's naam te noemen, Eva te herintroduceren, vroeg hij zijn moeder het risico dat hij nam te erkennen of er commentaar op te geven. Er in elk geval op te reageren. En dat wilde of kon ze niet – want dat soort inspanning, dat soort risico en verwachting was iets waar ze zich in haar eigen leven van had afgekeerd.

Maar hij wilde meer uit zijn leven halen dan zij uit het hare. Hij wilde geluk. Als Eva bij hem terug zou komen, dacht hij, kon hij gelukkig zijn met zijn leven. Daar wilde hij voor gaan, daar wilde hij zijn nek voor uitsteken.

Maar hij wist – hij had het gezien toen ze de laatste keer bij elkaar waren – hoe moeilijk het voor Eva zou zijn om dat te willen proberen. Ook zonder John en diens dood zou het moeilijk voor haar zijn geweest. Hoe kon ze hem weer vertrouwen of naar hem verlangen? Terwijl hij zo'n onbetrouwbare schoft was geweest? Hij moest haar alle tijd geven die ze nodig had, hij moest haar de leiding geven.

Hij maakte een vuist en stompte op het stuur. Dat was het. Hij had de hele tijd dat hij weg was aan Eva gedacht, hij had verschillende manieren bedacht waarop ze hun volgende ontmoeting zouden kunnen doen, maar nu, nee: hij besloot nu dat hij haar niet zou bellen. Hij zou ook op die manier wachten. Hij zou wachten tot ze hem belde, tot ze er klaar voor was.

De vallei werd nu breder, en mooi ondanks het feit dat hij op zijn donkerst was, op zijn kleurloost. Een paar van de lage hellingen waren groen van de naaldbomen, sommige waren glooiende kale velden vol stoppels van de gebeeldhouwde bomen die leken op de bomen op de achtergrond van renaissancistische schilderijen. Het ritme van de rijen wijnstokken die over de hele valleibodem waren geplant was intens, menselijk bevredigend. Hij was thuis. Hier wilde hij zijn. Met Eva.

Met Eva en Emily en Daisy en Theo.

Een paar avonden later, op een dinsdag, zag hij Eva met een man in de bioscoop in de stad. Hij had zelf ook iemand bij zich – een aardige, sexy vrouw met wie hij af en toe naar bed ging. Lorie Douglas. Ze ging met een hele hoop mensen af en toe naar bed. Ze stond erom bekend. Maar nu waren ze alleen vrienden. Ze belden elkaar als ze behoefte hadden aan gezelschap, iemand om iets mee te doen. Lorie had hem de vorige avond gebeld om te vragen of hij naar de bioscoop wilde komen. Ze wilden na afloop iets gaan drinken en hun Thanksgivings met elkaar vergelijken. Ze had twaalf uur vastgezeten op het vliegveld in Columbus, Ohio, toen haar aansluitende vlucht niet kon landen op O'Hare. 'Dus jij trakteert, vriend,' zei ze. 'Iemand is me iets schuldig, en dat moet jij dan maar zijn.'

Hij en Lorie hadden al kaartjes en popcorn gekocht en waren gaan zitten toen Eva en de man die ze bij zich had langs hen liepen en in een rij halverwege de zaal schoven. Ze hadden hem niet gezien, dat wist Mark tamelijk zeker. Terwijl hij met Lorie praatte, keek hij naar Eva. Ze had aandacht voor die vent, een grote, stevige man, bijna helemaal kaal. Je zou zelfs kunnen zeggen dat ze flirtte – Mark herkende het gedrag: het te luide lachen, het achterover gooien van haar haar. Hij keek ook tijdens de film naar hen; hij had goed zicht op hun achterhoofden. Twee keer boog ze opzij om iets in die vent zijn oor te fluisteren, iets wat ze vroeger verschrikkelijk vond als anderen het deden, iets waar ze hem in het verre verleden voor had berispt.

Toen de film afgelopen was, stond Mark meteen op. Hij wilde daar weg zijn, Lorie daar weg hebben voordat Eva hen zag.

Maar het zou niet lukken. Lorie had helemaal geen haast. Ze rommelde rond, ze was iets kwijt – haar sjaal. Ze bukte zich en klapte stoelen om zich heen omhoog. Hij stond daar nog toen Eva en de man die ze bij zich had, langsliepen door het gangpad. Mark keek opzij, dus hij wist niet zeker of Eva hem had gezien, maar hij keek naar hen om net voordat ze bij de open deur naar de lobby kwamen, en Eva keerde zich naar hem om en zwaaide. Ze glimlachte ondeugend.

Hij wist niet goed wat hij hiermee aan moest. De volgende week, de volgende paar weken piekerde hij erover. Moest hij haar bellen? Moest hij een verklaring geven als hij haar zag?

Maar hij zag haar niet, dat was het probleem. Daisy had het druk met haar werk en met basketbal en de laatste proefwerken en werkstukken voor de kerstvakantie, dus ze zei een paar afspraken bij hem af. Hij belde Eva een keer, maar toen Theo haar aan de telefoon riep, wist hij opeens niet meer wat hij precies wilde uitleggen, wat hij haar moest vertellen, en om zich in te dekken verzon hij een vraag over het schema van de meisjes in de kerstperiode.

Hij had het gevoel dat alles waar hij het afgelopen jaar aan had gewerkt uit zijn handen glipte. Hij voelde zich machteloos.

Tien dagen voor Kerstmis kwam opeens het warme weer terug. De zon was laag en lichtgeel, de lucht was zacht. Die middag ging Mark na zijn werk even naar de kantine voor een pilsje – Amy werkte er allang niet meer. De deur naar de zonnige straat stond open, in de bar was het lawaaiig en gezellig, af en toe zweefde een warme bries binnen. Er waren mannen aan het biljarten, Mexicanen, en die gooiden steeds geld in de jukebox en dansten om de tafel op de Latijnse muziek. Mark mengde zich in de merkwaardige valleigesprekken aan de bar, een combinatie van de gebruikelijke grove praat over vrouwen ('Er valt tegenwoordig niks meer te neuken in de vallei, het is hier allemaal te deftig geworden om rond te naaien zoals vroeger') die opeens om kon slaan in wat overal elders chic zou zijn, maar hier alleen maar over landbouw ging: de neus van een bepaalde wijn, het boeket, de plaats op de ranglijst in de laatste *Wine Spectator*. Hij moest altijd lachen om deze ongerijmdheid.

Hij zat glimlachend te luisteren toen hij Eva langzaam langs zag lopen – Eva en Theo. Zij had Theo bij de hand en boog haar hoofd om te horen wat hij haar vertelde.

Mark schoof zijn glas naar voren, samen met een biljet van vijf dollar, en liep snel naar de deur. Hij riep haar naam. Ze bleef staan en draaide zich om. Ze glimlachte naar hem, de langzame glimlach die zijn hart raakte. Theo lachte naar hem.

Hij haalde haar in en kuste haar licht op haar wang, raakte Theo's hoofd even aan.

'Hoe gaat het met je, Mark?' vroeg Eva. 'We hebben je in geen eeuwen gezien.' Ze gingen naar de winkel, zei ze – haar boekwinkel. Ze had Theo net van de crèche gehaald en nu ging ze de winkel afsluiten. Theo zou haar helpen, 'hè, lieverdje?'

Theo had een kleine motorfiets in zijn hand. Hij droeg een felgekleurde rugzak. 'Jaha,' zei hij.

Ze praatten over het fantastische weer, het gevoel dat je gezegend werd, zoals Eva het uitdrukte, door de aanraking van de zon.

'Hoor eens,' zei Mark even later. Hij had zijn stappen geregeld naar hun geslenter. 'Weet je nog die vrouw met wie ik was?'

Ze fronste haar wenkbrauwen. 'Welke vrouw?'

'Die vrouw met wie ik in de bioscoop was toen ik jou zag.'

'O! Ach. Een beetje.' Ze grijnsde naar hem. 'Niet echt.'

'Nou. Dat was...' Hij gebaarde zinloos. 'Het was gewoon een vriendin.'

'Mark!' Eva bleef staan. Haar hand tegen haar borst. Ze zag zijn bedoeling, wat hij dacht. Kennelijk verbaasde het haar.

'O, Mark!' zei ze. 'Ik dacht dat je het begreep. Het gaat me echt niets aan.' Ze glimlachte en stak dramatisch haar hand op. 'Het gaat me echt helemaal niets aan.' Ze schudde haar hoofd, met op elkaar geklemde lippen.

Ze waren nu bij de hoek, bij het licht. Het poppetje sprong op groen en Eva draaide zich plotseling naar Theo. 'Geef me een hand, lieverdje,' zei ze. Haar stem was weer veranderd. Hij klonk vastbesloten, streng.

Waar kwam het door? Welke overeenkomst? De verandering in Eva's toon, de aanwezigheid van een man die Theo's vader had kunnen zijn, de auto die plotseling de hoek om kwam? Welke van die drie zorgde dat Theo het zich eindelijk herinnerde? Zorgde dat hij opkeek naar zijn moeder en plechtig meldde: 'Mijn papa vlóóg.'

Mark, die verloren en verward naast haar stond, hoorde hoe ze lucht naar binnen zoog.

'Die keer dat hij doodging, weet je nog?' zei Theo. Mark keek nu naar hem. Theo fronste nadenkend. Hij deed zijn best om het weer op te halen. 'Dat mijn papa vloog?'

En Eva knielde opeens bij hem neer, greep zijn hoofd, kuste hem twee keer. 'O, schat,' zei ze. 'Ja! Ja hij vloog.' Haar stem klonk vol verdriet, vol liefde voor zijn herinnering.

'Als een engel, hè?' zei ze. 'Hij vloog.'

HOOFDSTUK DERTIEN

Met een droge knak brak zijn enkel. Hij voelde het en hij hoorde het.

Tot het moment dat het gebeurde, had hij gedacht dat hij niet zou vallen, dat hij zich nog kon vastgrijpen aan de tak waar hij vanaf gleed. Hij was laat in de middag op een helling boven St. Helena de laaghangende takken die te ver uitgroeiden over de rand van een kleine wijngaard die hij beheerde aan het snoeien. Hij had kennelijk te gevaarlijk gezeten, op de tak die hij aan het afzagen was. Nu zat hij half overeind op de grond onder de boom.

Zijn enkel deed pijn, maar hij was verbaasd dat het niet erger was, dat het een pijn was die hij kon verdragen. Nee, wat zijn hersens overspoelde, al toen hij lag te wachten tot de eerste golf pijn afnam, waren beelden van hoe verbazend onhandig dit zou zijn. Rijden. Werken. Er doemde één groot 'hoe?' op. Het kan niet, dacht hij.

Misschien was zijn enkel alleen verstuikt. Toen de eerste pijn weggeëbd was, krabbelde hij overeind en zorgde dat hij zijn gewicht op zijn goede voet hield. Zijn handen zaten vol modder, zijn broek was vochtig. Hij probeerde zijn gewicht over te brengen op de andere voet, de gewonde, en wist onmiddellijk dat hij in de problemen zat. Het deed helse pijn. Het begon al dik te worden, dat voelde hij. Er was geen sprake van dat hij zelfs maar naar de auto kon strompelen.

Hij stond aan de rand van de wijngaard bij een beekje waar drabbig bruin water door stroomde. Het schemerde al en hij had waarschijnlijk niet in zijn eentje hier in die boom moeten zitten.

Hij probeerde te hinken. Door de sprong schoot de pijn weer door zijn enkel. En de grond was verraderlijk – te ongelijk in elk geval om te proberen zich op deze manier te verplaatsen. De auto stond zo'n twintig meter verderop, hij was in een paar seconden hierheen gelopen, een paar stappen; maar het zou lang duren om er weer terug te komen. Omzichtig en met een grimas liet hij zich op handen en knieën zakken.

De aarde was nat en rotsig. Zijn broek was onmiddellijk doorweekt. Zijn handen en knieën waren koud en nat. Zijn enkel, die achter hem aan sleepte, deed vlammende pijn als hij dat been verschoof. Zijn knieën neerzetten was moeilijk, er lagen zoveel stenen. Het was koud buiten, maar algauw baadde hij in het zweet: van angst voor de pijn, de pijn zelf, de inspanning die het kostte om langzaam vooruit te komen. Hij moest om de meter stoppen om zijn lichaam voor te bereiden op nieuwe pijn, en het was donker – avond – tegen de tijd dat hij zijn rug rechtte en zichzelf optrok tot hij naast zijn auto stond, zijn hand aan de deurknop. Het had hem bijna een uur gekost om hier te komen.

Hij deed de cabine open en trok zichzelf omhoog aan het stuur. Op de bank draaide hij zich langzaam om en trok zijn benen naar binnen. Hij bleef een paar tellen zitten. Hij was zo dankbaar dat hij in deze vertrouwde ruimte was – in zekere zin thuis – dat hij bijna moest huilen. Hij legde zijn hoofd op zijn armen terwijl hij bedacht wat de volgende stap moest zijn.

Hij kon niet rijden, dat was duidelijk. De voet en de enkel waren nu gigantisch dik en klopten van de pijn. Ze zouden zijn schoen los moeten knippen om hem te behandelen. Dat hoopte hij tenminste. De voorstelling van hoe ze hem uit zouden trekken schoot door hem heen, maar was te pijnlijk om aan te denken. In elk geval kon hij zijn voet niet op het gaspedaal zetten. Hij pakte de autotelefoon en belde Gracie.

Een halfuur later lag hij dwars in de cabine met zijn gewonde been omhoog door het open raam aan de passagierskant en zijn jack onder zijn kuit waar die op het portier lag. De alarmlichten knipperden gestaag, de motor draaide, de verwarming stond hoog en door de radio, die zacht stond, klonk het nieuws van de overgave van Noriega in Panama. Hij had zijn veter losgemaakt en dat had de druk op zijn voet iets verminderd.

Opeens was Gracie er, in de raamopening naast zijn voet. Ze glimlachte naar hem. Ze had geen make-up op en haar brede gezicht zag er meisjesachtig en lief en oneindig welkom uit.

'Hoi,' zei hij.

'Ook hoi. Je ligt er veel te comfortabel bij voor een man die net mijn voorbereidingen voor het avondeten heeft verstoord.'

'Nou, dat is niet zo, als dat je geruststelt.'

'Wat zijn de plannen?' vroeg ze.

'Ik weet het niet. Jij was toch vroeger verpleegster. Zeg jij het maar. Het ziekenhuis, denk ik zo.'

Ze keek naar de voet. 'Dat kreng is reusachtig, hè?'

'Inderdaad een reusachtige voet. Een reuzenvoet.'

Ze raakte voorzichtig zijn enkel aan. Haar gezicht stond geconcentreerd, aandachtig. Ze keek op. 'Weet je zeker dat hij gebroken is?'

'O ja.'

'Want als hij verstuikt is, kan hij ook zo opzwellen.'

'Nee, hij is gebroken. Ik heb het gehoord. Ik heb het gevoeld.'

Ze schudde haar hoofd en glimlachte medelijdend. 'Markie, Markie, Markie,' zei ze.

'Haal me hier weg, Gracie.'

'Oké. Ik kom naar de andere kant en jij probeert overeind te komen. Ik denk dat we beter mijn auto kunnen nemen zodat je achterin kunt liggen met je been omhoog.

'Oké,' zei hij. Hij glimlachte. 'Baas.'

Ze verdween en hij begon, zo langzaam als hij kon, zijn voet in te trekken, rechtop te zitten, het been naar de bestuurderskant te brengen en zijn lichaam naar voren te keren. 'Zeg het maar als ik het portier open kan doen.'

'Oké,' zei hij, en zij deed het. Hij boog zich naar voren. De avondlucht was koud. Zijn jack was uit het raampje aan de passagierskant gevallen en dat vertelde hij haar. Ze liep weer om de auto heen en pakte het, terwijl ze op het knopje drukte om dat raam dicht te draaien en terwijl hij de motor afzette.

Het was opeens stil nu de geluiden wegvielen – het gezoem van de verwarming, het tikkende ritme van de alarmlichten, de gedempte radio.

Daar was Gracie weer. 'Even mijn achterbank inrichten terwijl jij je hieruit werkt,' zei ze. 'Ik zal je jas weer als kussen gebruiken. De mijne ook.' Ze liep weg terwijl ze zich uit haar jas werkte.

Nu hij zijn voet naar beneden had, voelde hij de druk van het bloed weer toenemen. Hij draaide zich een slag, liet zijn benen buiten de auto bungelen en liet zich toen op zijn goede voet vallen. 'Jezus!' zei hij en klapte dubbel van de schok.

Gracie hoorde hem. 'Hou vol, blijf daar,' riep ze. Toen ze terugkwam, legde ze zijn arm om haar schouders en sloeg haar arm om zijn middel. Hij rook haar haar, een echt Gracie-luchtje. 'Nu moet je mij als kruk gebruiken,' zei ze. 'Een stap op je goede voet en daarna al je gewicht op mij en dan zwaai je jezelf naar voren. Ik ben een stevige tante, denk daaraan. Leun maar op me. We doen het langzaam aan.'

Ze was inderdaad stevig en ze wankelde niet onder zijn gewicht, maar ze kreunde hard bij iedere stap. Ze moesten er zes doen om bij de open achterdeur van haar auto te komen. Toen liet ze hem los en hij kroop moeizaam naar binnen. Toen hij op zijn rug lag, half zittend tegen de achterste deur, legde ze zijn jas en die van haar opgerold op de bank. Hij sterkte zijn been en legde het erop.

'Je bent een engel,' zei hij toen ze wegreden.

'Lijkt er niet op, liefie,' zei ze. 'Maar jij mag gerust doen of je dat vindt, hoor.'

In het ziekenhuis moest hij wachten.

Hij wachtte in een rolstoel samen met Gracie bij de eerste hulp tot er röntgenfoto's van zijn enkel gemaakt konden worden, en toen, toen de breuk geopenbaard en besproken was, wachtte hij op het gips. Maar tegen die tijd had hij een pijnstiller gekregen en lag hij tamelijk comfortabel in een ruimte die afgesloten was door gordijnen die aan een ronde rail om zijn bed hingen. Buiten deze ruimte, achter het gordijn, hoorde hij de geluiden van andere ongelukken, andere rampen. Gracie zat op een stoel naast hem. Toen hij bijkwam uit zijn roesje legde ze de *People Magazine* die ze uit de wachtkamer had meegenomen weg en glimlachte naar hem.

'Waar heb ik je bij gestoord?' vroeg hij.

'Dat zei ik toch. Het avondeten. Nou ja, de voorbereidingen ervoor.'

'Wat zouden jullie eten? Ik wil het me voor kunnen stellen.' Gracie stond bekend als een goede kokkin.

'Varkensvlees. Een kleine rollade. Een lekkere pastaschotel met witte bonen en geblancheerde andijvie. Dat was tenminste het plan. Duncan zal het moeten doen met een boterham, denk ik.'

'Hij overleeft het wel.' Zodra hij het had gezegd, was hij bang dat ze in zijn toon of in de opmerking zelf had gehoord dat hij Duncan niet mocht.

'O, daar gaat het niet om,' zei ze.

'Waar gaat het dan wel om?' Hij hees zich een beetje overeind. 'Wat is er dan?'

'O, ik weet het niet,' zei ze. Ze trok een gezicht, haar mond kreeg een rare vorm: ik wil er niet over praten. 'Ik wilde iets lekkers koken, dat is alles. Er is iets aan de hand, met Duncan. Een van die... hobbels in het huwelijk.'

'O, die,' zei hij. Hij zakte terug in zijn kussen.

Ze grijnsde naar hem. 'Jou maar al te goed bekend, schat.'

Hij glimlachte zwakjes. Hij dacht dat hij een poosje wegzakte. Toen hij weer bijkwam, had hij een droge mond. Hij likte zijn lippen. 'Wat voor hobbel?' vroeg hij.

Ze keek op uit het tijdschrift. 'Al sla je me dood,' zei ze. 'Er is gewoon iets. Hij is heel ver van mijn persoontje vandaan geraakt.' Ze rolde met haar ogen maar hij kon aan haar stem horen dat ze zich zorgen maakte. 'Ik bedoel, die man is sowieso een gesloten boek. Maar nu lijkt het verdomme of het ook nog eens een boek in een vreemde taal is.'

Hij lachte, maar werd snel weer ernstig. Even later vroeg hij: 'Een affaire, denk je?'

Ze zuchtte. 'Misschien. Misschien is het gewoon zoiets afgezaagds.'

'Het voelt nooit afgezaagd als je ermiddenin zit.'

Er viel een stilte. Mark sloot zijn ogen.

'O nee, Mark? Wist je echt niet hoe stom het was, hoe weinig belangrijk?' Hij keek haar aan. Ze vroeg het oprecht.

'Ik wist het niet,' zei hij. Hij dacht aan Amy, aan hoe hij naar haar verlangd had, terwijl hij altijd van Eva was blijven houden. Hij sloot zijn ogen weer. Na een poosje zei hij: 'Als het een affaire is, Gracie, wat ga je dan doen?'

Ze trok haar kin in en staarde hem aan. 'Doen?' vroeg ze. 'Hoe bedoel je?'

'Ik bedoel, ga je dan bij hem weg?'

'Waarom zou ik bij hem weggaan? Ik houd van hem.'

'Je bent al eens bij hem weggegaan.'

Ze glimlachte. 'Ik houd nu beter van hem.' Ze keek weer in haar tijdschrift.

Mark doezelde weg, werd weer wakker. 'Maar wat ga je dóén?' vroeg hij.

'Ik zal er niéts van weten, schat. Ik zal er zorgvuldig niets van weten, iets wat je Eva niet hebt toegestaan.' Ze las verder.

'Wil je het liever niet weten?' vroeg hij.

'Meen je dat?' Nu sloeg ze het tijdschrift dicht en legde het neer. 'Waarom zou ik het willen weten?'

'Omdat je iemand moet kennen om van hem te houden.'

'Ik ken hem. Ik ken Duncan.' Ze glimlachte listig. 'Dat is al moeilijk genoeg. Ik hoef niet ook nog eens alles te weten wat hij doet.'

'Maar hoe kun je van hem houden – echt van hem houden – hoe kun je dat zeggen als je niet alles weet wat hij doet?'

'Ik ken hem,' protesteerde ze. 'Ik ken zijn... capaciteiten. Zijn mogelijkheden. Ik weet waar hij toe in staat is.'

Mark dacht even na. Hij dacht aan Gracie en Duncan, en zichzelf en Eva. Hij zei: 'Maar als hij wilde dat je het wist?'

'Waarom zou hij dat willen?'

Hij voelde zich bijna duizelig van de medicijnen, maar hij deed zijn best om te formuleren wat hij voelde. 'Zodat je hem zou kennen.'

'Maar ik ken hem, dat heb ik net gezegd.'

'Maar misschien heeft hij het gevoel dat je hem niet kent als je bepaalde dingen van hem niet weet.'

'Dan zou hij het mis hebben. Ik zou vinden dat hij zichzelf goedpraatte.'

Mark lag stil en rustte uit. Zijn ogen gingen dicht en open, dicht en open. Er ging een poosje voorbij. Iemand liet iets van metaal vallen achter het gordijn en onteerde luidkeels alle leden van de heilige familie.

Hij voelde hoe Gracie zich naar voren boog. Hij draaide zijn hoofd om haar aan te kijken. Ze leunde met haar armen op het bed. Ze zei: 'Kijk, Mark, we weten dat je het over jou en Eva had. Ik zeg niet dat je haar pijn wilde doen of dat je expres wreed was. Maar denk je niet dat wat je deed uiteindelijk egoïstisch was? O, ik bedoel niet het rondneuken. Daarvan weten we allemaal dat het egoïstisch was.' Haar hoofd ging op en neer om haar woorden kracht bij te zetten. 'Maar jij wilde godverdomme een beetje drama, verwijdering en verzoening. Jij wilde erkenning voor jóúw drama. Of wat je had opgegeven of zo.' Ze ging weer achterover zitten. 'Maar soms is geluk... minder dramatisch. Soms is het gewoon je mond dichthouden en het vlees en de pasta voor het avondeten maken. Is het de ene voet voor de andere zetten en doorlopen, dag na dag.' Ze pakte een lok haar die uit haar haarklem was ontsnapt. 'Is het een soort vergiffenis vooraf, denk ik, die niet het drama van een speciale situatie nodig heeft.'

Hij schudde zijn hoofd. 'Maar het is toch juist het bepaalde, de speciale situatie die...'

'Die wat?'

'Vergiffenis nodig heeft.'

'Nee, nee, nee, nee, nee. Het is de bepaalde persoon die vergiffenis nodig heeft. Jij.' Ze klopte op zijn borst. 'Jij, ellendige rotzak. Niet zozeer wat je hebt gedaan als wel dat je het hebt gedaan.'

'Ik ben hier te moe voor, Gracie. Ik begrijp het niet.'

Ze zuchtte. 'Ach, vergeet het ook eigenlijk maar,' zei ze. 'Je bent een goeie vent, Mark. Maar je hebt het altijd bij het verkeerde eind. En ik heb het trouwens voornamelijk over Duncan en mij. En met Duncan en mij komt het helemaal goed.'

De volgende keer dat hij uit zijn roezige slaap herrees, praatten ze niet. Ze wilde hem met alle geweld een kort artikeltje voorlezen over Mia Farrow en Woody Allen, over hun ideale verhouding, afstandelijk maar tegelijkertijd intiem.

Gracie was degene die bedacht dat de meisjes de rest van de tijd dat Emily thuis was voor de kerstvakantie bij hem konden komen wonen. Hij wist niet wat ze tegen hen had gezegd, hij wist niet of ze hen onder druk had moeten zetten of dat ze vrijwillig kwamen, maar de volgende dag kwamen ze aanzetten, in zijn auto die ze hadden opgehaald – Emily zat achter het stuur. Ze brachten koffers en hun rugzakken en de zakken boodschappen waar Gracie ze mee had geholpen naar binnen. Hij zou het hun nooit hebben gevraagd – hij zou waarschijnlijk niet eens op het idee zijn gekomen – maar hij was dankbaar voor hun komst, voor hun lawaai en hun aandacht.

Toch kreeg hij het gevoel dat zijn leven niet meer van hem was. En dat gevoel werd alleen maar sterker toen hij op zondagavond Angel belde, die al zes jaar zijn opzichter was, en hem om hulp vroeg. De volgende dag reed Angel Marks oprit op in zijn oude Chevrolet en parkeerde. Mark hinkte naar buiten en samen stapten ze in de pick-up, Angel achter het stuur.

En zo kregen ze het voor elkaar. Angel reed hem naar bijeenkomsten met klanten, om voorraden te halen, van wijngaard naar wijngaard, naar de wijnmakerijen. Eerst probeerde Mark uit te stappen bij de wijngaarden, hij probeerde rond te lopen op elke lokatie om te zien wat de problemen waren, maar het was duidelijk dat dat voor iedereen tijdverspilling was. Dus na de eerste dag was Angel degene die uitstapte, die het werk controleerde en verslag uitbracht aan hem terwijl hij in de auto zat. Mark stelde vragen, hij deed suggesties en verzoeken, en dan liep Angel weer de wijngaarden in en gaf de orders door. Dat betekende dat Mark het werk van zijn beste arbeider moest missen, en dat was een enorm verlies, maar Angel had naar zijn geboorteplaats in Mexico gebeld en twee extra arbeiders voor hem gevonden, verre neven van hem, die er over een week zouden zijn. Intussen was er toch niet veel werk. Hij had geen betere tijd kunnen uitzoeken om zijn enkel te breken, dacht Mark, behalve het eind van de herfst – november en december.

Hij dacht dat hij aan het eind van de dag thuis zou moeten komen met evenveel energie als waarmee hij begonnen was omdat hij alleen maar de hele tijd op zijn kont had gezeten, maar hij was elke avond uitgeput als Angel hem afzette en hij naar binnen strompelde. En dus was hij blij met de meisjes, met hun lawaaiige aanwezigheid in de keuken, met het eten dat ze maakten, en zelfs met hun discussies en vaste ruzies aan tafel.

Als ze de keuken hadden opgeruimd gingen ze ieder hun eigen weg. Emily ging bijna altijd uit. Soms met vriendinnen, soms met een jongeman, maar ze ging in elk geval weg. Voor Daisy was de school weer begonnen na de kerstvakantie. Elke doordeweekse avond spreidde ze haar boeken uit op de eetkamertafel om haar werk te doen, en zei maar af en toe iets tegen Mark. De eerste paar avonden keek Mark tv met het geluid zacht, maar hij merkte dat ze er last van had, dus uiteindelijk zette hij hem uit en las, langzaam maar met enig genoegen, een roman die Eva de meisjes mee had gegeven, *The Mambo Kings Play Songs of Love*, een boek uit de hele doos die ze voor hem had samengesteld. Ze had er een briefje bovenop gelegd. 'Nu je zoveel tijd over hebt, heb je misschien genoeg tijd om je hierdoorheen te werken. Ik denk dat je ze wel goed zult vinden.'

Eva. Hij was bijna dankbaar voor het ongeluk omdat het een zinnige context vormde voor haar om aardig voor hem te zijn. Haar medelijden, zoals hij het voelde. Hij moest steeds denken aan haar troostende hand op zijn arm vlak voordat Theo over John praatte en zij neerknielde, zo dankbaar en opgewonden dat John herinnerd werd zoals hij was geweest, zelfs zoals hij was geweest toen hij stierf; dat Theo eindelijk begon te begrijpen wat hij verloren was.

'Als een engel.' Dat had ze gezegd, over John, en Mark had uit haar stem, uit haar gretigheid en blijdschap begrepen dat ze nog steeds van John hield. Dat alles wat hij te bieden had gewoonweg niet belangrijk of nuttig genoeg voor haar zou zijn.

De volgende anderhalve week, tot Emily terugging naar Wesleyan, hadden de meisjes een soort vast rooster. Eva of Gracie hielpen hen, maakten boodschappenlijstjes en bedachten wat er gegeten moest worden als ze niets konden bedenken. De regelmaat werd maar één keer verstoord toen Daisy op een middag te laat terugkwam van basketbaltraining en Emily alles in haar eentje moest doen. Hij hoorde het van Emily, gedeeltelijk omdat ze die avond uitging. Hij probeerde excuses voor Daisy te bedenken.

'Pap,' zei ze. 'Dit is niet een béétje te laat.'

'Nou ja, misschien kon ze geen lift naar huis krijgen.' Ze zaten al te eten: tosti's met mozzarella, tapenade en basilicumblaadjes, en soep die Gracie had gebracht.

'Ze zei dat ze met iemand mee kon rijden. Ze had alles van te voren moeten regelen. Ze had op z'n minst kunnen bellen.'

'Ach, je hebt je toch niet doodgewerkt, Em. Gracie heeft de soep gemaakt.'

'Daar gaat het niet om, pap.'

'Waar dan wel om?'

'Gewoon, dat ze had beloofd dat ze er zou zijn.'

Hij keek naar haar, haar knappe gezichtje, dat nu zo verontwaardigd stond. Misschien hadden ze haar geen beugel moeten geven, dacht hij. Alles aan haar was te regelmatig: de mooie, donkere ogen, het volmaakte neusje, de gelijkmatige, rechte tanden. 'Je bent haar moeder niet, Emily,' zei hij. 'Je moet niet overdrijven.'

'Maar jij bent haar vader, toch? Waarom overdrijf jij dan niet eens een beetje?'

'Ik weet het niet. Ik denk dat ik het gewoon niet zo belangrijk vind.'

'Nou, dat zou je wel moeten vinden.'

Zou dat echt zo zijn? vroeg hij zich af. Was dit iets waar Eva zich zorgen over zou hebben gemaakt, waarvan ze zou hebben gevonden dat erover gepraat moest worden? Of waar ze misschien wel straf voor zou geven?

Het was bijna zeven uur toen Daisy opdook. Hij zat te lezen en Emily was al weg, opgehaald door de jongen die ze uitgekozen leek te hebben om haar te vermaken tijdens deze vakantie. George zus of zo. Hij leek Mark jaren jonger dan Emily: een maf joch met gymschoenen ter grootte van melkpakken aan zijn voeten, en een vreemde deuk in zijn haar waarvan Mark aannam dat hij van een basketbalpet kwam.

Hij had Daisy niet aan horen komen, ze was er gewoon opeens; ze liet zichzelf binnen door de voordeur. De honden, die wakker schrokken, blaften halfhartig.

'Hoi,' zei hij toen ze de gang in kwam.

Ze bloosde. Haar lange haar zat in de war. Hij vond dat ze er seksueel uitzag, haar lippen rood van de kou. 'Hoi, pap,' zei ze. 'Sorry dat ik te laat ben.' Ze draaide zich om en deed haar jas uit. De honden waren naar haar toe getrippeld en dromden om haar heen, wachtend op een beetje aandacht.

'Ja, we hebben je gemist bij het eten. Em heeft een tosti voor je achtergelaten.'

'O, die had ik zelf wel kunnen maken.'

'Nou ja, ze was de onze al aan het maken.'

Ze ging de eetkamer in en legde haar boeken op tafel.

'Ik heb de auto niet gehoord,' riep hij.

'O. Ja. Natalie heeft me afgezet bij de weg en ik ben van daaraf komen lopen. Ze had haast.'

'O, vandaar.'

Daisy ging de keuken in met de honden achter zich aan. Hij hoorde gerammel van borden. De koelkastdeur ging open. Een paar minuten later kwam ze weer de woonkamer in met een bord en een glas melk.

'Emily was behoorlijk kwaad,' zei hij. 'Ze heeft de afwas voor je laten staan.'

'Ik heb het gezien.' Ze ging tegenover hem zitten, zette haar bord op de salontafel en pakte haar tosti. De honden zaten aan haar voeten. Ze keken in volle aandacht naar haar hand met het eten erin.

'Hoe was de training?' vroeg hij.

Ze haalde haar schouders op. Lange slierten kaas liepen van haar mond naar de tosti, en ze gaf geen antwoord tot ze ze had afgescheurd en de stukken naar haar mond had gebracht. 'Ging wel,' zei ze kauwend.

'Hij laat jullie wel hard werken, voor een meisjes-schoolteam.'

Ze kauwde nog even en slikte toen. 'Wij vinden het niet erg.'

Die nacht werd hij wakker. Er was iets in zijn slaap ingebroken. Even dacht hij dat het Emily was die thuiskwam – een geluid buiten – maar dat was het niet. Het was binnen, ergens in huis. Zijn deur was dicht, maar hij ging overeind zitten en luisterde goed.

Het was gehuil. Een van zijn dochters huilde. Het moest Daisy zijn – hij wist vrij zeker dat Emily nog niet terug was. Hij zat te luisteren. Hij dacht dat hij misschien naar haar toe zou moeten gaan, en besloot toen dat hij dat niet moest doen. Het gehuil, of zijn vermogen om het te horen, was wisselend. Na een poosje hield het op en hij ging liggen en viel weer in slaap.

Op een gegeven moment, later, werd hij wakker van een auto. Hij keek op de klok. Het was half drie. Hij lag daar een poosje, maar toen moest hij plassen. Hij ging zitten, greep de krukken en ging in het donker naar de badkamer. Er was een klein hoog raampje dat uitkeek op de oprit en de achtertuin – het betonnen pad, de schuur, de vijgenboom. Toen hij had doorgetrokken, draaide hij zijn hoofd en keek naar buiten. Hij zag de auto, de auto van George Zusofzo. De ramen waren zilverig van de mist. Binnen bewogen vormen die ritmisch tegen het raam aan de kant van de bestuurder duwden. Mark wist dat hij zijn hoofd af moest wenden, maar dat deed hij niet. Hij bleef een poosje leunend op zijn krukken staan kijken en voelde een combinatie van opwinding en schaamte.

Dat waren de levens van zijn dochters, hun echte levens. De diepe, verzonken nachtwereld van liefde en pijn en seks. En hij wist er helemaal niets van. Niets. Waar had hij geleefd? Waarom had hij dit allemaal niet eerder begrepen? Of de moeite genomen het te begrijpen?

Hij had het aan John overgelaten, dacht hij. Dit allemaal. Omdat hij het niet wilde begrijpen. Omdat hij niet had geweten – omdat hij niet wist – hoe hij ze door dit alles heen moest vaderen. Dat was het toch? Daarom was hij in bed gebleven toen Daisy huilde, daarom had hij geen flauw benul waarom ze huilde. Daarom stond hij hier in een soort perverse shock te kijken hoe Emily met die onaantrekkelijke idioot neukte.

Toen ze klein waren, toen het makkelijk was om van ze te houden, had hij van zijn dochters gehouden. Hij had meegedaan met hun spelletjes, met ze gestoeid, was teder tegen ze geweest. Hij had het toen heerlijk gevonden hun vader te zijn. Maar nu, nu ze jonge vrouwen waren, had hij het gevoel dat hij niet wist hoe hij het moest doen, dat hij er nog niet klaar voor was om hun vader te zijn.

'Niet klaar,' mompelde hij minachtend tegen zichzelf terwijl hij zich van het raam afwendde.

Die zaterdagavond ging hij met Daisy naar Eva's huis – Emily was voor het laatst uit met George. Eva hield een klein feestje, dat ze een postvakantiefeestje noemde. Gracie en Duncan en Maria en Fletcher waren er, en er waren ook een paar van Eva's buren uitgenodigd – de Bauers, de Fields.

Toen ze aankwamen, vroeg Eva Daisy om te helpen wijn en andere drank te serveren en Daisy begon heen en weer te lopen van de dienkeuken naar de kamer met glazen voor de volwassenen. Ze droeg een witte blouse en een zwarte rok en hakken – hoge hakken. Ze had lippenstift op, had hij gezien onderweg in de auto. Ze zag er jaren ouder uit dan anders. En prachtig, vond hij. Het stille en zware dat deel had uitgemaakt van wie ze was toen ze jonger was, was verdwenen, Joost mocht weten hoe of waarom. Nu werd haar gezicht verlevendigd door een soort zenuwachtige geanimeerdheid, die haar oogverblindend maakte.

Iedereen dromde rond, begroette elkaar, praatte over de feestdagen. Er werd ook veel gepraat over de hond van de Fields, een bruine labrador die drie dagen geleden puppy's had gekregen. Naomi Field nodigde Theo uit om ze te komen bekijken, en op de een of andere manier werd er in het eerste kwartier van het feestje besloten dat de hele groep mee zou gaan met de bedevaarttocht. Mark, die net moeizaam de voortrap op was gekomen en dankbaar in een van Eva's zwaar gecapitonneerde stoelen was gezonken, de krukken tegen de leuning, en een drankje in zijn hand, schudde zijn hoofd toen Eva haar hoofd weer naar binnen stak in de woonkamer om te vragen of hij niet meeging.

Ze trok haar wenkbrauwen op.

'Het kost gewoon te veel moeite, Eva.' Hij hield zijn handen omhoog: Dit. Ik. Het leven.

'Oké,' zei ze en ging weg.

Hij hoorde hen allemaal de keukendeur uitdrommen, hij hoorde hun stemmen en gelach de achtertuin oversteken. Hij leunde achterover in zijn stoel en dronk van zijn wijn. De woonkamer was opgeruimd voor het feestje, de gebruikelijke boeken en dingen waren ergens weggezet. Eva's kerstboom stond nog bij de voorramen. Er hingen kleine, witte lichtjes in en hij was zoals altijd versierd met oude kleine speeltjes van de kinderen – kleine pluchen beestjes en poppetjes, autootjes. Hij herinnerde zich het versierritueel en Eva's vaste manier van dingen doen. Dat had hem af en toe geïrriteerd. Nu had hij medelijden met zichzelf dat hij ook dit kwijt was.

Toen ze terugkwamen, bleven ze in de keuken met Eva praten, zoals mensen vaak deden in haar huis terwijl zij kookte en de maaltijd voorbereidde. Ze waren hem vergeten. Hij zou zo op moeten staan en erheen gaan. Hij hoorde hoe iemand in de dienkeuken achter hem de kleine koelkast opendeed. Daisy waarschijnlijk. Eva was het niet. Die was nog in de keuken, hij hoorde haar praten.

En toen hoorde hij ook Duncans stem achter zich, in de dienkeuken, zacht, zodat alleen Daisy hem zou horen. 'Misschien zou je een glas gin voor me in kunnen schenken nu je toch bezig bent. Gin met een tikje vermouth.'

Er volgde een zo te horen te lange stilte. Toen zei Daisy: 'Ach, dat zou ik kunnen doen. Maar wil ik het doen? Zal ik het doen?' Haar stem klonk luchtig, plagerig.

Mark was opeens oplettend.

'Laat ik het anders vragen, dan,' zei Duncan. 'Onder welke voorwaarden zou je ertoe overgaan een glas gin voor me in te schenken, Daisy, mijn duifje?'

Na een poosje zei Daisy langzaam: 'Nou, allereerst zou je alsjeblieft moeten zeggen.'

Marks hart bonkte. Maar waarom? Dit was allemaal niet zo opvallend. Daisy had ook wel eens op deze enigszins bijdehante manier tegen hem gepraat.

'Ach, hoe kon ik het vergeten?' Er volgde een stilte en Mark was ervan overtuigd – hij had kunnen zweren – dat Duncan Daisy aanraakte. 'Alsjeblieft.' Het werd zacht uitgesproken, als een liefkozing. 'Alsjeblieft, Daisy.'

Daisy fluisterde bijna toen ze hem antwoordde: 'En dan zou je moeten zeggen "heel erg alsjeblieft".' Dit had iets zo seksueels, zo ademloos, en voor Mark zo gruwelijks dat zijn handen onwillekeurig omhooggingen.

Duncans stem klonk ook zacht toen hij antwoordde, intiem. 'Heel erg alsjeblieft, Daisy.' Mark wachtte een hele tijd. 'Heel erg alsjeblieft,' zei Duncan. 'Wil je het doen?'

Mark was overeindgekomen voordat hij het wist, en in zijn plotselinge beweging had hij zijn krukken van de rand van de stoel gestoten waar hij ze tegenaan had gezet. Ze vielen kletterend op de grond. Hij pakte ze moeizaam op en stak ze onder zijn armen. Tegen de tijd dat hij de hoek om was, was er niemand meer in de bijkeuken; en toen hij in de keuken kwam, stond Daisy met haar rug naar hem toe Naomi Fields wijnglas te vullen uit de fles die ze bij zich had, en Duncan leunde tegen het aanrecht en luisterde ogenschijnlijk naar Gracie die met Harry Field praatte.

'O, Mark! Je hebt wat gemist!' riep Eva toen ze hem zag. 'Ze waren schattig! Je zou bijna gaan geloven dat volmaaktheid mogelijk is in dit leven.'

Zijn hart bonkte nog in zijn oren, hij was nog buiten adem, maar hij glimlachte naar zijn ex-vrouw en zei: 'Zo, dat is iets waar ik graag in zou geloven. Jammer dat ik het gemist heb.'

HOOFDSTUK VEERTIEN

Daisy en Mark gingen als eersten weg – hij was moe, zei hij, en Daisy vond het niet erg, ze was klaar om weg te gaan. Ze reden zwijgend. Daisy zat achter het stuur van de pick-up en schakelde moeizaam als het nodig was. Ze was blij toen ze St. Helena uit waren en ze alleen maar gas hoefde te geven.

Haar gedachten waren warrig, tuimelden over elkaar heen, onder andere door de twee glazen wijn die ze had gedronken. Ze dacht aan de gebeurtenissen van die avond. Aan Duncan en de verschrikkelijke ruzie die ze een paar dagen geleden hadden gehad. En toen aan zijn aanraking vanavond, zijn hand die langs haar been omhooggleed onder haar rok in de bijkeuken – goddank dat ze Mark in de woonkamer hadden gehoord en weg waren voordat hij iets had gezien!

Ze dacht aan iets wat Adrea Bauer tegen haar had gezegd: dat ze er ravissant uitzag vanavond. Ravissant, dacht Daisy glimlachend. Ze dacht aan de puppy's, hulpeloos en afhankelijk, blind tegen elkaar aan gerold tegen hun moeder, en aan hoe ze roken, zoet en een beetje naar urine, toen ze ze had opgepakt en tegen zich aan gehouden. Ze bedacht hoe blij ze was dat ze geen dingen meer hoefde te verzinnen om over te praten met Mark. Hoe ze eraan gewend was geraakt bij hem te zijn, deze laatste weken. Hoe graag ze bij hem was, haar mooie vader. Ze keek opzij naar hem en ontmoette zijn blik. Zijn gezicht stond verdrietig. Zijn haar was een beetje te lang en krulde over zijn boord.

Hij zei: 'Weet je wat ik vind, Daisy?'

Ze glimlachte. 'Weet je, pap, ik weet het niet.'

'Ik vind dat we deze regeling maar permanent moesten maken.'

'Welke regeling?'

'Deze. Dat jij bij mij woont.'

Ze was verbijsterd. Dit was onvoorstelbaar. Waar kwam het vandaan? Ze had een kamer en een leven, thuis. Ze staarde hem een paar seconden aan. Hij keek strak terug. 'Heb je het hier met Eva over gehad?' vroeg ze. 'Hebben jullie dit samen bekokstoofd?'

'Met geen woord. Ik zweer het.' Hij leek even na te denken. Hij zei: 'Maar zou dat zo erg zijn, als Eva en ik bezorgd om je zijn? Over je praatten?'

'Waarom zou je bezorgd om me zijn?'

'Waarom.' Zijn stem klonk toonloos.

Ze keek naar hem. 'Ja. Duh. Waarom?'

Weer die strakke blik terug. Hij zei niets. Toen keek hij opzij, uit het raam. Zijn hand ging omhoog, zijn kin rustte erop. Zijn krukken, die tussen hen in lagen, waren opzijgeschoven en leunden tegen haar arm, ze werd zich opeens bewust van hun aanraking.

'Ik bedoel, het gaat prima op school. Ik help in de winkel.'

Hij zei zonder naar haar te kijken: 'Neem bijvoorbeeld de pianolessen.'

'Tja, ach.'

'Tja,' zei hij.

Dus Eva had het hem verteld. Ze hadden inderdaad gepraat.

'Waarom ging je er niet heen?' vroeg hij.

'Dat heb ik al met mama besproken.' Ze had gelogen. Ze had gezegd dat ze de lessen afschuwelijk vond, dat ze zich verveelde, dat ze ermee opgehouden was om meer tijd te hebben voor basketbal. Eva's ogen waren donker geworden, ze wist dat dit flauwekul was, maar ze had niets gezegd, ze had Daisy niet tegengesproken.

'Dus ik moet wel over jou praten met Eva als ik wil weten wat er gaande is.'

'Dat bedoelde ik niet.'

Ze reden een poosje zwijgend verder, door het groene stoplicht aan het eind van Lincoln Avenue, langs het verlichte benzinestation en de drive-in. Toen was het weer donker. 'Nog even terug naar mijn idee,' zei hij.

Ze gaf geen antwoord.

'De regeling.'

Ze merkte opeens dat hij zenuwachtig leek, misschien omdat hij haar tenslotte ergens om vroeg. ‘Ik weet het niet, pap,’ zei ze. Ze probeerde haar stem aardig te laten klinken. ‘Het klinkt… maf.’

‘Een heleboel kinderen met gescheiden ouders wonen bij hun vader.’ Hij keek weer uit het raam. Misschien kon hij daarbuiten de maan zien. Alles leek aangeraakt door het zilveren licht.

‘Maar ik niet,’ zei ze. ‘Ik woon bij mama. Ik bedoel, het zou toch idioot zijn om het nu nog te veranderen.’ Maar Daisy dacht erover na, probeerde zich voor te stellen hoe het zou zijn.

‘Maar misschien zou verandering goed voor je zijn.’

Ze remde af bij het stoplicht bij de Petrified Forest Road en zette de auto in zijn vrij. Ze keek opzij naar hem. ‘Goed, waarom? Waarom goed?’

‘Ik weet het niet. Ik denk dat jij en Eva misschien… zonder benzine zijn komen te staan, wat betreft jullie verhouding.’

‘Jezus! Wat moet dat betekenen?’

‘Ik vermoed dat er niet veel communicatie tussen jullie is.’

‘Ja ja. En tussen jou en mij wel dan.’ Het stoplicht werd groen en ze zette de auto in zijn een, waarbij de koppeling een beetje knarste.

Even later zei hij: ‘Ik denk meer dan tussen jou en Eva. En er zou nog meer kunnen zijn. Soms praten we echt.’

Ze snoof.

‘Vind je dit een stom idee? Is dat wat je daarmee wil zeggen?’

‘Nou ja, alleen dat we ongeveer drie keer in mijn leven écht hebben gepraat.’

‘Maar misschien komt dat doordat we niet samenwonen.’

Ze gaf geen antwoord. In zekere zin kon ze niet eens geloven dat Mark serieus was.

‘Met wie praat je dan wel, Daisy?’ vroeg hij na een paar minuten. ‘Wie laat je toe in je allerintiemste Daisy-zijn?’

Zijn stem klonk bijna sarcastisch, en ze keek gekwetst en geschokt naar hem. Hij zat achterover met zijn arm over de rug van de bank taxerend naar haar te kijken.

‘Pap,’ zei ze. Een klacht, een verzoek.

Toen kwamen ze door Tubbs Lane. Ze vergat niet richting aan te geven en ze reed het lange onverharde pad op dat Mark deelde met zijn buren. De ezelhazen, met hun belachelijk lange oren, verstijfden in het licht van de koplampen en sprongen dan opzij. Daisy moest zorgvuldig sturen om de groeven en gaten van de regen te vermijden. De auto hotste en rammelde. Ze reed haar vaders oprit op en stopte op het betonnen plaatsje. Ze zette de motor af. Ze bleven even zitten.

'Waarom is dit nu aan de orde?' vroeg ze. Ze had zich omgedraaid naar haar vader, en de krukken naar hem toegeduwd.

Hij stak zijn handen op. 'Je woont nu bij me. Ik vind het prettig. En ik zou daar meer van willen. Ik vind jou leuk.'

Ze maakte een afwijzend gebaar.

'Wat? Geloof je me niet?'

'O, natuurlijk, pap. Maar wat gebeurt er als je weer kunt rijden en ik bij jou woon en Emily weg is en je weer uit wilt gaan. Wat moet ik dan?'

Zijn mond ging open, ze hoorde hem lucht naar binnen zuigen. Toen zei hij: 'Ik denk dat we allebei een poosje niet uit zouden moeten gaan. Dat zou ik in elk geval van plan zijn.' Zijn stem klonk neutraal, voorzichtig.

'Dat is net als een... iemand die drinkt en die belooft geen druppel meer aan te raken.'

'Spreek voor jezelf.'

'Wie, ik? Ik ga niet uit, pap.'

'Hoe zou je het dan noemen?' Hij boog zich een beetje naar voren.

'Wat noemen?' Ze hoorde de honden blaffen in het huis, hysterie in de verte.

'Je sociale leven,' zei hij. 'Je sociale interesses.'

Ze trok een gezicht. 'Volgens mij verwar je me met een andere dochter van je.'

'Ik verwar je met niemand, Daisy. Ik ben bezorgd om je.'

Dit haatte ze. Ze haatte dat woord. Ze haatte de manier waarop hij keek, zo oplettend, zo serieus. Ze zei: 'De honden blaffen.'

'Fuck de honden!' Zijn vuist sloeg bij het eerste woord op het dashboard. 'Praat met me!' Hij schreeuwde bijna. Hij zag er lelijk uit.

Ze was opgeschrokken toen zijn vuist het geluid maakte. Na een paar seconden kon ze terugschreeuwen: 'Ik wil niet met je praten! Ik wil met niemand praten! Ik heb niets om over te praten met je.'

'Maar ik wil met jou praten!'

Daisy stapte uit de auto en sloeg het portier achter zich dicht. Ze stak het betonnen plaatsje over en liep de paar stappen naar de achterdeur in het maanlicht. Ze deed hem open en de honden schoten langs haar heen naar buiten. Voor ze het donkere huis in ging, keek ze om en zag Mark worstelen met zijn krukken terwijl de honden om hem heen sprongen.

Ze liep in de kamers om de bekende donkere vormen van de meubels heen zonder ertegenaan te stoten, ging haar kamer in – van haar en Emily – en sloeg die deur ook dicht.

Een paar minuten later stond hij voor die deur. 'Daisy?' zei hij.

Ze gaf geen antwoord.

'Doe open, Daisy.'

'Ik ben moe!' zei ze hard. 'Ik probeer te slapen. Ga weg.'

De deur ging open. Hij bleef even staan rommelen met zijn krukken, ze zag zijn silhouet in het vage licht van de rechthoek van de deur. Hij kwam langzaam binnen. Hij liet zich moeizaam op Emily's bed zakken, met zijn gezicht naar Daisy. In het donker was ze zich fysiek meer van hem bewust dan eerst – van zijn lengte, van het geluid van zijn ademhaling terwijl hij daar zat. Ze bleef stil liggen. Het maanlicht kwam gefilterd de kamer in door het raam achter hem. Ze kon zijn gezicht helemaal niet zien.

'Ik wilde dat dit positief zou zijn, Daisy,' zei hij. Hij klonk bijna hees. 'Ik wilde dat dit – dat ik je bij me wil. Dat ik denk dat je een vader nodig hebt, en ik wil je vader zijn.'

Ze maakte een geluid, afwerend en grof.

'Daar heb je het recht toe,' zei hij. 'Ik weet dat ik er niet voor je ben geweest.'

Er voor me geweest, dacht Daisy. Wat een cliché.

'Maar dat wil ik graag veranderen. Ik wil een kans, ik wil dat je mij een kans geeft om iets te betekenen in je leven.'

'Denk je niet dat het daar een beetje laat voor is?'

'Dat mag wel zo lijken. Maar misschien is het dat niet. Ik hoop van niet. Ik wil je graag helpen.'

Dit klonk Daisy allemaal bekend in de oren, onuitstaanbaar. 'Wat betekent dat, me helpen?'

'Nou, het ziet ernaar uit dat jij... je eigen leven bent gaan leiden, zonder mij of je moeder, op een manier waarvan ik vind...' Hij zweeg alsof hij wachtte tot de juiste woorden zouden komen. Hij keek opzij, en heel even zag ze zijn profiel tegen het raam. Toen keerde hij zich weer naar haar. Hij fluisterde bijna. 'Op een manier die me... echt gevaarlijk lijkt, Dees. Echt... niet goed.'

Wat wist hij? Had Emily hem verteld over het geld? Dat zou echt iets voor haar zijn, het achteloos laten vallen. Haar grote zorgen om haar moeilijke jongere zusje. 'Wat er niet goed is in mijn leven is iets wat ik zelf wel aankan.'

'Daar ben ik niet zo zeker van.'

'Nou, pech. Ik wel.'

Een van de honden – het was Henry – kwam de kamer in, zijn poten tikten op de plavuizen en zijn staart zwiepte. Mark raakte hem even aan. En trok toen zijn hand terug. De hond ging zitten.

'Daisy,' zei Mark. 'Laat me je vertellen dat ik vind dat Duncan... dat Duncan een... slechte keuze voor je is.'

Daisy's hart stond stil. Misschien maakte ze wel een geluidje.

'Ik weet dat je misschien...' Mark schraapte zijn keel. 'Ik denk dat je misschien het gevoel hebt dat je iemand nodig hebt.' Hij praatte aarzelend. 'Wat ik zie, wat ik denk te begrijpen, is hoe erg je iemand nodig had. En weet je, Eva is op dit moment zo verdrietig, en dat ben ik ook geweest. Zoals ik geweest ben... je kent me. Maar Duncan. Iets beginnen met Duncan. Ik weet niet hoe ver het is gegaan, maar...'

'Ik weet niet waar je het over hebt.' Daisy probeerde haar stem vast, zeker en absoluut te laten klinken, maar dat lukte niet erg.

'Echt niet, Daisy?'

'Nee.'

Er viel een lange stilte tussen hen, waarin ze een coyote hoorden huilen in de verte; en toen, een paar tellen later, het geloei van het vee van Marks buurman.

'Maar hij misschien wel,' zei Mark. Zijn stem was kil geworden. 'Misschien zou Duncan weten waar ik het over heb.'

'Ik zou niet weten waarom.'

'Waarom wat?'

'Waarom hij het zou weten,' zei ze sarcastisch.

'Hou me niet voor de gek, Daisy,' snauwde hij.

'Wie houdt wie voor de gek?' vroeg ze. 'Je begint met te vragen of ik bij je kom wonen omdat je me wilt leren kennen,' haar stem spotte met het idee, 'en je eindigt met me te beschuldigen... van een of andere... verhouding met Gracies man.'

'Het een heeft met het ander te maken,' zei hij vlak. 'En dat is beslist een punt. Dat hij inderdaad Gracies man is.'

Daisy gaf geen antwoord.

'Zal ik hem opbellen?' vroeg Mark.

'Doe wat je niet laten kunt.'

'Dan ga ik hem bellen,' zei hij.

'Prima.'

'Misschien is hij nog op het feestje.'

'Misschien.'

Toen ze niets meer zei, stond hij op. Haar ogen waren gewend geraakt aan het schemerlicht in de kamer. Ze kon duidelijk zien hoe hij gebogen over zijn krukken naar de deur strompelde. Ze hoorde hem en de doffe bonk van de krukken, soms niet helemaal synchroon. Een lamp ging aan in de woonkamer, en toen hoorde ze het vage klikkende geluid van de drukknoppen op de telefoon. De hond gaapte en legde zijn kop op het bed naast haar.

En opeens klonk haar vaders stem luid: 'Eva? Eva, met Mark! Nee, we zijn thuis. Alles in orde. Ja. Nee. Nee. Ik wilde alleen... is Duncan er nog? Ja. Oké, ik wilde hem alleen even spreken. Ja. Ik wacht.'

Daisy kwam nu overeind, liep naar haar bureau en pakte de telefoon op. Ze hoorde het geluid van het feestje, pratende mensen – iemand dicht bij de telefoon zei: 'Maar je hebt mij er nooit een gegeven,' – en toen opeens Duncans stem aan de lijn. 'Met Duncan. Mark, ben jij dat?'

'Hang op, pap,' zei ze met een lage stem.

Duncan zei: 'Daisy?' Hij klonk verbijsterd. Toen de verbinding verbroken werd, hing Daisy ook op, net toen Duncan haar naam nog eens zei.

Ze hoorde haar vader terugkomen naar haar kamer. Hij stond in de deuropening, een donker silhouet tegen het licht in de woonkamer.

Ze stond nog bij het bureau en keerde zich naar hem. 'Wat was je van plan?' vroeg ze uitdagend. 'Hem in elkaar slaan?'

'Misschien wel,' zei hij. 'Dat hangt ervan af.'

'Waarvanaf?'

'Van wat hij zou zeggen. Van wat ik zou begrijpen over hoe de zaken staan tussen jullie tweeën.'

'Hij is erg sterk,' zei Daisy; en dichter bij het toegeven van de affaire aan haar vader zou ze nooit komen, deze kennis van Duncans lichaam, de kracht ervan.

'Nou, dat zou het alleen nog maar prettiger hebben gemaakt,' zei Mark. Hij ging weer op Emily's bed zitten, weer met zijn gezicht naar haar toe. Zij stond nog bij het bureau, haar armen over elkaar geslagen. Hij keek haar lang aan zonder te praten.

'Dus,' zei ze uiteindelijk. 'Ik kom bij jou wonen.'

'Als Eva het goedvindt.' Hij knikte.

Even later bedacht ze: 'Ga je het aan Eva vertellen? Over... Duncan?'

'Nee. Nee. Ik ga het haar niet vertellen,' zei hij. Toen rechtte hij zijn lichaam, hij werd langer. 'Dacht je dat ik dat zou doen? Tenzij je akkoord ging? Het is geen deal, Daisy. Je hoeft niet bij me te komen wonen om mijn zwijgen te kopen.'

'Nee, pap, dat is niet wat ik bedoelde. Dat bedoelde ik niet.'

Hij klonk uitgeput toen hij verder praatte. 'Ik wil dat je bij me komt omdat ik denk dat we elkaar nodig hebben. Ik denk dat je mij nodig hebt.'

Na een lange stilte zei Daisy rustig: 'Ik heb niemand nodig.'

Hij keek haar scherp aan. 'Je had Duncan nodig. Dat is ongeveer het ergste wat iemand kan zeggen over mij als vader.'

'Ik had hem niet nodig.'

'O, nee.' Er kwam een vreemde glimlach op zijn gezicht. 'Je hebt hem uit eigen vrije wil gekozen. Van alle mensen in de wereld besloot jij, logischerwijs, dat de warmhartige, de gulle, de... joviale Duncan Lloyd de man was om je... beste vriend te worden. Je maatje.'

'Oké, pap.'

Hij gromde opeens en schudde hard met zijn hoofd. In het licht dat uit de woonkamer binnenviel vond ze zijn gezicht er oud en gegroefd uitzien.

'Wat ga je dan wel tegen Eva zeggen?' vroeg ze toen er een paar tellen voorbij waren gegaan.

'Ik weet het niet.' Hij ging met zijn hand door zijn haar. 'Misschien de waarheid.'

'Wat bedoel je met de waarheid?' Ze hoorde de angst in haar eigen stem.

'De waarheid over mij, Daisy.' Hij glimlachte droevig. 'Alleen de waarheid over mij. Dat ik op de een of andere manier je vader wil zijn, zoals ik dat niet geweest ben. En ik wil haar alleen vragen me die kans te geven.' Hij trok zijn krukken op tot zijn kin. Toen zei hij: 'Misschien zou het handig zijn als jij tegen haar zei dat je het ook wilt.'

'Oké,' zei ze.

'Je hoeft niet.'

'Nee,' zei ze. 'Ik zal het doen.'

'Het is alleen dat... Er zullen minder lampjes gaan branden, minder vragen zijn, denk ik, als het iets is wat jij ook wilt. Of waarvan je zegt dat je het wilt.'

Daisy keek neer op haar gevouwen armen in haar witte blouse, naar haar handen die op haar ellebogen lagen. Ze droeg de armband die ze van haar vader had gekregen voor haar vijftiende verjaardag, de armband die hij vergeten was.

Ze wist wat dit zou betekenen, hiermee akkoord gaan. Ze wist dat haar vader haar hiermee in zekere zin vroeg Duncan op te geven. Ze had het gevoel dat ze onmogelijk Duncan op kon geven, seks op kon geven, het gevoel van macht dat hij haar gaf. Maar ze had nooit kunnen denken dat de keuze haar geboden zou worden op deze manier. Dat het door haar vader zou komen. Dat hij haar om iets zou vragen. Dat ze zich van Duncan zou afkeren naar iets anders wat in haar leven kwam, wat het zou veranderen, op manieren waar ze nu nog geen idee van had. 'Ik wil het,' zei ze zacht.

Dit was zo kostbaar voor Daisy, dit toegeven aan haarzelf en aan hem – ze voelde het als een cadeau dat ze hem gaf, een duur, kostbaar cadeau – dat het even duurde voordat ze dacht aan zijn reactie, aan wat ze verwachtte dat hij terug zou zeggen.

Maar hij gaf geen antwoord, hij gaf steeds maar geen antwoord, en toen ze naar hem opkeek en zijn gezicht zag in het schemerlicht dat binnenviel vanuit de woonkamer, was het veranderd door wat ze alleen had kunnen beschrijven – en ook zo beschreef, jaren later, tegen dokter Gerard – als gekweldheid. Ze had het gevoel of ze in zijn ziel keek. Het was alsof al het oppervlakkige weg was gepeld, en ze haar vader, haar echte vader, voor het eerst zag.

HOOFDSTUK VIJFTIEN

E-mail, de telefoon, zo houden ze tegenwoordig contact, ze wonen zo ver van elkaar af. Daisy beschouwt hun communicatie als een soort netwerk, een spinnenweb, een sociogram, dat over de hele VS ligt en zoemt van het nieuws dat meer nieuws opwekt.

Emily schrijft aan Daisy vanuit Phoenix over haar twee jaar oude zoontje, Gideon. Ze maakt grapjes over haar bijna ziekelijke aanbidding van het kind, ze noemt hem 'de kleine prins'. Ze zegt dat haar hersens tutti frutti zijn geworden, 'wat dat ook mag zijn. Ik weet niets meer.' Behalve dat heeft ze onbedoeld hele kinderboeken uit haar hoofd geleerd die ze helemaal kan opdreunen mocht het nodig zijn – 'en het is ongelofelijk, Dees, maar het is af en toe nodig.'

Ze maakt zich zorgen dat ze, als ze over zes maanden de nieuwe baby krijgt, niet meer evenveel van Gideon zal kunnen houden als nu. Of evenveel van de baby als ze van Gideon heeft gehouden.

Soms denk ik aan Eva en Mark en hoe zorgeloos die over ons leken, hoe ze alleen maar gelukkig waren (waren ze dat ooit?) of ellendig (ja!) en zich nauwelijks leken te bekommeren om wat voor invloed dat allemaal op ons zou kunnen hebben. Op een rare manier lijkt het me een gave, vanuit mijn huidige gezichtspunt. Maar ik denk dat ik ergens ook gewoon niet geloof dat ze evenveel van ons hielden als ik van Gideon.
Ik weet dat ik ongelijk heb, dat alle ouders het zo voelen. Dat deze onvoorstelbare liefde die mij, alleen mij, op deze wonderbaarlijke manier is overkomen, juist volkomen normaal en voorspelbaar is, en zoals het nu eenmaal gaat als er tenminste niet iets vreselijk mis is.

Eva vat het nieuws uit de vallei voor hen allemaal samen. Het weer, het verkeer, de nieuwe winkels en restaurants, de lotgevallen van mensen die ze kennen, de gezondheid van de boekwinkel – die nieuwe mede-eigenaars heeft, een jong stel dat zich heeft ingekocht en langzamerhand Eva uit gaat kopen. Om de vier of vijf e-mails dreigt ze het huis te verkopen, maar niemand neemt haar serieus. Zij is degene die er het meest van houdt.

Af en toe wordt ze meditatief, zoals Daisy het voor zichzelf noemt. Ze schrijft over John, over haar mislukte huwelijk met Mark. Ze lijkt na te denken over hoe haar leven gelopen is; ze vraagt zich misschien af of haar verhaal ergens op slaat, of het iets betekent, of het iets voorstelt.

Een keer schrijft ze Daisy over haar moeilijke puberteit en hoe ze bij Mark ging wonen en hoe dat alles anders maakte:

> Ik vraag me nog steeds af en toe af of ik er goed aan heb gedaan. Dat leek toen wel zo, of je leven dan beter en makkelijker zou worden. Maar ik ben bang dat ik je te gemakkelijk heb opgegeven, dat dat je misschien pijn heeft gedaan.

Daisy weet niet hoe ze hierop moet antwoorden, hoe ze haar moeder moet vertellen dat ze er goed aan heeft gedaan, dat ze alleen maar dankbaar was. Ten slotte schrijft ze Eva dat zij denkt dat bij Mark wonen precies was wat ze nodig had in die fase van haar leven, dat zij het grootmoedig van Eva vond dat ze het had toegestaan.

Theo schrijft vanaf de universiteit, Duke. Hij schrijft over colleges die hij volgt, over concerten waar hij heen wil, over basketbalwedstrijden die hij heeft gezien, over vredesdemonstraties waar hij in meegelopen heeft. Heeft hij een innerlijk leven? Dat is moeilijk te zeggen. Hij schrijft niets waar dat uit zou kunnen blijken, maar zo is Theo, alleen opgegroeid met Eva, die zich te bezorgd om hem maakte, die zijn leven het centrum van het hare maakte. Daisy denkt dat hij zich op een gegeven moment heeft gerealiseerd dat je om gedachten en gevoelens te hebben die Eva's bemoeizuchtige zorg konden overleven – haar wens om de levens om haar heen te vormen en te beheersen – alles in jezelf opgesloten moest houden. Zij heeft het gevoel dat het feit dat zij bij Mark ging wonen en openlijk met hem streed om wie waar de leiding over had haar op de een of andere manier heeft bevrijd van die behoefte.

Maar Theo, die liefdevoller en misschien minder boos is dan Daisy, lijkt op zijn eigen manier goed gedijd te hebben bij Eva, ook al is hij een gesloten ziel.

Maar een keer schrijft hij in een e-mail aan hen allemaal dat hij zich door een cursus folklore die hij volgt heeft herinnerd hoe ze hem verhalen vertelden aan de eettafel.

> Ik herinner me niet per se de verhalen.

(Theo houdt van Latijnse woorden, wat Daisy vertederend vindt: *quid est, lacunae, ipso facto, passim* – waar zijn e-mails mee doorspekt zijn.)

> Misschien af en toe een beeld. Een dreigende oude vrouw, een dier dat een verdwaald kind helpt. Maar ik herinner me vooral dat ze allemaal goed afliepen. Was het folklore? Waren het oude verhalen? Of verzonnen jullie ze alleen maar voor mij?

Daisy schrijft terug.

> Natuurlijk waren ze voor jou bedacht, oliebol. John begon ermee toen je net twee was denk ik. Meestal was jij de hoofdpersoon – heb je dat niet gemerkt? Nooit Hans en Grietje, maar alleen die stomme Hans. Soms was je de superheld en redde je jezelf – het achterliggende idee was de dappere, vaardige Theo. Soms werd je gered door vriendelijke krachten: 'Ja, Theo, de wereld is goed.' Hoe dan ook, altijd, altijd, altijd liep het goed af – maar omdat we ze doorgaven, want we moesten allemaal een stuk van het verhaal vertellen, probeerden Emily en ik soms de boel te verstoren – dan lieten we het verhaal zo lopen dat je niet uit de grot zou komen, of ontsnappen aan de boze heks of uit het donkere bos. Maar de grote mensen zorgden natuurlijk altijd dat dat wel gebeurde. Soms was ik jaloers op je omdat je zo in het middelpunt van al die liefdevolle belangstelling stond.

Daisy's eigen brieven spotten met haar leven – dat is haar manier om zowel de slechte als de goede dingen die haar overkomen te presenteren.

Ik realiseerde me eindelijk dat Rob verliefder was op zijn hond dan op mij. Hoewel het misleidend is om dat schepsel een hond te noemen. Een klein, dement paard dat toevallig hondentanden heeft die hij erg graag laat zien, dat lijkt er meer op. Ik moest mezelf wapenen met botten van karbonades als we een afspraak hadden. Het beest heeft me twee keer gebeten.
Naar me gebeten, zei Rob.
In elk geval doorbraken zijn tanden een barrière die ik graag tussen mijzelf en de wereld houd. Ik trok de grens: de hond of ik.
Tja, en dan heb je van die mensen die als ze de grens getrokken hebben in hun eentje achterblijven met die grens als enige gezelschap. Dat was hier ook het geval. Rob exit. Een poosje voelde ik een zekere tristesse als ik mijn tas opendeed en begroet werd door de vage geur van rauw vlees, maar dat ging voorbij.

En kort geleden:

Een rol, jongens! In een nieuw stuk in het Court Theatre. Klein, ja, maar de moeite waard. Ik ben een herinnering, echt, een droomvrouw die tijdens de handeling af en toe naar voren mag komen om de hoofdpersoon te herinneren aan een ander aspect van hemzelf en zijn leven. Ze is misschien een beetje te goed, een beetje te veel geïdealiseerd (ach, ze is eigenlijk een zeur) maar ik zal proberen haar zo pittig te maken als ik kan. Ik hoop dat een of twee van jullie misschien komen kijken en ergens tijdens de voorstelling roepen hoe schitterend ik deze rol vertolk.
Ik heb trouwens Phebe in het Shakespeare Theatre niet gekregen. De jongen die haar vrijer moest spelen was zo'n kilometer of twee kleiner dan ik. Ik geloof dat ze nog even hebben overwogen daar een grap van te maken, de grap die ik zo vaak en zo pijnlijk heb doorleefd buiten het toneel – gigantische ik, petieterige hij – maar ten slotte zeiden ze: 'Nee, maar probeer het de volgende keer maar weer.' En dat zal ik zeker doen.

Mark schrijft niet. Hij belt. Hij belt meestal vanaf zijn mobiel als hij in de auto zit. Ze zijn allemaal gewend aan het doffe geruis dat afneemt en aanzwelt, aan de plotselinge absolute stilte op de lijn. Ze kunnen zich het terrein dat het signaal blokkeert voorstellen. Ze hangen op en verwachten niet onmiddellijk het volgende telefoontje – dat is niet zijn stijl. Dat komt drie dagen, of een week later, zonder haast. Als ze vragen hoe het met hem is, zegt hij: 'Zijn gangetje, zijn gangetje.' Hij belt over hun levens. Hij wil dat zij tegen hem praten.

Als hij naar zichzelf luistert, denkt Mark soms aan zijn moeder die een keer tegen hem zei dat ze tevreden was. Niet gelukkig, maar tevreden. Hij vraagt zich af of dat is wat hij bedoelt als hij zegt 'zijn gangetje'. Tevreden.

Maar dan maakt een van zijn kinderen hem aan het lachen aan de telefoon, of vertelt hem iets wat hem verbaast of plezier doet; of hij vangt de geur van rook op van de brandende wijnstokken die in januari over de velden drijft; of hij rijdt een bocht om en ziet, uitgespreid onder hem, de wijngaarden in het voorjaar, felgekleurd door de zachte groene blaadjes die zich openen in de rijen, door het pure, koude geel van de mosterdbloemen; en dan wordt hij overstroomd door geluksgevoel. Zijn gangetje, zijn gangetje: geluk.

Ze schrijven natuurlijk ook niet. Sommige dingen blijven privé.

Als Emily's man Ted drie weken het huis uit gaat, valt ze stil. Ze heeft het gevoel dat ze het werkelijker en definitiever zou maken door het erover te hebben, en ze houdt zichzelf in een staat van bijna ondraaglijke spanning terwijl ze zichzelf voorhoudt dat het niet echt is, het is niet waar, het zal niet zo blijven.

En dat doet het ook niet – hij komt terug – en ze schrijft weer, over de veranderingen in haar lichaam tijdens deze tweede zwangerschap, over dat ze misschien verhuizen naar een groter huis als de baby geboren is.

Als Eva een knobbeltje uit haar borst laat halen, schrijft ze er aan geen van allen over. Gracie is de enige aan wie ze het vertelt. Als er een jaar voorbij is en het er nog steeds schoon uitziet, vertelt ze het eindelijk aan Elliott, en ze gaan uit eten om het te vieren.

Al deze jaren is ze Elliott blijven zien. Twee keer zijn ze uit elkaar gegaan, toen hij besloot met iemand anders uit te gaan – heel lang wilde hij opnieuw trouwen, maar Eva had hem verteld dat daar voor haar geen sprake van was. Maar elke keer zijn ze weer bij elkaar gekomen, en nu Theo het huis uit is, blijft hij vaak slapen, maar zelden twee nachten achter elkaar.

Ze schrijft ook niet dat ze weer naar de kerk gaat. Gedeeltelijk omdat het een experiment is voor haar – zal het op de een of andere manier relevant lijken? Zal ze iets voelen? En daarna, als ze erheen blijft gaan, als ze regelmatig gaat, schrijft ze niet omdat ze niet precies weet wat dit betekent of hoe ze het uit moet leggen, en ze wil niet dat ze er op een bepaalde manier over denken: als een soort wedergeboorte, als een openbaring, als een troost voor haarzelf nu ze alleen is.

Maar langzamerhand sluipen verwijzingen naar haar betrokkenheid bij kerkelijke activiteiten, naar gebeurtenissen op de christelijke kalender in haar e-mails, zodat haar kinderen, bijna zonder het tegen zichzelf of elkaar uit te spreken, gaan begrijpen dat ze gelovig is. Misschien dat ze zich haar ten onrechte herinneren als iemand die altijd gelovig is geweest.

Daisy heeft het nooit over haar abortus, of de depressie, haar gevoel van de zinloosheid van het leven, dat daarop volgde. Ze heeft het ook nooit over de paar jaar therapie bij dokter Gerard – behalve met Mark, die ervoor betaalt; en dan nog is haar enige uitleg tegen hem: 'Het blijkt dat er bij mij een paar appeltjes geschild moeten worden.'

'Zou het kunnen dat ik die appeltjes ken?' vraagt hij.

'Het zou niet uitmaken of je ze wel of niet kende,' zegt zij.

'Ah! Touché,' zegt hij. De mobiele verbinding ruist een beetje.

'Ik zal je ooit terugbetalen!' zegt ze harder.

'Liever niet,' zegt hij.

'Hoezo liever niet?' vraagt ze.

'Gewoon. Omdat ik jou terugbetaal, liefje.'

Mark belt steeds niet om te melden dat hij gaat trouwen en tegen de tijd dat hij het wel doet, is het zo kort voor zijn trouwdatum dat Daisy niet zeker weet of ze kan komen. Ze moet de regisseur in het Shakespeare Theatre vragen het repetitieschema om te gooien – ze speelt Miranda in *The Tempest.* Maar het is vroeg in het proces, ze zitten nog te puzzelen aan hun tekst, dus de regisseur zegt dat het goed is, ze mag een lang weekend weg, ze zullen alles om haar heen organiseren.

Het is januari, 17 graden in Chicago als Daisy vertrekt, en de aanblik van de groene heuvels als het vliegtuig landt in San Francisco is mooier dan ze zich herinnerde.

Mark haalt haar op bij de bagageband en samen lopen ze door de luchthaven naar de garage. Daisy vindt het prettig om naast hem te lopen. Ze weet dat ze een opvallend stel zijn. Pas toen ze bij hem was komen wonen realiseerde ze zich dat hij degene in de familie was op wie zij leek – dat ze zijn lange, smalle gezicht had, dat zo anders was dan dat van Emily en Eva. Dat ze dezelfde wijd uit elkaar staande lichte ogen had, de sterke neus en wenkbrauwen, het hoge voorhoofd. Ze was gaan denken dat zij ook knap was. Niet mooi, maar knap.

Ze gaan even bij Eva langs om haar en Theo en Emily en haar gezin, die allemaal in het grote huis logeren, gedag te zeggen. Ze maken plannen voor het weekend. Vanavond, besluiten ze, gaan Emily en Daisy samen eten.

In Marks huis pakt Daisy uit en trekt een spijkerbroek aan. Kathy, Marks toekomstige vrouw, komt langs – Daisy heeft haar nog maar één keer ontmoet, een lange, geestige vrouw die de reclame verzorgt voor een wijnmakerij – en ze praten gemakkelijk met elkaar. Om zes uur komt Emily haar halen en ze rijden naar Calistoga, naar het All Seasons Café.

Emily en Daisy zijn niet meer naar elkaar toegetrokken naarmate ze ouder werden. Ze zijn nog steeds te verschillend, gaan nog steeds te zeer verschillende kanten in het leven op. Maar vanavond praten ze daar rechtstreeks over, over de verschillende manieren waarop ze opgegroeid zijn, over hun ouders. Emily vertelt hoe het feit dat ze zelf kinderen heeft haar een heel nieuwe kijk heeft gegeven op Mark en Eva. Tijdens het praten zijn haar handen constant in beweging, ze strelen haar gigantische buik, gaan omhoog om haar gezicht aan te raken of om veelzeggend in de buurt van haar schouders te gebaren, alsof ze aandacht vraagt voor haar schoonheid, haar geanimeerdheid. Daisy, die als actrice heeft geleerd te houden van haar eigen vermogen tot stil zijn, denkt onwillekeurig aan de cheerleaderbewegingen die Emily steeds maar weer oefende op de middelbare school. Boem tsjikka boem.

Maar nu vraagt Emily hoe het was om Mark als vader te hebben, iets wat ze nooit echt heeft meegemaakt.

Daisy vertelt haar over hoe ze met elkaar streden. 'Ik denk dat we eigenlijk samen opgroeiden,' zegt ze. 'Ik weet nog een avond dat hij zo boos op me werd om iets wat ik gedaan had dat hij iets zei als: "En tot je godverdomme leert me te respecteren, heb je godverdomme huisarrest!" En dat klonk zo grappig, zo onlogisch, dat ik het niet kon helpen, ik barstte in lachen uit. En hij ook, en hij zei: "Zo zegt een vader dat niet, hè?" en ik zei tegen hem: "O, was dat waar je op uit was? Vaderlijkheid?"'

Emily grinnikte.

'Dat huisarrest kreeg ik trouwens wel, als je het wilt weten.' Daisy kijkt over Emily's schouder naar een stel dat buiten langsloopt. Het regent en ze lopen in elkaar gedoken. 'Hij heeft het echt geprobeerd,' zegt ze, en denkt aan Mark in die tijd. 'Hij heeft het geprobeerd en ik heb het geprobeerd. Het was alsof we allebei wisten dat het een soort laatste kans voor ons was.'

'Hoe bedoel je?' vraagt Emily.

'O, weet ik veel.' Daisy glimlacht. 'Ik doe theatraal. Zoals gebruikelijk.'

De volgende avond, de avond voor de bruiloft, gaat de hele familie, Eva en Theo, Emily en Ted en Gideon, en Mark en Kathy samen met haar twee zoons, die allebei in de twintig zijn, met z'n allen feestelijk dineren in Tra Vigne. Na het eten en hun langdurige afscheid buiten op de parkeerplaats gaat Daisy voor het laatst alleen met haar vader naar huis. Als ze elkaar welterusten wensen, staand in de woonkamer, grijnst ze naar hem en zegt: 'Wat een vrijgezellenavond, pap.'

Hij glimlacht hoofdschuddend terug. Zijn haar is nu grijs en hij draagt het heel kort – 'de kogel-look,' noemt Daisy het – waardoor hij er anders uitziet dan de mooie cowboy waar hij vroeger op leek. 'Mijn hele leven is de vrijgezellenavond geweest,' zegt hij.

De trouwerij zal worden gehouden in Kathy's huis, en de enige gasten zijn de groep die ook bij het diner was – familie. Geen vrienden, en beslist geen Gracie en Duncan. Mark heeft dat van tevoren aan Daisy verteld aan de telefoon, om haar gerust te stellen. En Daisy was opgelucht, hoewel ze zich afvraagt, zoals ze wel vaker heeft gedaan als ze thuiskwam, hoe het zou zijn om Duncan weer te zien, met hem in een kamer te zijn en met hem te praten. Doordat ze tijdens haar studie maar weinig thuiskwam en daarna zelfs nog minder en doordat ze altijd bij Mark logeerde, heeft ze het voor elkaar gekregen Duncan bijna tien jaar niet te zien – en het ziet ernaar uit dat dat deze keer weer zal lukken.

Maar Eva wilde dat Daisy 'nog minstens één keer aan mijn tafel zit,' zegt ze, en heeft voor zondagochtend, voor de bruiloft, een brunch gepland voor iedereen behalve de bruid en bruidegom. En als Daisy binnenkomt, ziet ze Gracie aan het eind van de lange gang in de deuropening van de keuken staan. Gracie ziet haar ook. Ze geeft een harde gil en stormt op Daisy af. Het lijkt of ze getackled wordt, denkt Daisy; hoewel Gracie kleiner lijkt dan vroeger. Kleiner en plomper.

Nu doet ze een stap terug en prijst Daisy openlijk, terwijl Daisy haar in zich opneemt; en natuurlijk tegelijkertijd aan Duncan denkt, die in de keuken bij de anderen moet staan wachten.

Daisy heeft zich gekleed voor de gelegenheid, omdat ze allemaal rechtstreeks van Eva's huis naar de bruiloft zullen gaan. Ze draagt een rode jurk met lange mouwen, hooggesloten en eenvoudig, maar prachtig vallend. Toen ze auditie deed voor Miranda had ze een poging gedaan om alles wat sterk en krachtig was in haar verschijning te dempen, zodat ze er vandaag zachter en mooier uitziet dan anders. Haar wenkbrauwen zijn tot een dunne lijn geëpileerd en gebleekt. Ze heeft rouge midden op haar wangen om ze voller te laten lijken. Ze heeft lichte plukken in haar haar. Ze is blij met dit uiterlijk, voorlopig. Met deze vermomming.

En Gracie ook. Haar brede, vlezige gezicht straalt Daisy waarderend toe. 'Je bent geweldig!' verkondigt Gracie met haar dreunende stem.

'Jij ook,' zegt Daisy lachend.

Gracie pakt haar hand en voert haar mee naar de keuken. Die is propvol mensen, en een paar minuten lang kan Daisy de kleine, goedverzorgde man met het grijze haar negeren die aan de andere kant van het keukeneiland naar haar staat te kijken, zijn gezicht stil, zijn donkere ogen uitdrukkingsloos.

Maar uiteindelijk kan ze niet meer om zijn aanwezigheid heen. Ze loopt met uitgestoken hand op hem af en hij schudt die formeel. 'Leuk om je te zien,' zegt hij met een knikje.

'Ja,' zegt ze. Hij is de enige man in de kamer met een pak aan, een pak van een mooie, fijngestreepte stof. Op maat gemaakt, denkt Daisy.

'O kom op, Duncan,' zegt Gracie. 'Een beetje meer enthousiasme voor deze absolute schoonheid.'

Hij keert zich naar zijn vrouw. 'Enthousiasme is nooit mijn fort geweest.' Hij spreekt het natuurlijk correct uit, zonder de t.

Daisy glimlacht en maakt van de gelegenheid gebruik om naar Eva te lopen om haar te omhelzen en een champagnecocktail voor zichzelf in te schenken.

Ze zitten met z'n tienen om de tafel, en Daisy is blij dat ze met zovelen zijn, als een buffer tussen haar en Duncan. Ze heeft zichzelf tussen Gracie en Kathy's oudste zoon, Kevin, gemanoeuvreerd. Duncan zit tegenover haar aan tafel, aan Eva's rechterhand. Af en toe kijkt Daisy naar hem en soms vangt ze zijn blik, maar zijn gezicht is ondoorgrondelijk. Hij ziet er breekbaar uit, denkt ze; ze heeft gezien dat hij veel duidelijker hinkte toen hij naar de eetkamer liep. Maar de breekbaarheid staat daar los van, en lijkt kenmerkend voor iemand die veel ouder is dan hij – en natuurlijk weet ze hoe oud hij is: zevenenzestig.

Hij kan het nog steeds niet laten zijn mening te berde te brengen – over de interne verkiezingen van de democraten, over Michael Jacksons gezicht – maar niemand is nog onder de indruk. Of misschien is het alleen dat de manier waarop deze uitspraken ontvangen worden veranderd is door zijn leeftijd. In elk geval besteedt niemand veel aandacht aan hem – ze hebben het te druk met praten over hun eigen leven, over wat ze allemaal hierna gaan doen.

Emily staat een poosje in het middelpunt van de belangstelling als ze een huis beschrijft dat ze willen kopen en praat over hypotheekrente en onroerend goed. Gracie vraagt Daisy hoe het met haar werk gaat, en ze praat over haar rol, over Miranda, vertelt dat ze dan wel een belangrijk personage in het stuk is, maar dat het geen grote rol is. 'Maar ze is zo ongelofelijk moeilijk te spelen,' zegt Daisy. 'Omdat ze is opgegroeid op een betoverd eiland alleen met haar vader en een... monster eigenlijk. En dus is ze verbaasd, verbijsterd als er andere mensen komen. En dat moet je weten te vangen – haar onschuld, haar verbijstering – zonder dat je haar dom laat lijken.' Ze gaat met een vinger langs de rand van haar moeders vertrouwde bord, de bobbelige rand. 'En ik moet zeggen dat ze – dat ik – een van de mooiste zinnen uit Shakespeare heeft. En een van de moeilijkste, omdat hij zo bekend is. Het is: "O nieuwe, heerlijke aarde, die zulke wezens draagt! Weet je wel: *O brave new world, that has such people in it.*"' Ze opent haar handen. 'Ik bedoel, hoe zeg je dat en maak je er iets nieuws van? Zodat mensen het echt horen in plaats van de boektitel of wat dan ook.'

'Weet je dat ik helemaal vergeten was dat de titel van dat boek van Aldous Huxley vandaan kwam,' zegt Eva. 'Foei.' Dat laatste is zo typerend voor Eva dat Daisy naar haar glimlacht en beloond wordt met die warme glimlach terug.

En nu vraagt Kevin haar hoe ze het redt, hoe ze haar brood verdient. Hij heeft dat ook aan Ted gevraagd, en aan Emily. Hij studeert in juni af en is op zoek naar ideeën.

Daisy lacht. 'Ken je die goedkope folders die uit de zondagskrant vallen? Waarin slimme jonge meiden achteloos in hun ondergoed staan en er zo seksloos mogelijk uit proberen te zien terwijl ze tegelijkertijd half bloot zijn?' Hij knikt. Ze wijst naar zichzelf met haar duim. 'Dat ben ik. Ondergoedkoningin van Marshall Field. Ondergoed en voice-overs en een beetje poseren als handmodel. Dat soort dingen.'

Hierna valt het gesprek uiteen. Gracie wil een recept van Eva. Gideon is lastig, hij wil niet in de kinderstoel blijven zitten, en Emily en Ted bespreken of hij dat wel moet of niet. Dwars door het lawaai heen hoort Daisy de stem die tegen haar spreekt.

'Waar zijn die folders te krijgen?' vraagt Duncan.

Ze kijkt hem aan. Hij glimlacht, een glimlach die een soort parodie is van de manier waarop hij naar haar glimlachte in zijn atelier, een soort theatrale wellustigheid.

'O in godsnaam, Duncan,' zegt Gracie, beledigd en toegeeflijk tegelijk.

'Wat?' zegt hij met een brede geveinsde onschuld op zijn gezicht. Hij keert zich naar Daisy. 'Mag een oude man een jonge vrouw niet laten weten dat hij haar verrukkelijk vindt?'

Daisy staart strak terug. Haar stem is vlak en koud als ze spreekt. 'Nee, ik vind van niet,' zegt ze.

'Daisy!' zegt Eva tegen haar dochter. En dan hoort ze zichzelf en zegt vriendelijker op een toon van zelfbespotting: 'Ik heb je niet opgevoed om zo grof te zijn.'

'Nee, dat heb je niet mam, dat weet ik. Dit is iets wat ik helemaal zelf bereikt heb.'

Er valt een stilte die misschien een paar seconden te lang duurt.

'Zo,' zegt Theo. 'Dit moet het moment zijn voor een verhaal.'

Emily zegt: 'Hè ja! Laten we dat doen. Voor Gideon.'

'Begin jij maar, Theo,' zegt Daisy. 'We hebben er nog een paar van je tegoed.'

'Graag,' zegt Theo. Hij heeft op de universiteit een gaatje in zijn oor laten maken en het diamantje twinkelt als hij zich naar haar toe keert. 'Het begin is het makkelijke gedeelte. Ze beginnen toch allemaal hetzelfde?'

Gracie buigt zich naar Daisy. 'Ooit krijg ik te horen wat er aan de hand is, oké?'

'Oké,' zegt Daisy.

Emily vraagt Gideon of hij een verhaaltje wil. Ja, zegt hij bijna onhoorbaar. Hij is verlegen. Zelfs in zijn kinderstoel probeert hij tegen zijn moeder aan te leunen en zijn gezichtje tegen haar schouder te verstoppen.

'Goed dan. Er was eens,' begint Theo, 'een klein jongetje, een dapper klein jongetje dat... Gideon heette!' Hij kijkt met opgetrokken wenkbrauwen naar zijn neefje.

'Ikke,' zegt Gideon. Hij glimlacht bijna.

'Ja. En op een dag liep dat jongetje in het bos toen hij een heel oude vrouw tegenkwam.'

'Ikke,' zegt Eva.

‘Nee!’ roepen een paar anderen, onder wie Daisy, in koor.

Theo beschrijft de vrouw en het huisje waar ze het jongetje mee naar toe neemt. Hij overacteert, denkt Daisy, hij moet het kleiner houden.

Hij geeft het verhaal door aan Daisy. Zij voegt snoep toe aan het huisje en een betoverde vogel die tegen de jongen kan praten. Dan geeft ze het door aan Emily.

Maar Emily mag niet praten van Gideon. Hij legt zijn handje over haar mond en zegt: ‘Nee, nee! Mammie.’ Zij is van hem, niet van hun.

Dus gaat Eva verder. De vogel vliegt het raam uit en door het bos naar de stad, waar hij de ouders van het jongetje vindt, en ze komen hem halen en ze leven allemaal nog lang en gelukkig. Gideon houdt zijn hoofd schuin tegen zijn moeder en een vaag, tevreden glimlachje verlicht zijn gezicht.

De brunch is afgelopen. Emily en Ted en Gideon gaan naar boven om zich klaar te maken voor de bruiloft. De anderen ruimen de tafel af en zetten de afwas in de vaatwasser. Pas als iedereen samendromt in de gang om jassen te pakken en weg te gaan, staat Daisy bijna alleen naast Duncan. Hij keert zich naar haar toe en praat zo zacht dat alleen zij het kan horen.

‘Ik ben verbaasd dat je gekomen bent,’ zegt hij. ‘Verbaasd. Verrukt. Ik was gewend geraakt aan de familiefeesten waarop jij opvallend afwezig was.’

‘Alleen opvallend voor jou, vermoed ik. Maar hier kon ik moeilijk onderuit. Ik moest komen.’ Ze staat kaarsrechtop, in haar volle lengte, langer dan hij.

‘Evengoed was het zover gekomen dat ik verwachtte je nooit meer te zien.’

Ze knikt. Dan zegt ze: ‘Het verbaast me dat je daar ook maar één gedachte aan hebt gewijd – dat je ook maar één gedachte aan mij hebt gewijd.’

Zijn glimlach, zijn ironische glimlach. ‘Je onderschat jezelf, Daisy.’

‘Dat doe ik in elk geval niet,’ zegt ze ferm.

‘Dan begrijp je me verkeerd.’

‘Ik denk eigenlijk dat ik je helemaal niet begrijp.’ Ze kijkt hem met haar lichtgroene ogen recht aan. ‘Dat heb ik nooit gedaan en zal ik ook nooit doen. Maar dat hoeft ook niet. Want hoe jij ook gebruik van mij maakte, ik heb jou ook gebruikt. Goed gebruikt.' Haar stem klinkt hard als ze dit zegt. Ze glimlacht haar eigen ironische glimlach. 'Ik zou je waarschijnlijk nog moeten bedanken ook.'

'Maar dat zul je niet doen.'

'Nee, dat denk ik niet.'

Na de bruiloft, na het diner in Kathy's huis, rijdt ze met Kevin mee naar het vliegveld. Ze neemt de nachtvlucht naar Chicago om op tijd te zijn voor de repetitie, en hij gaat terug naar de universiteit. Ze was van plan om in het vliegtuig te slapen, maar dat lukt niet. Ze is klaarwakker en denkt aan de bruiloft, aan haar vader en Kathy, aan haar familie. En dan, onvermijdelijk, aan Duncan.

Ze voelde niets voor hem, en dat verbaast haar. Hem tegenkomen was makkelijk. Hij was een oude man die ze vroeger kende. Zij is een volwassen vrouw – een groot mens, denkt ze glimlachend – die ooit, toen ze een kind was, in zijn ban was. Een kind als de kinderen in Theo's sprookjes, die gevangengehouden worden in het donkere bos en niet kunnen bedenken hoe ze zouden kunnen ontsnappen.

'Maar je bent ontsnapt,' zei dokter Gerard tegen haar toen ze die analogie een keer gebruikte tijdens de therapie.

'Niet helemaal.' Ze keek door het dunne aureool van dokter Gerards grijze haar naar de kale boom voor het raam achter haar. 'Ik ben gered. De nobele boswachter. De prins. Mijn vader.'

'Maar hoe wist deze figuur, deze redder, dat je er was als je hem niet een of ander signaal hebt gegeven, als je niet op de een of andere manier om hulp hebt geroepen?'

Ze hadden een poosje zwijgend bij elkaar gezeten. Toen zei Daisy: 'Ik begrijp wat u bedoelt. U zegt dat ik op de een of andere manier Mark heb laten weten van mijn affaire met Duncan.'

'Ik zou het zijn affaire met jou willen noemen.' Ook dokter Gerard had haar ironische glimlach.

'Oké, u hebt gelijk. Maar dat andere, dat ik op de een of andere manier wist wat ik aan het doen was...'

'Ik zei niet dat je wist wat je aan het doen was. Ik zei dat je hem een teken hebt weten te geven, je leven tegen hem hebt laten spreken.'

Daisy dacht even na. 'Onderbewust,' zei ze.

Dokter Gerard grinnikte. 'Waarom niet? Waarom niet het onderbewuste: dat waarin ik wel geloof maar waarvan jij doet of je er niet in gelooft.'

'Het is niet dat ik er niet in geloof,' sprak ze tegen.

'Nee? Wat is het dan?'

'Het is dat dat niet is zoals het voor mij voelde. Ik was boos dat hij erachter was gekomen. Ik was verdrietig.'

'En daarna opgelucht.'

'Ja,' zei Daisy onwillig, waardoor ze somber klonk.

'Maar ik suggereer alleen maar dat je er zelf ook iets aan hebt gedaan, dat je wat je nodig had bij je vader hebt gezocht.'

'O, is dat alles.'

'Dat is alles,' zei dokter Gerard en glimlachte vanaf de andere kant van de kamer, over haar merkwaardige magische tapijt, naar Daisy.

Dokter Gerard was degene die zei dat ze *Lolita* moest lezen, omdat ze dacht dat het haar zou helpen nadenken over wat er met haar was gebeurd, over hoe ze was misbruikt. En Daisy had het gelezen. Ze had nagedacht over wat Humbert denkt dat Dolly Schiller, zijn getransformeerde Lolita, tegen hem wil zeggen aan het eind van het boek: dat hij haar leven kapot heeft gemaakt.

Maar dat is niet wat ze voelde, of voelt, denkt Daisy in het vliegtuig. Haar leven was al kapot. Het had een mysterie toen Duncan met haar begon, een mysterie dat ze niet begreep. Het had te maken met Mark en Eva, met Eva en John, met al die dingen die mensen bij elkaar houden in een seksuele band, of hen uit elkaar drijven. Het had te maken met hoe diep dat verankerd is in hoe ze zijn, een uitdrukking van iets centraals in hen. En het had te maken met de manier waarop grote mensen daar roekeloos mee omgaan, de manier waarop anderen, zelfs hun eigen kinderen, er gewoon niet toe doen in dat opzicht. Toen ze voor het eerst de woorden materiële schade had horen gebruiken om te verwijzen naar onschuldige mensen die om waren gekomen in een oorlog, had Daisy gelachen om de ongerijmde gruwelijkheid van die uitdrukking – maar toen had ze zich gerealiseerd dat het ook de beste woorden waren om haar als kind en als tiener mee te beschrijven.

Duncan liet Daisy de fundamenten van het volwassen leven, het seksuele leven zien, hoewel ze dat in die tijd onmogelijk zo had kunnen formuleren. Hij voltooide een soort duistere opvoeding die in haar was begonnen met de scheiding en voortgezet na Johns dood. Ze had al die jaren verstrikt gezeten in verwarring en was niet in staat geweest de gebeurtenissen die haar leven vormden anders op te nemen dan als pijn die haar werd aangedaan. Duncan had haar laten zien wat ze nog meer betekenden, wat ze misschien hadden betekend voor Eva, voor Mark. Zelfs voor John.

Ze herinnert zich dat ze eens tegen dokter Gerard over John zei dat ze pas had geaccepteerd dat hij en Eva een seksuele relatie hadden toen ze Duncan had. Ze had dat essentiële deel van Eva's verdriet niet begrepen. Ze had niet geweten hoezeer ze buiten het leven van haar ouders en haar stiefvader stond.

Duncan had haar laten begrijpen hoe onbelangrijk ze was. Hij had haar taaier en harder gemaakt, en dat was verkeerd; maar zij was verdwaald en hij had haar, bijna zeker onbedoeld, een uitweg laten zien. Althans, hij en Mark hadden daarin onbewust samengewerkt.

Daisy kijkt uit het raampje naar de zwartheid onder haar en herinnert zich een vreselijke ruzie die zij en Duncan hadden de week voordat Mark het ontdekte van hen, een ruzie die haar diep geschokt had. Ze had er weer op aangedrongen dat hij haar vertelde wat ze voor hem betekende, en zo niet, dat hij haar smeekte om seks. Hij moest haar iets geven, vond ze. In haar verwarring over wat hij met haar deed, wat ze samen deden, wilde ze zijn gevoelens begrijpen, hem op de een of andere manier kunnen meten. Uiteindelijk had hij zich geërgerd van haar afgewend en was naar zijn werktafel gelopen – ze herinnert zich hoe hij door de kamer hinkte – en had zijn portefeuille gepakt. Hij had er een handvol bankbiljetten uit gehaald, was teruggelopen naar haar en had ze op haar blote buik gegooid.

Ze was opgestaan, zonder ze zelfs maar opzij te vegen, en hem aangevlogen, ze had hem twee keer geslagen voordat hij gewoon haar arm had vastgehouden en zij had gevoeld hoeveel macht hij op ieder moment dat hij had gewild over haar had kunnen hebben.

Toen hij haar eindelijk had losgelaten, draaide ze zich om en kleedde zich zonder een woord aan. Ze was naar buiten naar de auto gelopen om te wachten tot hij kwam om haar naar haar vaders huis te brengen.

Die nacht had ze gehuild, alleen in haar kamer bij Mark, gehuild tot ze er hoofdpijn van kreeg.

Maar ze zou ermee zijn doorgegaan, ze zou Duncan niet hebben opgegeven, ook toen niet – maar ze moest er op de een of andere manier klaar voor zijn geweest. Op de een of andere manier had ze inderdaad Mark een teken gegeven. Nu, in het vliegtuig, denkt ze dat misschien zelfs het huilen als teken voor haar vader was bedoeld. Ze had er zelfs aan gedacht terwijl ze huilde, herinnert ze zich nu. Ze dacht dat haar vader haar misschien zou horen en naar haar toe zou komen, en had zich afgevraagd wat ze zou zeggen als hij haar vroeg waarom ze huilde. Ze had zich afgevraagd of ze hem de waarheid moest vertellen.

Maar hij was niet gekomen, en na een poosje was ze opgehouden.

Voordat ze landen in Chicago meldt de piloot door de intercom dat het buiten vier graden is. Als Daisy bovenkomt uit het treinstation in de Loop, beginnen haar ogen onmiddellijk te tranen, haar neus begint te lopen en doet pijn van de kou. Haar handen doen pijn, ondanks haar wanten. Ze heeft het gevoel of de botten in haar gezicht zullen breken.

Ze houdt een eenzame taxi aan die langsrijdt door de lege straat. Op de achterbank naar huis realiseert ze zich opeens dat ze bij elke ademhaling een kreunend geluidje maakt, en dwingt zichzelf ermee op te houden.

Tot haar grote opluchting ligt er geen nieuwe sneeuw. Maar bij haar appartement moet ze met haar koffer over de zwartgeworden bevroren richel oude blubber klimmen die bij elkaar geschoven is aan de rand van de stoep.

Binnen is ze dankbaar voor de verzengende hitte in de hal, de geur van verbranding in de droge lucht. In haar appartement is het hetzelfde, behalve in de keuken, waar het raam altijd op een kier opengaat doordat de twee uiteinden van de spanjolet niet in het kozijn vallen. Sterke mannen hebben het geprobeerd maar zijn er niet in geslaagd, net als Daisy.

Ze doet het weer dicht – het openkieren gaat maar langzaam – en bukt zich om haar kat Charley te krabben, die heen en weer wrijft tegen haar benen, met gekromde ruggengraat en zijn staart zwiepend van blijdschap. De digitale klok boven het aanrecht zegt 06:37. De ramen zijn nog donker. De post van twee dagen ligt opgestapeld op de keukentafel, bovengebracht door dezelfde buurvrouw die Charley eten heeft gegeven toen Daisy weg was. Daisy doet de kasten open. Er zit niet veel in – dat zit er nooit, Daisy eet slecht – maar ze vindt een half pakje negerzoenen en neemt ze mee naar haar woonkamer, samen met de post.

Daisy is dol op dit appartement. Ze woont er al sinds ze acht jaar geleden naar Chicago kwam, aangetrokken tot de stad door zijn reputatie als goede plek voor jonge acteurs. Het is klein, twee kamers en een keuken op de vierde verdieping van een oud herenhuis aan de noordkant van de stad. Het ruikt er vaag naar kattenpis. Dat is haar schuld. Ze heeft een keer het raam open gelaten op een nacht toen het mooi weer was zodat Charley naar binnen en naar buiten kon via de brandtrap en de catalpaboom die ertegenaan groeit. Toen ze wakker werd, zaten vier vreemde katten plus die van haarzelf bewegingloos als standbeelden in elkaar gedoken in het appartement – een soort kattenduel kennelijk – en overal hing die vreselijke lucht. Ze heeft alles schoongemaakt, zelfs de muren afgesopt, maar het hangt er nog steeds, subtiel en niet altijd.

In de woonkamer valt het ongenaakbare licht van de lantaarnpalen naar binnen, dat alles paars maakt, alles wat het aanraakt lelijk maakt. Daisy trekt de gordijnen dicht en doet het licht aan.

Nog iets waar Daisy niemand van haar familie over heeft verteld is de decorontwerper die ze vorige zomer heeft leren kennen en die sinds kort bij haar woont – David. De omvang van deze stap is voor hen allebei getemperd door het feit dat hij zo veel moet reizen voor zijn werk, maar toch staat ze versteld van deze beslissing, van haar en van hem. Ze is wel eerder verliefd geweest, maar ze heeft nooit gedacht dat ze met iemand samen kon wonen. Een van de teksten die ze heeft geleerd als Miranda heeft ze in Davids oor gefluisterd de eerste nacht nadat hij zijn weinige bezittingen had verhuisd: 'Dit is de derde man, dien ik ooit zag, en de eerste, om wien ik zuchtte.'

Dat was voor hem aanleiding geweest haar nachtpon op te tillen en zijn lippen een poos lang her en der tegen de witte huid van haar lichaam te drukken. Toen hij klaar was en weer naast haar lag, fronste hij overdreven nadenkend zijn wenkbrauwen en zei: 'De derde pas, Daisy?'

'Misschien zit ik er een tikje naast,' zei ze.

Hij komt dinsdag weer terug, en Daisy heeft in de twee weken dat hij weg was de beschadigde donkere vloer van de woonkamer geschuurd en gelakt. Nu, bij het licht van de lamp, ziet de kamer er heel anders uit. Licht en schoon en fris. Het laatste wat ze had gedaan voordat ze drie dagen geleden het huis uitging, was de meubels weer terugzetten, inclusief Davids enige bijdrage, een Eames-stoel waarnaast alle andere vormeloos en geïmproviseerd lijken. Nu gaat ze erop zitten. Charley komt bij haar zitten en is lekker warm op haar dij. Ze weet dat ze eigenlijk zou moeten gaan slapen, maar ze is te opgedraaid. Ze kijkt langzaam de post door. Ze eet nog een negerzoen. Charley likt een klein stukje van het dunne chocoladelaagje dat op haar been valt.

Daisy denkt aan haar vader, aan hoe zijn gezicht stond toen hij zijn belofte aan Kathy deed – open, hoopvol. Daisy had toen naar Eva gekeken, ze kon het niet helpen. De tranen stroomden over haar moeders gezicht. Daisy had geen idee wat dat betekende, maar zij kreeg ook een brok in haar keel.

Haar script ligt op de hutkoffer die ze gebruikt als salontafel. Ze heeft haar eigen bladzijden eruitgehaald en haar tekst in geel gemarkeerd. Ze pakt de stapel papier nu op en bladert naar het einde, naar haar eigen laatste regels. 'O wonder!' roept ze uit in de bijna lege kamer. 'Wat pracht van scheps'len zie ik daar! Wat is het menschdom schoon! O nieuwe, heerlijke aarde, die zulke wezens draagt!'

Het paarse licht achter de gordijnen is vervaagd – Daisy ziet een brede streep bleek daglicht ontstaan waar ze niet helemaal tegen elkaar hangen. Ze denkt aan hoe het is om Miranda te zijn, door haar vader betoverd zodat ze lief kan hebben, verbaasd over wat het leven haar heeft gebracht – onschuldig, open voor alles. Ze leest zichzelf de regels steeds weer voor, fluisterend, en kijkt naar het ritme, de herhaling in de woorden en in de ideeën, zoals ze geleerd heeft. Ze realiseert zich dat het de mensen zijn waar Miranda zich over verwondert, hoeveel het er zijn, en hoe mooi ze zijn. De scheps'len, het menschdom: de wezens! Daar moet ze de nadruk leggen, dat zal het nieuw maken.

Ze kijkt op naar de eerste streep zonlicht die de kamer binnenkomt en fel weerspiegelt in de vloer die ze glanzend heeft gemaakt voor haar nieuwe lief, en haalt adem om opnieuw te beginnen, dit keer in de wetenschap dat het zal kloppen.